ニュートン新書

「科学的に正しい」とは何か

リー・マッキンタイア＝著
網谷祐一＝監訳　高崎拓哉＝訳

ルイーザとジェームズに

目次

はじめに

この本は、当初から愛の労作だった。そしてあらゆる労働がそうであるように、完了までに時間を要した。自分が科学哲学者になろうと思った瞬間を今でも覚えている。あれは1981年の秋、ウェズリアン大学オリン図書館の上階の席で、カール・ポパーの魅力的な論考「科学――推測と反駁《はんばく》」を読んでいたときだった。取りあげられている話題は衝撃的で、その魅力はおのずと明らかだった。そこに私は、自分が何より信じていること、つまり科学は特別であるという発想を守る方法を見つけた人物を見いだした。ポパーは科学の認識論上の権威を守り、科学のふりをしたものに科学が優る理由を説明することを生涯の仕事とした。

魅力的なテーマではあったが、私はポパーの結論に全面的に同意したことは一度もない。いつかこのテーマに戻ると自分でもわかっていたが、学問の世界の報酬システムの関係上、もう少し小さな課題に取り組んだほうが実入りがよかったので、哲学者になってからの最初の10年を、私は、法則と予測の重要性や社会科学の方法論を改善する方法、化学に哲学が必要な理由について書くことに費やした。以降は仕事の幅を広げ、大いに楽しみながら、一般読者に哲学を伝える仕事を続けている。テーマとしては、科学の否定や推論の重要性、そして特にこの時代にあって、本当に大事な考え方を守るために最高の哲学的懐疑主義が必要な理由などを扱ってきた。

しかし、私が本当に書きたいと思っていたのはこの本だ。科学のどこが特別なのかという疑問という重要な話題を取りあげることで、哲学者と科学者、さらには一般市民の関心を呼ぶものになってほしいと思っている。

私に哲学の道へ進むきっかけをくれた3人の教師、リッチ・アデルスティーン、ハワード・バーンスティーン、ブライアン・フェイに感謝申しあげたい。大学生活の最後でともにした時間は多くはなかったが、ジョー・ラウズも刺激をくれた。ミシガン大学の大学院では、幸運にもジェグウォン・キム、ピーター・レイトン、ラリー・スクラーから学ぶ機会を得られた。いつも幸せな大学院時代ではなかった(そんな人がどこにいるだろう?)が、振り返ればあそこを卒業したことが、その後の研究すべての土台になっている。

その後もありがたいことに、この業界で最高の面々とともに仕事ができた。ダン・リトル、アレックス・ローゼンバーグ、メリリー・サモン、エリック・シェリーはみな、すばらしい学識と同僚としてのあたたかい人柄で多くのことを教えてくれた。ボブ・コーエンとマイク・マーティンという、ともに最近この世を去った二人には、大きな借りがある。彼らは私に科学哲学の世界におけるホームを与え、一歩一歩導いてくれた。ボストン大学科学哲学・科学史センター新所長のアリサ・ボクリッチにも同じく感謝を伝えたい。

この本の具体的な発想について、指針と助言をくれたのはジェフ・ディーン、ボブ・レイン、ヘレン・ロンジーノ、トニー・リンチ、ヒュー・メラー、ローズマリー・サージェント、ジェレミー・シェアマー、ブラッド・レイだ。2014年の春には、幸運にもニューヨーク市立大学でマッシモ・ピリウーチとマールテン・ボードリーの講座「科学主義」に出席し、ノレッタ・コージとデボラ・メイヨー、トム・ニクルスのきわめて刺激的な論文について話を聞けた。この経験が、この本を書こうと思い立ったきっかけになっている。リック・ピールズとジェフ・カイケンも、個々の問題についてピンポイントの提案をし、大きな助けになってくれた。

親友のアンディー・ノーマンとジョン・ヘイバーは、光栄なことにこの本の草稿にすべて目をとおし、たくさんの有益なアドバイスをくれた。もう一人の友人ローリー・プレンダーガストも急きょ手を貸し、校正と索引作りを手伝ってくれた。また、もちろん名前を挙げることはできないが、この本の内容に大きく貢献してくださった5人の査読レフェリーの方々にも謝意を伝えたい。言うまでもないが、まだ残っているミスは私一人に責任がある。

残念ながらこの本の刊行を見届けられなかったが、常に私を信じ、応援し、導いてくれた父、そして母には最大限の愛と感謝を伝えたい。妻のジョセフィーンと娘のルイーザ、息子のジェームズもこの本をそれぞれ読み込み、書き直しを繰り返すなかで、さまざまな浮き沈みをともに経験してくれた。これほどすばらしい女性と結婚できた幸運な男はまたといない。彼女は私の幸せな人生と研究生活だけを願ってくれる。また幸運なことに、子どもたちは二人ともが哲学を専攻し、この年寄りの推論の穴を見つけ出すのは自分たちの生まれながらの権利だと言って、恐ろしいほど効率的にその仕事をこなしてくれている。実際、二人のこの本に対する貢献は非常に大きい。だから本書は二人に捧げたい。

ＭＩＴプレス（原書の出版元）のチームは比類なき面々だ。私の前作と、それ以降の日々が証明しているように、一人で本を書きあげられる作者はいない。校閲からデザイン、宣伝から編集まで、彼らと働けた私は恵まれていた。なかでも休まず働いてくれたクリエイティブ・パブリシティーチームと、編集者のフィル・ローリンには感謝したい。ローリンは分析的で、簡潔で、実践的で、陽気であることを同時に体現できる人物だ。繰り返しになるが、ＭＩＴプレスとの仕事は楽しいもので、今は彼らと四つ目の作品に取り組んでいる。

最後に、私が古くから知るある人物にも借りがある。１９８４年3月に有名なカール・ポパーから届いた手書きの手紙を読むたび、私はそのことを感じる。大学生時代の私が送った手紙に、ポパーは返事をしてくれた。彼は聡明で、明快で、守りが堅く、啓発的だった。彼の科学哲学に関する意見の多くには同意できないが、それでも今の私があるのは、ポパーが返事をくれ、そして私のキャリアでも最高にうれしいことに、彼がある意味で、その時点で科学的態度を予見していたからだ。実際に顔を合わせたことはないが、若かりしころのポパーの姿を今も思い浮かべることができる。1919年の冬に反証可能性の論理という天啓に打たれ、その中身を詰める仕事にキャリアのすべてを捧げることになる若者。本書の英語版が、ポパーの発見からちょうど100年後に出版されることを誇りに思う。私自身に、そしてほかの多くの科学哲学者に着想を与えた人物に、僭越《せんえつ》ながら賛辞を送りたい。

序章

私たちは、科学を理解するのにまたとない時代に生きている。権威ある科学雑誌『サイエンス』は2010年5月、米国科学アカデミーの会員255人の署名が入った書簡を公開した。この書簡は、次のような言葉で始まっている。「私たちは科学者全体、特に気候変動を扱う科学者への政治的圧力がこのところ増していることに強い不安を感じている。市民には科学の基本を理解していただきたい。科学的な結論には常に不確定要素が伴う。科学は何かを絶対的に証明するものではない[1]」

しかし、一般市民のなかにこの意味を理解し、これが科学的推論の弱みではなく強みだと理解している人はほとんどいない。そしてもちろん、その不確実さを政治目的に利用する人間はどこにでもいる。2012年の大統領選挙で共和党の候補だったミット・ロムニーは、その前の年の選挙戦で「気候変動の要因はわかっていないし、二酸化炭素の排出削減に莫大な資金を投じるのは正しい方針ではない」と述べた[2]。それから4年後の2015年の選挙戦の最中には、共和党の上院議員テッド・クルーズが、地球温暖化を裏づける有力な根拠は本当に得られているのかという質問に対して「優れた科学者なら、必ず科学をすべて疑ってかかるものだ。科学に疑問をもつことをやめた人間は科学者ではない」と答えた。(3)大統領選に勝利したドナルド・トランプもそれから1年とたたないうちに、「科学の政治介入」を阻もうと、アメリカ航空宇宙局（NASA）が行っている気候変動調査を打ち切ろうとした。アメリカだけでなく世界中の科学者が、NASAが名高い衛星を通じて集めている気温、氷河、雲などのデータを頼りにしていたなかで、この方針は気候モニタリングに取り返しのつかない痛手を与えるものだった。アメリカ大気研究センターのある研究員は、「衛星がほとんどなかったころの『暗黒時代』へ逆戻りしかねない」と嘆いた。(4)

科学への攻撃が激しさを増すなかで、科学者たちは2017年4月22日、「科学のための行進」というデモを世界600の都市で行った。その一つであるマサチューセッツ州ボストンで、私はさまざまなプラカードを目にした。「冷静な批判的思考を」「究極のマッドサイエンティストは誰だ」「科学なくしてツイッター（現X）なし」「私は現実を愛する」「オタクが行動を起こすほどの深刻な状況」「科学者にこんなことをさせるな」などなど。しかし、科学者たちは確かに重い腰をあげて通りを埋め尽くしたのだろうが、彼らにはほかにもやるべきことがあったのではないだろうか。科学の何が特別なのかというテーマは、もはや単なる学術的な問題ではなくなっている。科学の仕組みと、科学的な発見が特別な信頼性をもっている理由を説明し、科学の正当性をきちんと示せるようにならなければ、何も考えず科学を否定する者たちの暴挙を止めることはできない。

　この本の目的は、科学のどこが特別なのかを理解してもらうことにある。もちろん、そんなことはもうわかっているし、説明の必要はないという人もいるだろう。しかし現実には、理解できていてもそれをうまく伝えられる人はほとんどいない。**科学が特別なのは過去の科学的偉業を見れば明らかだし、すでに多くの科学哲学者がこの疑問に答えるために奮闘している**という意見もあるが、現実の科学者は「素朴実在論者」、つまり自分の発見が真理（もしくは真理に近いもの）なのは一目瞭然だと考え、科学の裏にある哲学的、方法論的な課題には見向きもしないタイプがほとんどだ。科学とは何かを考えようとする者もゼロではないが、たいていは過去の哲学者が行き当たったのと同じ障害にぶつかるか、重要なのは科学の考察ではなく**実践**なのだから、考えても無駄だと結論づけてしまう。[5] しかし、その点を軽視してきたからこそ、科学が**実践**を通じて成功を収めてきたにもかかわらず、科学は「一つのイデオロギーにすぎない」とか、気候変動の「根拠をもっと示せ」とかいった批判に対し、科学者はおずおずと不満を言うばかりで、まともな答えを返せずにいる。これまでの科学的発見の正当性を示すだけでなく、自然科学以外の科学がこれから正しく発展していく土台を築くためにも、もっと優れた答えが必要だ。それにはまず、知識を得る手段として、科学の何が特別なのかを理解する必要がある。そのために多くの人が頼ってきたのが科学哲学だ。

科学とは何かを考える「科学哲学」の分野が成立してから、それが常に土台にしてきたものがある。それは、科学哲学だけが科学的なプロセスを「合理的に再構成」し、科学が現実に機能している（また科学的主張が正当とみなせる）理由を示すことで、科学に対して特別な貢献を果たせるという発想だ。[6] ところが、そのためには何が最善で、そもそもそんなことを考える必要があるのかについては、激しい議論が続いている。科学の一番の特徴が判明すれば、科学的手法を他分野にも応用できるという発想は、このところすこぶる評判がよくない。原因は、科学の世界には「科学的方法」、あるいは科学と科学ではないものとを分ける明確な基準があり、その基準を厳格に当てはめさえすれば優れた科学が花開くと主張する者たちだ。そこに火に油を注ぐかのように、「科学主義」なるものの信奉者が、自分たちの論理をあらゆる研究分野に当てはめようとしている。しかし、このやり方には無理がある。科学哲学に従事する現代の哲学者のほぼ全員が、科学的方法などというものはなく、科学とそれ以外とを分ける基準を考えようとするのは時代遅れで、科学主義は危険だと認めているからだ。[7] 科学の特徴を考えるなかで、ほとんどの科学哲学者は、自分たちが何よりなすべきは科学の基準を定めることではないと感じるようになっている。

　科学哲学者のカール・ポパーが１９３４年にドイツ語で、１９５９年に自ら英語で書き直した著書『科学的発見の論理』（邦訳：恒星社厚生閣）では、科学と科学ではないものとを分ける信頼性の高い手法はあるが、「科学的方法」はないという主張が軸になっている。かわりにポパーが支持したのが、科学では「反証可能な」理論を用いる点が他分野と一線を画すという説だった。これは、科学理論とは原理的には根拠《エビデンス》を提示すれば間違いを証明できるものであるという発想で、論理と方法論の面でメリットはいくつかあったが、多くの哲学者から問題点も指摘されている。よく挙がるのは、これはニュートン力学からアインシュタイン物理学への移行のような科学の「ハイライト」にばかり目を向けた理想論であって、実際の科学はそういうものではないという批判だ。[8]

もう一つ有名なのが、トーマス・クーンが1962年の著書『科学革命の構造』(邦訳：みすず書房)で提唱したモデルだろう。クーンは科学理論がパラダイムシフトを通じて刷新されていく過程、言い換えるなら既存の理論に問題が見つかっていくなかで、科学的コンセンサスが大きく変化し、分野がほとんど一夜で生まれ変わったように見える流れに注目している。しかし、こちらの説にも問題がある。まず、実際の科学はそういう(プトレマイオスの天動説からコペルニクスの地動説への移行のような)ものばかりではないという先ほどと同様の指摘で、クーン自身も、無数にある「通常科学」についてはそのとおりだと素直に認めている。そしてもう一つが、パラダイムシフトは完全に「合理的」な過程ではないという批判だ。クーンは、パラダイムシフトには根拠が欠かせないと強調しているが、根拠を「主観的」要因に基づいて、あるいは社会的な要因をふまえて解釈した時点で、従うべき科学的「方法」などなくなるように見える。[9] だからこのモデルでは、科学的主張の正当性だけでなく、他分野が従うべきロードマップも示せない。

ほかにも、イムレ・ラカトシュやポール・ファイヤアーベント、ラリー・ラウダン、あるいは「社会構成主義者」たちが別のモデルを提唱するにつれて、科学の「特別さ」や、他分野の手本になりうる科学の優位性を主張することがどんどん難しくなっていった。[10]では、それらをどう扱うべきなのか。今あるもののなかから、どれか一つを選ぶのは不可能だ。まず、それぞれの説には主張の重なる部分がほとんどなく、全体の一部を切り取ったものだから、科学とは何かの全体像が見えてこない。もう一つの問題は、こうしたモデルが何かに目をつむることで成立している点だ。たとえばこれらのモデルは、たとえ成功したとしても、自然科学以外の分野がもっと科学的になるために守るべき基準を提供してくれないのである。

過去の優れた説がどれも成立しないのは、基準を見つけ出そうというアプローチに共通の弱みがあるからだろう。弱みという言い方は耳が痛いかもしれないが、科学哲学が科学の「成功」にばかり目を向け、失敗に着目してこなかったのは、少なくとも問題点に思える。というより、基準になりうる失敗から得られる教訓は、成果と同様に科学の正体を明らかにするヒントになるはずだ。成果から科学の特別さを明らかにする手法がまずいわけではないが、これまではそれが悪いほうへ転んできた。

まず、科学とは真理へ至る一歩一歩の積み重ねであって、失敗が起こるのは科学者が間違っていた、あるいは無知だったときだけだという考え方は、心地よいが正しくない。それは歴史を振り返れば明らかで、科学的とはいえるが間違いだと判明した理論はこれまで無数にある。ポパーとクーンは、科学が説明を使いながら、理論と根拠を「合致させる」たゆまぬ努力を通じて発展してきたことを示すのに骨を折ってきた。ところがほかの人間はあまりにも安易に歴史を振り返り、科学が現在のような形に発展してきたのは必然で、科学は唯一無二の真理へ必ず近づいていくものなのだというふりをしてしまっている。

次に、成功例から科学を説明することにこだわると、哲学者はモデル構築の材料となる「勝利」のほとんどを自然科学から選ばなければならない。具体的には、科学は特別だという結論を出すために、物理学と天文学の歴史に頼らざるをえなかった。しかしそれは結果論でしかなく、科学的になりたい他分野は物理学を真似しなければならなくなる。こうした論理が無批判に受け入れられてきたせいで、経験*に基づいているのに、物理学とは対象が大きく異なる分野はひどい不利益をこうむってきた。科学哲学の目的が、科学の特別さを理解し、それを通じて**他分野に成長をもたらす**ことなのを忘れてはならない。このままでは、社会科学などの分野の発展は望めない。そうした分野は、科学哲学の説明モデルの大半でごく最近まで軽んじられてきた。

ポパーは、社会科学は科学たりえないと述べ、問題点として、社会科学では意思決定に自由意志や意識が影響することを挙げた。自然科学では使える反証が、社会科学では使えないという主張だ[11]。社会科学の研究者に信奉者が多いクーン（彼の登場で、社会科学者はやっと自分たちにも目標が見つかったと感じた）も、人間の振る舞いのような面倒な研究対象からは距離を置き、自分のモデルは自然科学にだけ適用すべきで、社会科学へのアドバイスはないと断言している。生物学や化学のようなほかの「特殊な」（つまり物理学でない）科学の扱いや、物理学の理論に頼らずにどう科学を守るかという大きな課題も残る。化学の**透明度**や**におい**、社会学の**疎外感**や**アノミー**のような、物理学では説明できない、認識論的にそれから独立した概念はどう扱うべきか。科学として成功を収めているのは物理学だけで、化学すら水準に満たないのか。物理学や天文学の歴史を参考にする哲学者は、科学であると主張する、あるいは科学的であろうと心がける分野の**大多数**を、科学のモデルに合致しない「特殊科学」とみなす向きがあった。そうした分野に対して私たちはなんのアドバイスもできず、正当性も示せないのだろうか。

最後に、科学を自称する一方で、科学の水準には達していない分野（インテリジェント・デザイン論や気候変動の否定派など）はどう扱えばいいのか。予防接種と自閉症の関係性を主張したアンドリュー・ウェイクフィールドを始め、研究者が科学者としての誇りをなくし、不正に手を染めるケースにはどう対処すればいいのか。そこから何か教訓は得られるのか。私としては、科学の何が特別かを知りたいという強い思いがあれば、科学を捨てた人間からも多くが学べると考えている。たとえば、インテリジェント・デザイン論者が**実行していない**、しかし真の科学者なら**実行すべき**（そして実際、おおむね実行している）ことはなんなのか。高い「懐疑主義」の基準を掲げていると主

＊　この本では「データ」や「実験」、「観測」に近い意味。たとえば「経験的主張」とはデータや実験などで確かめられるはずの主張を指し、数学におけるように思弁だけで真偽が確かめられる主張と対比される。

張する気候変動の否定論を、正当とみなせないのはなぜなのか。うまい科学的説明をつけたいからと、データを操作し、サンプルを意図的に選別して、理論にデータを合わせてはいけないのはなぜなのか[12]。科学を大事に思う人間にとって、これらはどれも科学の原則に対する大罪で、やってはいけないのは当たり前に思えるかもしれない。しかしそう思うなら、そうした過ちを例に、科学的な原則とは何かをわかりやすく伝える必要があるはずだ。

この本では、過去の研究者とはまったく別のアプローチを採る。科学は特別だという点は尊重しながらも、科学を理解するには自然科学の成功にだけ目を向けるべきだという発想はせず、科学的であることに失敗した分野や、(社会科学のような)もっと科学的でありたいと心がけている分野に注目する。科学の何が特別なのかを見分けるには、ニュートン力学からアインシュタイン物理学への移行を調べるだけではなく、不正や疑似科学、否定主義、社会科学の問題に切り込むという汚れ仕事もこなさなくてはならない。

なぜその必要があるのか。それは、科学の力ともろさの両方を本当の意味で理解するには、すでに科学と認められている分野だけでなく、科学的と呼べる基準を満たそうと奮闘している（さらには満たそうとしてできなかった）分野にも目を向ける必要があると考えるからだ。特殊科学を分析するだけでも、科学のどこが特別かについて多くのことがわかるだろう。しかし同時に私たちは、「科学が本当に信用できるなら、どうして（自然科学の分野でさえ）正しい答えをくれない場合があるのか、答えに詰まる場合すらあるのか」という批判への答えを用意しておく必要がある。それができれば、科学の特別さを理解するだけでなく、ほかの経験的分野が科学を真似るためのツールも手に入る。

別の問題もある。最近では科学的な結論も、合理的だからとか、正当だからといった理由だけで受け入れられることは少なくなっている。気候変動を疑う者たちは、温暖化が進行している根拠をもっと出せと言い張り、ワクチン接種をいやがる人たちは、自閉症の真実が隠ぺいされていると主張する。このような、科学的な結果を頭から否定する人たちにはどう対応すればいいのだろう。非合理的な人間と見下すのは簡単だが、それでは大事なポイントを見落としかねない。科学的な説明が特別に信頼できる理由をきちんと示せなければ、説明自体も受け入れられるはずがない。科学を理解できなければ、他分野に応用できないのはもちろん、科学的たりえている分野を守ることもできなくなってしまう。

要するに私は、これまでの科学哲学者は、科学の何が特別なのかをうまく解説できていなかったと考えている。そしてその原因は、自然科学の失敗や社会科学の可能性、科学の精神をもたずに科学を騙《かた》る分野の問題点にしっかり言及してこなかったからだと思っている。だからこそ、科学的であろうとする分野が科学の成功を再現できず、イデオロギーに突き動かされ、自分たちの理論も同じように優れていると考える不合理な人間に、科学的な結論が否定されてきた。

では**実際のところ**、科学のどこが特別なのか。私はこれから、経験から得た根拠に対する**科学的態度**こそが、最大の特徴なのだということを示したい。科学的態度は中身を説明するのが難しい一方で、きわめて重要な精神でもある。科学を実践するには、自分がもともともっていた見解やイデオロギー、希望的観測に左右されず、根拠に照らして理論をテストしていく心構えをもたなくてはならない。こうした態度を線引きの基準にするのは簡単ではないし、科学的態度が「科学的方法」にかかわるものだと言うつもりもないが、これは科学に従事する（そして科学を理解する）うえで必要不可欠なものなのだ。社会科学でも真似ることができるし、インテリジェント・デザインのどこが科学で**はない**のかの説明にもなる。また、気候変動の根拠を受け入れようとしない者たちの否定主義の空っぽさや、科学がもつ本物の懐疑論が制約になっているがためにはびこっている、陰謀論の愚かさの説明にもなる。科学の特別さの大元は、**根拠を大切にする姿勢**と**根拠を基準に理論を変える意思**にある。科学を特別にしているのは、研究の対象や手法ではなく、研究者の価値観や振る舞いだという発想だ。もっとも、科学の成功の歴史だけでなく、科学を目指してきた他分野の取り組みをひも解くのは、驚くほど複雑な仕事ではある。

この本では、科学的態度という発想を使って、次の三つの課題に取り組んでいく。一つ目が科学を理解すること（1～6章）、二つ目が科学を守ること（7～8章）、そして最後が科学を発展させること（9～10章）だ。それができれば、科学哲学を通じて科学を解説するだけでなく、わかった内容をやるべきこととして使えるようにもなる。科学が成功を収めてきた理由を示すだけでなく、実験と根拠に基づいた手法が他分野にもたらす大きなメリットも説明できる。科学がなぜ特別なのかを理解できない、理解しようとしない人たちに、疑似科学や否定主義が科学の基準に達しておらず、科学的説明のほうが優れている理由をもっとはっきり示すことにもつながるだろう。哲学者はもう何十年ものあいだ、物理学の成果に着目して科学の特別さを突き止めようとしてきたが、私は逆のアプローチを採る。科学がこれほど特別なわけを本気で理解したいなら、自然科学の成果の向こうに目を向け、科学ではない、永遠に科学たりえないかもしれない分野にも注目しなくてはならない。

第1章

科学的方法と線引き問題

科学はほかの分野とどこが違うのかと言われれば、ほとんどの人は、特別な「科学的方法」を採っている点を思い浮かべるのではないだろうか。ところが、科学とは何かを考える科学哲学者にとっては、「科学的方法」などというものはないというのが、ほとんど当たり前の認識になっている。

天文学や物理学、化学、生物学の教科書を今もとってある人は、1ページ目を開いてみてほしい。そこには、教師が授業で取りあげることも、生徒が読むこともまずないが、本文の内容がどうして信用できるのかを示すのに欠かせない情報が記されている。多くの場合、1ページ目にあるのは「科学的方法」に関する記述だ。表現は教科書によってさまざまだが、ここではシンプルかつ古典的な5段階の方法を紹介しよう。

(1)観察する。
(2)仮説を立てる。
(3)予測する。
(4)テストする。

（5）結果を分析して仮説を修正し、やり直す[1]。

では、これが実際に科学的な発見へ至る方法なのかといえば、そんなことはまったくない。科学理論が**生み出される**までの道のりには、たいてい紆余曲折《うよきょくせつ》がある。偶然の発見や失敗、行き詰まり、思いがけない幸運を経験することもあれば、心労にさいなまれ、強い決意を求められる場面もある。ところが、こういったものが科学の特徴だと考える人はほとんどいない。科学ではときどき、学者がひょんなことから自説を思いついたエピソードが語りぐさになる。暖炉の前でうたた寝しながら、尻尾を呑み込むヘビの夢を見てベンゼン環に思い至ったアウグスト・ケクレに、信号が赤から青に変わって車を出した瞬間、核分裂は可能だと悟ったレオ・シラード[2]。芸術の世界と同じように、科学の世界でもひらめきのきっかけはいろいろだ。それでも多くの人が、科学的な結果には信用に足る特別な力があると考えるのは、科学では**ひらめきが起こったあとに**結果を合理的に再構成できるからだ。つまり、科学がこれほど深く信頼される理由は、科学理論の**発見の方法**ではなく、理論が**論理的に正当とみなされるまでの過程**にある。

科学の教科書には、整理してまとめたバージョンの歴史が載っている。何世紀にもわたる科学的な衝突の結果だけが列挙されていて、現在のような世界の深い理解に至ったのは必然だったという印象を与える。しかし科学史の研究者は、その認識が正しくないことを知っている。それにもかかわらず、いまだにこうした捉え方が主流なのは、「科学的方法」をもち出せばいとも簡単に、科学的な内容は特に信じられるものだと相手を説得できるからだ。そのうえ、科学的な解明の手順を真似れば、他分野でも経験を通じた独自の発見が得られると主張することもできる。[3]

古典的な5段階の方法は、簡潔すぎて役に立たないことが証明されている。それでも、科学の何が特別なのかをさぐるうえで、一部の哲学者は方法論に注目している。ここは大切な部分なので、誤解しないでもらいたいのだが、フリーサイズの普遍的な「科学的方法」などなく、観察を出発点にすれば最後には科学的知識が得られるとも限らないが、だからといって科学に方法論的な特徴がない、とは言い切れない。科学理論を生み出すレシピや公式は存在しないというのと、科学者は**決まった手法など一切もたない**と述べるのとはまったく別だ。つまり科学哲学者は、大半が単純な「科学的方法」という発想は否定したいと思っている一方で、今ある科学理論の知的な威信を保つには、科学と科学ではないものの方法論の違いを分析することに大きな価値があると考える者も多い。

線引き問題の重要性

方法論に着目すると、それが科学と科学以外とを分ける手段になるというメリットがある。両者のいわゆる線引き問題は、20世紀初頭のカール・ポパーの時代以降、哲学者のあいだで大きな関心を集めてきた。ラリー・ラウダンは「線引き問題の逝去」という論考のなかで、問題はアリストテレスという、知識と意見を区別しようとした人物の時代に端を発し、ガリレオ・ガリレイとアイザック・ニュートンという、経験に基づいて自然現象を理解し、近代科学を作りあげた人物の時代に再燃したと述べている。19世紀の初めにはオーギュスト・コントらが、具体的な中身のコンセンサスはまだ得られていないが、科学の特徴は「手法」にあると主張し始めた[4]。そして20世紀初頭には、哲学者たちがこの説を発展させ、科学と科学ではないものとを分ける厳格な「線引き基準」を定めることで問題の解決を試みるようになっていた。

　論理実証主義者は、この課題に取り組む土台として、科学的主張がもつという特別な「意味」に着目した。科学的主張はほかと異なり、この世界を生きる人間の経験に影響を与えるとされる。だから、感覚データを通して検証可能でなくてはならない。たとえば、科学者が金星には満ち欠けがあると言ったなら、まわりはそれを望遠鏡で確認できる必要がある。彼らは検証できない主張（論理学で使うものは除く。演繹《えんえき》的に妥当で、もともとしっかりした根拠があるとみなせるため）に「認知的に無意味」のらく印を押し、正誤を判断する方法がない以上、今の時代には通用しないナンセンスなものとして一蹴した。世界に関する真理を述べた主張は、経験を通じて検証できる必要があり、それができないものは科学ではなく「形而上《けいじじょう》学」だ（彼らはこれを宗教や倫理、美術、哲学の大半など、多くの知的分野への侮蔑語として使った）と断じた。ところがこうした明確な区別をするには、無意味な発言と意味のある発言とをふるい分ける「検証基準」を考え出す必要があった。そして結局、彼らは正しいふるい分けができないという問題に行き当たり、意味に基づく線引きは失敗に終わった。[5]

次にこの問題を取りあげたのが、おそらく線引き問題の第一人者であるカール・ポパーだった。ポパーは論理実証主義者たちが失敗する前から、科学的主張の検証は難しいと察していた。論理実証主義者は、科学の土台に帰納的推論を置いていたが、そのせいで、経験に基づく主張は真だと証明できるという考え方を破壊することになってしまった。デイヴィッド・ヒュームが取りあげた有名な帰納の問題があったため、望んでいた確実性を科学的主張に与えられなかったのだ。[6] 証明はできなくても**検証可能**な時点で特別な意味があるともいえそうだが、ポパーはそうではないと考え、「意味」を求めたのがこのアプローチの間違いだとみなした。ポパーは、科学を特別にしているのは意味ではなく手法だと感じた。そして１９１９年冬、線引き問題を別の方法で解決しようと、科学理論の「反証可能性」と呼ぶものに着目したアプローチを提唱した。これは、科学理論は経験を通じて否定される可能性をもっていなくてはならないという考え方だった。

ポパーが問題にしたのは、占星術師の発言と科学的主張との違いだった。占星術師の言葉はどんな根拠にもつじつまを合わせることができるように見えるのに対し、科学的主張は間違う危険性がある。たとえば、星読みをした占星術師から「あなたはときおり、自分が築きあげてきたものが崩れるのではないかという不安を抱き、自分が裏切り者のように感じることがありますね」と言われた人は、心の奥底をのぞかれたような気がしてとても驚くが、実はその占星術師は、ほかのお客に対しても同じことを言っている。科学の場合は正反対のことが起こり、予測が外れたとき周囲は「理論が正しかったなら結果を正確に予測できたはずだ」と考える。そして結果を見とおせなかったのは、理論に穴があったからだと判断する。

ポパーはこうした違いを材料に、科学と科学ではないものの方法論の違いをさぐっていった。科学的な主張は必ず根拠を通じて証明できなければならないというのは、基準としては非現実的に高すぎる。だからそのかわりになりつつ、それでいて根拠を軽視はしない基準はないだろうか――。そしてポパーは気づいた。論理実証主義者らがヒュームの帰納の問題に阻まれ、科学的主張は検証可能だといえなかったのなら、論理学の世界で広く受け入れられている演繹的な確実性を求めればいいのではないか。

形式論理学を勉強したことのある人なら、「モーダス・ポネンス」という一番有名でシンプルな演繹的推論の形式を知っているだろう。これは「AであるならばBである。そしてAである。それゆえB」というごく当たり前の考え方で、「経験に影響を与える」かを確かめる必要もない。この演繹的な論証は常に妥当で、前提の正しさが結論の正しさを十分に示しているため、前提が正しければ必ず結論も正しいということになる。別の見方をすれば、結論で示されている内容は前提の段階ですでに情報として提示されている。次のような演繹的に妥当な論証を考えてみよう。


１９４５年から１９９１年のあいだに生まれた人はみな、骨にストロンチウム90*が蓄積されている。

アダムは１９６３年に生まれた。

ゆえにアダムの骨にはストロンチウム90が蓄積されている。(7)

＊　かつて砂糖の原材料などに含まれていた放射性物質。

しかし科学的主張には、この形式に倣っていないように見えるものがある。ポパーが登場するまで、科学的主張は帰納的なものとされていた。「AであるならばBである。そしてBである。ゆえにAが成り立つ」という推論だ。例を出そう。

1945年から1991年のあいだに生まれた人はみな、骨にストロンチウム90が蓄積されている。
イブの骨にはストロンチウム90が蓄積されている。
ゆえにイブは1945年から1991年のあいだに生まれた。

しかしもちろん、この論証は演繹的に妥当ではない。骨にストロンチウム90が蓄積されているからといって、イブが1945年から1991年のあいだに生まれたとは限らない。もしかしたら、イブは事故があったペンシルベニア州の原子力発電所の近くで1990年代後半に幼少期を過ごし、環境汚染の影響を受けたのかもしれない。つまり先ほどの論証では、前提の正しさが結論の正しさを約束していない。帰納による論証では、結論に前提を上回る情報が含まれる。である以上、実際に経験して結論が正しいかを確認する必要があるが、そもそも経験から結論を導き出すことこそが科学のはずだ。実際、なんらかの現象に論理的な説明をつけようとするとき、私たちは直接的な経験の枠を超え、似た状況から推察する。限りある経験からパターンを見つけ、別の事柄を推測しようとする。

白鳥の色の予測のような、経験に基づく単純な推論を行っているとしよう。これまで目にした白鳥たちがどれも白かった経験をもつ人は、「白鳥はどれも白い」という主張は正当だと考える。この意見は正しいだろうか。この人物は今、観察を通じて仮説を立てた段階で、次は仮説をテストする必要がある。だから、このあとも目にする白鳥は**すべて**白いはずだと予測する。ところが、ここから話はおもしろくなってくる。その予測が現実になったと仮定しよう。たとえばアメリカ人は北米から出ずに人生を終えることも多いだろうから、目にするのは最期まで白い白鳥ばかりかもしれない。しかしその事実を根拠に、先ほどの主張の正しさを証明できるかといえば、そんなことはない。オーストラリアへ行って（あるいはグーグル検索をして）黒い白鳥を目にすることもありえるからだ。

経験から真理を導き出す行為には、これから経験できる出来事の数には限りがあるという制約がつきまとう。どれだけ長生きの人間でも、世界中に棲息する、またこれまで棲息してきたすべての白鳥からサンプルを抽出するのは不可能だから、確証は得られない。世界について何か包括的なことを言い、科学法則にしようとする行為には、主張と矛盾する根拠があとから見つかる懸念が必ずつきまとう。それが帰納的な論理の特徴で、だからこそ帰納的な推論は演繹的には妥当でないということになる。私たちの限られた経験に、世界のすべてが合致するとは限らない。

それにもかかわらず、科学は十分に機能している。見解が正しいという確証がないなかで、少なくとも論拠は与えてくれそうな根拠を集め、主張の妥当性を高めている(8)。しかし、そこで満足する必要はどこにもない。そのためポパーは、論理実証主義者らの帰納的推論に疑問を抱き、仮にそれが科学の論理的土台なら、科学と科学ではないものとを分けるポイントはどこにあるのかと考えた。「科学者は間違う可能性がある」と認めたところで線引きになるとは思えない。そこでポパーは、科学の特別さを支えるもっと強力で**論理的な**土台を追求した。

答えは近くで見つかった。先ほどの例には「後件肯定」という名前がついていて、演繹論理ではよく知られた誤りだ。しかし、演繹的論証にはもっと優れたものがある。特に強力なのが「**モーダス・トレンス**」で、そこでは「ＡであるならばＢである。そしてＢではない。それゆえＡは成り立たない」と考える。

１９４５年から１９９１年のあいだに生まれた人はみな、骨にストロンチウム90が蓄積されている。

ゲイブリエルの骨にはストロンチウム90が蓄積されていない。

ゆえにゲイブリエルは１９４５年から１９９１年のあいだに生まれていない。(9)

このことにポパーは鋭く気づいた。ポパーは、これこそが科学的な推論の論理的な土台になると考えた。科学では経験した事実から何かを学び取ろうとするが、だからといって、必ず帰納の問題に行き当たるわけではない。今挙げた例なら、たとえばテストに成功しなかったから主張を見直す必要があるといったように、根拠から**主張の欠陥**を学べる。ポパーも経験的根拠に頼っている点では論理実証主義者と同じだったが、経験に影響する根拠を検証のためのものではなく、手元の理論を反駁《はんばく》する可能性があるものとして重視した。

黒い白鳥の例で言えば、そうした白鳥を一度でも目にすれば、「白鳥はすべて白い」という仮説は見直さなくてはいけなくなる。こうしたモーダス・トレンスを通じた反証は、一つ例を出すだけで、世界に対する包括的な主張に影響を及ぼせる。そのためポパーは、これを活用すれば科学的検証という考え方を捨てられると考えた。科学と科学ではないものとの線引きをしたいのなら、シンプルにこう考えればいい。その主張は、**経験する**可能性のあるものを使って反証できるか。自分で実際に体験したことがなくても、今後も体験できそうになくても構わない。そしてこの疑問の答えがノーなら、その主張は科学的ではないとみなした。

ポパーにとって幸いだったのは、優れた科学の好例が身近にあったことだった。というより、だからこそこの理論を思いついたのかもしれない。1919年5月、アーサー・エディントンというイギリスの天体物理学者が、皆既日食中の星の写真を撮る遠征に乗り出した。この遠征は、アルバート・アインシュタインの一般相対性理論の確証に欠かせないものだった。ポパーは言う。

アインシュタインの重力理論からは、光は物体とまったく同じように、（太陽のような）重い物に引き寄せられるという結論が導かれる。それゆえ、見かけ上の位置が太陽に近い、遠くの恒星からの光が地球に届くとき、その恒星は本来よりも太陽から少し離れた位置にずれて見えると考えられる。言い換えるなら、太陽に近い恒星は太陽から、さらには別の近くの恒星から離れていっているように見える。この現象は通常は観察できない。太陽の圧倒的なまばゆさに遮られ、昼間はそうした恒星を視認できないからだ。ところが日食の期間中は、写真に収められるようになる。そして同じ恒星の写真を夜に撮ったなら、二つの写真を比べて太陽と恒星の距離の差を算出し、予想していた重力の作用を確認できる。この例で特筆すべきは、予測にまつわるリスクだ。観察の結果、予想していた作用がまったく働いていなかったなら、その理論は観察によって得られる可能性のある結果にそぐわないものとして、単純に否定される。実際、アインシュタイン以前の人間なら、誰もが予想と異なる結果が出ることを想像したはずだ。(10)

要するに、アインシュタインの理論がもつ反証可能性は、科学の正しいあり方のお手本だった。ポパーはさらに、これで線引き問題だけでなく、帰納の問題も解消できたとたたみかけた。帰納法が土台ではなくなったのだから、もうそれを気にする必要はないという論理だ。ポパーは観察が一般的な主張のテストに直接的に影響を及ぼせる方法を見つけ、そしてこの方法は、モーダス・トレンスの論理に従う演繹的に妥当なものだった。とはいえ彼は、反証可能性は無意味な主張と意味のある主張を区別する基準だと言いたかったわけではない。論理実証主義者と違って、科学的主張とそれ以外との違いを直接見分ける方法を見つけたポパーにとって、検証可能かどうかの間に合わせの基準として意味を使う必要はどこにもなかった。(11)重要なのは、反証可能性という基準は、科学の特別さを表すだけでなく、科学的に見えるだけで実は間違っている情報を見極めることもできる点だった。

先ほどはポパーの時代に合わせて占星術を例に出したが、今度はもう少し現代的な例を使おう。１９８１年、アーカンソー州で州法第５９０条というものが成立した。これは、生物学の授業を担当する公立校の教師に対して、「創造科学」と「進化論」を「バランスよく扱うこと」を求めるもので、こうした法律が成立したことからもわかるように、これ以前のアーカンソーでは連邦法への違反を理由に、創造科学の根拠として宗教を取りあげることが認められていなかった。かわりに授業では、創造科学の「科学的な根拠」だけを扱うよう求められていた。しかし、そんなものはどこにもなく、創造科学と宗教的な創造論の違いが正確にはどこにあるのかもわからない以上、創造科学が授業で扱われることはなかった。

この法律は、そうした状況に対する保守派の不満の表れだった。彼らは、進化論だけを教えるのは政教分離の原則に対する違反であると考えた。というのは「有神論」が敵視される一方、「自由主義神学や人文主義、神をもたない宗教、無神論という、進化に対する宗教的信念を基本的に含むもの」がひいきされる状況を生んでいるからである。[12]

法律のねらいは明確で、創造科学論者はこれを使って創造科学は宗教ではないと示すだけでなく、進化論は宗教に非常に近いとほのめかそうともしていた。とはいえ宗教的な議論として取りあげるわけにはいかない。だから創造科学論者は、自分たちの理論を科学界のライバル、つまり自然選択による進化というダーウィンの理論と同列に扱ってほしいだけだと訴えた(13)。

この法律がどうなったか、また成立後に起こった訴訟がどういった経緯をたどったかは、この章のあとの部分で、またインテリジェント・デザイン論[*2]を扱う第8章でも取りあげる。インテリジェント・デザイン論もまた、創造論を公教育に組み込もうという、もう一つの試みだ。しかし今は哲学的な疑問に目を向けよう。この創造科学の誤りを、反証主義の考え方を使って見つけることはできるか。以前の占星術の例と同様に、できると考える人もいるだろう。神が宇宙とすべての生物を創り出したという創造科学の中心的な発想は、どんな根拠にも対応できてしまうからだ。紀元前6500万年前の恐竜の化石が見つかっていることは、世界は6000年前に創造されたという聖書の記述と矛盾するではないかという指摘に対し、創造科学論者は「そんなことはない、全能の神が化石記録のすべてを作った可能性もあるではないか」と言い返せる。先に挙げた占星術の例でわかっている人もいると思うが、主張と矛盾するどんな根拠も説明できるものは、反証可能性をもたない。本物の科学では、理論が崩れる危険を冒してでも経験に照らしてテストするが、一方で創造科学は、矛盾する根拠を示されても理論を変えようとはしない。しかも創造科学は、自説を支持する前向きな根拠をほとんど提示できない。ゆえに、多くの人から疑似科学とみなされている。(14)

反証法には明らかな利点があった。もしポパーの言うように、反証可能性が線引き問題を解決する方法なら、哲学者と科学者は科学のどこが特別なのかという疑問に答えるための強力なツールを手に入れたことになる。しかも占星術や創造科学など、科学的な分野として**受け入れたくない**ものを否定し、批判するメカニズムにもなる。反証可能性がないものは科学ではないといえるようになったからだ。さらにポパーのアプローチ

＊2　自然や生物の複雑さを強調して、こうしたものが知性をもった存在者によって設計（デザイン）されたと主張する理論。創造論との類似性が指摘されている。

は、**正しいとは限らない**理論を**科学である**と主張する手段にも使えた。[15] そのことは、線引きの基準として大きな意味をもっていた。科学史に詳しい者なら、過去数千年の偉大な科学者のなかには、のちに誤りだとわかった主張をした者がいることを知っている。しかし、そうした面々を科学者ではないとみなすのは間違いだ。プトレマイオスの天動説が、のちにコペルニクスの地動説によって覆されたからといって、プトレマイオスは科学者ではなかったということにはならない。彼は経験的データをもとに理論を組み立て、それをできる限り発展させた。重要なのは、プトレマイオスの説がのちに反証された点ではなく、**反証可能**だったという点だ。

一方、反証可能性というポパーの新たな線引きの基準は、「科学的方法」という発想を守る方法になりそうに思えるが、実際にはまったくそうはならなかった。というよりポパーは、「科学的方法」が**あること**を真っ先に、とりわけ激しく批判した。ポパーは「科学的方法はないことについて」というそのものずばりの題名がついた論文で、「科学的方法に関する講義では、基本的に、そんなものは存在しないと学生に伝えることから始めるようにしている」とはっきり述べている。[16] また、あるところでは次のように書いている。

科学は観察から理論の構築へ向かうという見解は、今も広く固く根づいていて、私がそうではないと言ってもたいていの人は信じようとしない。……しかし実際には、科学者はみなまず観察だけを始め、平行して理論を構築しないと信じるのはばかげている。そのことは、自然科学に生涯を捧げたある男の話を見ればよくわかる。男は観察した内容をすべて書き留め、今後の根拠として使ってほしいと言って、貴重な観察結果をロンドン王立学会に遺贈した。この話で言いたいのは、カブトムシは捕まえれば収集品として売れる場合があるが、観察結果のほうはそうもいかないということだ。[17]

ここで大切なのは、「科学的方法はある」という発言と、科学と科学ではないものとには反証可能性のような方法論上の違いがあるという発言とでは、まったく意味合いが異なるということだ。ポパーは「科学的方法」という発想をはっきり否定したが、その一方で、線引きの基準はあるし、その基準は方法論的な性質をもつと信じてもいた(18)。

しかしポパー否定派は、この意見に賛成しなかった。批判の急先鋒《きゅうせんぽう》であるトーマス・クーンは、ポパーが科学的方法という発想を捨てたのは正しい判断だったが(19)、科学とそうでないものとには何か方法論的な違いがあるという考えも捨てるべきだと感じていた。とはいえそれは、科学は「特別」で、科学と科学ではないものとを分ける方法はあるという考え方もやめるべきだという意味ではない。クーンには、(のちの彼の信奉者の多くとは異なり)そこまで言う思い切りはなかったから、かわりにこう指摘した。科学の現場では、形式的な方法よりも、根拠とは関係のない「主観的」な要因が理論の選択に関わってくる。そしてそうした要因には、理論の応用範囲の広さや単純性、豊饒《ほうじょう》性、あるいは別の研究者の見解との相性のよさがあり、正当性もそれらに影響される。

ここで重要なのは、クーンは科学の敵ではなかった点だ。クーンに対してはそういう批判もあるが、実際には彼は、のちに登場したような〈科学は「不合理な」プロセスで、知識を得る方法として他分野より優れているわけでもない〉と主張する一派ではなかったし、科学理論の構築に影響する社会的要因が、理論の信頼性を損なうと考えていたわけでもなかった。クーンは科学を実像に沿って理解できるようにしようと試み、それでも科学のすばらしさを伝えられると感じていた。線引きの基準を進んで提示しようとはしなかったが、それでも科学を信奉していた[20]。

こうして、利点もあったポパーの理論は、クーンらの厳しい批判にさらされ、科学理論が変化していく複雑な過程をしっかり描き出せていないといわれるようになった。特に問題視されたのが、アインシュタインの予測のような飛び抜けた成功例は一種の例外で、ほとんどの科学研究はそんなふうには進まないという事実だった。科学史を振り返れば、大胆な予測が劇的な成功を導くような、決定的なテストはめったに行われない。現実の科学研究は小規模なテストを繰り返しながらもっとじりじり進み、一部がうまくいかなかっただけで通用する部分もある仮説を、急に放棄することはまれだ[21]。根拠が大切なのは間違いない。科学では、データを一切無視して理論を批判から守ることはできない。それでも、デュエム＝クワインのテーゼ（理論そのものを放棄するよりも、理論を支える小さな補助仮説を犠牲にするか、理論に間に合わせの修正を加えるほうが簡単だという発想）を心得ている哲学者は、科学は本当にポパーが言うようなものなのだろうかと考えた。ポパーのほうは、自身の理論は科学に論理的な正当性を与えるためだけのものだと言ったが、多くの哲学者は、クーンの言うような社会的要因を考えれば、科学者の実際の研究と、理論の正当性を示す際の哲学者の手法とでは信頼度に差があり、しかもその差はどんどん広がっていると感じていた。クーンが示したように、人類はときおり革命と呼べるレベルの科学理論の変化を経験するが、そうした変化は科学と科学ではないものとの線引きの土台にできるほど頻繁に起こっているわけではなかった。

そのため1970年代までには、古典的な5段階の科学的方法が迷信なだけでなく、科学と科学ではないものとのはっきりした方法論的な違いもないというのが、哲学者の大まかな共通認識になっていた。これに大きな影響を受けたのが、科学は特別であるという考え方だった。科学的方法を始めとする線引きの基準がないと考えられるなかで、多くの人が、科学は特別だと証明することは不可能だと考えるようになった。

ひとたびクーンが、(「パズル解き」を行ったり「通常科学」を使って支配的なパラダイムに合わせようとする)科学者の日々の研究のあり方を吟味する道を開くと、批判はもはや止めようがなくなったようだった。クーンにとっては恐ろしいことに(実際クーンは、科学では**根拠が重要**で、革命の土台に根拠があることはその理論が科学である証明だという、ポパーらの説を認めていた）、彼の説は、科学はもはや特別ではないと考える者たちに自説の補強材料としてよく引用された。科学を扱う社会学者や相対主義者、ポストモダニスト、社会構成主義者らは、科学は合理的であるという意見をにわかに攻撃し始め、科学は真理の追究とは無関係で、科学理論はそれを提唱した人間の人種や階級、性別に対する偏見を映したものにすぎないとまで言うようになった。科学はイデオロギーだと考える層が登場し、自然科学の世界でさえ、事実と根拠が理論に信頼性をもたらすものとして自動的に受け入れられることはもうなくなった。

ポール・ファイヤアーベントは、科学の世界に方法はまったくないとまで主張した。これは、科学的方法を単にあきらめるのとはまったく次元の異なる発言だった。この道連れになったのが、（客観性のような）方法論や線引きの基準、さらには科学的見解は特別だという視点だった。[22] 多くの人が、哲学は科学を完全にあきらめたのだろうかと思った。

科学哲学者が全員あきらめたわけではない。論理経験主義（論理実証主義の流れを汲《く》む思想）的な考え方をもつ者はまだ大勢いて、彼らはポパーが反証可能性を提唱した時期から、クーンによる革命期を通じて影響力を保っていた。論理経験主義者が目指したのは、反証可能性（あるいは意味）ではなく、科学者が（帰納の問題があるなかでも）信頼できる理論を構築していく過程を精査する作業を通じて、特別な科学的方法を守ることだった。そのために、論理実証主義者が提唱した（社会科学にも応用できる）「統一科学」という発想を引っ張り出すことまでした。[23] しかしそれを使って科学は特別だと声高に主張するのは難しく、調整とある程度の譲歩は必要だった。[24]

1983年までには、最も著名な科学哲学者の一人であるラリー・ラウダンが、線引き基準に引導を渡す用意を整えていた。もっともラウダンは、科学は重要ではないと言ったわけではない。彼はクーンを支持する一派のあとに登場した哲学者で、科学は「正しい」理論へ向かっているとか、ほかの知識を得る手段よりも優れているとは言わなかったが、それでも科学が「前進する」ことは可能だと考えており、その手段を探していた。前にも紹介した論文「線引き問題の逝去」のなかで、ラウダンは線引き問題を解決する方法はないと述べ、その理由として、可能ならもう解決できているはずだと指摘した。ラウダンがこの議論に加わるころには、科学的方法はないというのが常識になっていたが、それに加えて科学と科学ではないものとを区別する方法を見つけることも不可能になりつつあった。

勘違いしないでほしいのだが、それは何も、科学と科学ではないものに違いはないという意味ではない。科学には世界を説明する特別な力があると考えることはできる（ラウダンもそう信じていたはずだ）。そうではなく、現実的な線引きの手段を見つけるのは難しいという話だ。何が科学で何がそうでないかという部分で、みなの意見が直観的に一致していたとしても、はっきりした分類の方法は生み出せない。そしてラウダンによれば、その要因は、科学の必要かつ十分な条件が定まっていないからだった。ラウダンは、線引き基準を定めるには科学の条件がわかることが不可欠だと考えていた。

科学と科学以外の分野との区別の判断に使える、線引き基準の正しい構造とはどんなものだろうか。理想的には、個々では必要条件に、組み合わさることで十分条件になるものの集まりだろう。知ってのとおり、科学の必要十分条件を設定するのは簡単ではない。しかし、もう少しハードルを下げるのも難しい。たとえば、科学の地位にふさわしい必要(しかし十分ではない)条件を誰かが示したとする。その場合、その条件が広く受け入れられるものであれば、明らかに科学以外のものに属する活動を特定できるようにはなるが、「確信する」には至らない。具体的にどんな系が科学かが示されていないからだ。一方で十分条件を出すだけでは、理由はさまざまだが、科学とそれ以外の線引きはできない。「この条件を満たしたものは科学的だ」と言われても、それだけではどの活動や主張が科学的でないかを判断できないからだ。必要かつ十分な条件がなければ、「こっちは科学的だが、あっちは科学的ではない」と言える立場には立てない。[25]

必要条件だけではいけないのは、厳密すぎるからだ。科学**ではないもの**をすべて除外することが目的になると、科学に含めたいものもいくつか締め出さなくてはならなくなる可能性がある。たとえば科学の必要条件は対照実験を行えることと決めた場合、地質学は科学になるだろうか。天文学や、社会科学はどうだろう。逆に科学研究の十分条件だけを提示するのが目的で、仮にその条件が、経験的根拠を土台に真理を追究することだったとする。すると、含まれる範囲が広すぎる点が問題になり、雪男捜しのような活動までもが科学になってしまう。科学であるもののすべてを含めようとすると、絶対に締め出したいもののいくつかを紛れ込ませてしまいかねない。[26]だからラウダンの考えでは、適切な基準を定めるには個々では必要条件、総体としては十分条件になるものを決める必要があった。[27]

こうしてラウダンは、ポパーの反証可能性のような高い基準に従う難しさをこのうえなく巧みに示した。果たして反証可能性は、科学の必要条件とするためのものだったのか、あるいは十分条件か、それとも両方か。答えは藪《やぶ》のなかだ。ポパーは時と場合によってどれともとれる発言をしていて、彼の基準は（進化生物学のような）正当な科学をも除外していると批判されることもあれば、（占星術のような）疑似科学を科学と認めているようにとれると批判されることもあった。[28]特にラウダンは後者を問題視し、ポパーの基準は「明らかに間違ったとんでもない主張を、軒並み『科学的』とみなす散々な結果を招いた」と述べている。[29]

この意見に、もちろんポパーは憤った（占星術などの分野を科学の枠内に入れさせないために基準を作ったからだ）。であるなら、反証可能性は必要条件としてのみ解釈すべきなのだろうが[30]、すでに指摘したとおり、その見方には問題もあった[31]。である以上、ポパーが提示したのは「個々では必要条件、総体では十分条件」になる基準の集まりで、それを使って最高の基準を満たすつもりだったと考えるのが一番なのかもしれない。実際にポパーは後年、「ある文（もしくは理論）は反証可能であるとき、かつそうであるときに限り、経験に基づいた科学となる」と話している[32]。科学哲学の世界で「〜であるとき、かつそうであるときに限り」は魔法の言葉で、必要**かつ**十分な条件を提示する際に使う。しかし、すでに述べた理由から、反証可能性だけでは条件は満たしておらず、そしてポパーのさまざまな著作にあたっても、ほかにどんな条件が考えられるのかについて、決定的なことは書かれていない。フランク・チオッフィは重要な論考「Psychoanalysis, Pseudoscience, and Testability（精神分析学と疑似科学、テスト可能性）」のなかで答えに近いものに言及しており、ポパーは反証可能性に加えて、「精力的に理論をテストしようとすること」、また「テスト結果が芳しくなくても受け入れること」を条件に含めようとしていたはずだと述べている。(33) しかしクーンらが指摘した問題、つまり予測と外れた否定的な結果が理論の崩壊につながらない場合があるという問題は、依然として残っていた。

ラウダンが求めた必要十分条件を提示できないという問題に、ポパーほどの哲学者が囚われていたのだとすれば、普通の人間はあきらめるしかない。そんなふうに思う人もいるだろう。ラウダンの論文が発表されて以降の30年は、まさにそうした状況が続き、科学哲学の世界では、線引き基準を定めようとする試みに見切りをつけるべきだというラウダン式の論調が主流になっていた。とはいえ、科学が特別だという発想を哲学者たちがあきらめたわけではない。実例を使えば科学を直接的に定義できるという考え方はまだ生きていたし、ラウダンもそう考えていた。線引きを通じて正当性を示すことは難しくても、ラウダンを含めた多くの哲学者はまだ、科学には守る価値があるという考えを捨てきれなかった。クーン主義者の言う科学の「前進」は可能だとラウダンが述べるなかで、多くの哲学者は、科学は知識を得る手段の一つにすぎないというファイヤアーベントや社会構成主義者の意見からは距離を置いた。そしてかわりに、実際に確認すれば科学か疑似科学かはわかるが、科学の定義をうまく説明する方法が見つかっていないと嘆いた。多くの哲学者が線引き問題の解決をあきらめたが、科学自体をあきらめたわけではなかった。

しかしながら、この戦略は大きな代償を伴った。その究極が、前に紹介したアーカンソー州法第590条が違憲だと訴えた、1982年のいわゆる**マクリーン対アーカンソー裁判**の顛末《てんまつ》だ。裁判には、専門家の証人として著名な哲学者のマイケル・ルースが召喚され、科学とは何かという疑問に立ち返ることを余儀なくされたルースは、ポパーの反証可能性モデルに少し手を加えたものを紹介した。これに納得した判事は、ルースの証言も引き合いに出しながら、創造論は科学**ではない**ため、科学の授業に含めるべきではないと宣言した。この裁判で、ルースはしっかりとやるべきことをやった。勇気をもって証言台に立ち、創造論のようなものが正当な科学理論として認められるという茶番が起こるのを防いだ。だからそのことで彼を批判するのはお門違いだ。それでも哲学界からは、ルースの意見は受け入れられないという直接的な批判がすぐさま巻き起こった。ラウダンも、創造論はお笑いぐさだという点では同意見だったが、それでも判決でポパーの理論が使われた点は批判した。

アーカンソーの創造論裁判の判決が出た直後は、科学界の私の友人たちも結果を喜んでいた。しかし、少し冷静になって考えてみると、この裁判全体、特にウィリアム・R・オヴァートン判事の判決は、我々にとっての悪夢になるおそれがある。判決自体は称賛されるべきなのだろうが、その理由はどれも誤りであり、また判決に至るまでの議論も救いようがないほど疑わしいものだからだ。実際この判決では、科学とは何か、科学の仕組みはどういうものかということに対する誤った説明の数々が土台になってしまっている。(34)

簡単にまとめるなら、ラウダンが懸念していたのは次のような点だった。

ラウダンは、（ポパーの）基準に照らすなら、創造論者の信条自体は科学になると反論している。すでに反証が成立している以上、経験を通じてテストできることは明らかだからだ。支持者の振る舞いは確かに科学的ではないが、それはまた別の問題。(創造論を)教えるべきではない理由は、単純によくない科学だからだ。[35]

しかし少し考えればわかるように、そうした当時の学界の風潮に忠実に従った論理が法廷で幅を利かせていたら、裁判は創造論者がほくそ笑む結果に終わっていた可能性がある。なるほど、では創造論を「よくない」科学として教えましょう。ですが、教えること自体は構わないわけですね?

このように、科学と科学ではないものとの線引きができないことは、実社会にも影響しうる。そしてその一因は、哲学者が科学の特別さをきちんと説明できずにいる点にある。公立校で創造論を教えるかどうかというテーマも、1982年を境に消えてなくなったわけではない。姿を変えて再登場し、今は「インテリジェント・デザイン(ID)」。私は以前に別の文章で、このインテリジェント・デザインのことを『安物のタキシードを着せた創造論』だと言及したことがある)」は本格的な科学理論であり、生物学の授業で扱われる用意ができていると主張する者たちが現れている。[36] この問題は2005年の

キッツミラー対ドーバー学区裁判で再び取りあげられ、このときも別の判事が、82年の裁判を思わせるような厳しい態度で、インテリジェント・デザインは「科学ではない」と断じ、原告側への１００万ドルの支払いを被告に命じた。これでＩＤ論はいったん停滞したかもしれないが、残念ながら消えたわけではなく、２０１２年、テネシー州で「進化論と気候変動論の『科学としての強みと弱み』を探究する教師」の権利を保護する法律が成立したことを前例に、コロラド州、ミズーリ州、モンタナ州、オクラホマ州で、同じような「学問の自由」法案が議会で検討されている。[37]

このように、線引きの方法を見つけられるかどうかは、笑いごとでは済まされない問題だ。科学が特別な理由を一般市民に対して、わかりやすく説明できるようになることは、**科学を信じる**一方で、その根拠をはっきり述べられずにいる哲学者の使命といえる。これまでにも、創造論者（あるいはタバコのロビー団体）は自分たちの気に入らない科学的結論に対し、いわゆる「ジャンクサイエンス」に資金を投じ、ＰＲ活動を通じて自説を広めるという対抗手段をとってきた。そして今、気候変動を否定する者たちが同じ戦法をとるなかで、哲学者の側も反撃の一手を講じるときが来ているのではないだろうか。

最近、まさにそうしたことに取り組む哲学者が現れ始めている。２０１３年、マッシモ・ピリウーチとマールテン・ボードリーは『*Philosophy of Pseudoscience: Reconsidering the Demarcation Problem*（疑似科学の哲学　線引き問題の再検討）』という論文集のなかで、ラウダンによる死亡宣告から30年ぶりに、線引き問題の復活をあえて試みている。このテーマに関する最近の哲学的論説としては掘り出しもので、科学は特別だがどう特別かはわからない、というラウダンが掘った溝から何とか抜け出そうと試みている。近年の哲学者がどうやって話を先に進めればいいか途方に暮れていたのは、残念ではあるが仕方のない話だ。それに対する一つの答えが、線引きという昔ながらの問題をよみがえらせることなのかもしれない。あるいは、何か別の方法があるのかもしれない。

線引きを否定するかどうかは、小さなことなどではない。線引き問題は、科学哲学が生まれて以来の、この分野の屋台骨だ。科学の特別さを理解し、伝える手段として、線引き問題にまつわる構造や用語は非常に使いやすい。だからこそ、おそらく科学の特別さを説明したい哲学者は、なんとかして線引きの基準を見つけ出そうとしてきたのだろう。しかし、このアプローチを復活させるやり方には多くの落とし穴がある。

ピリウーチは「The Demarcation Problem: A (Belated) Response to Laudan（線引き問題　ラウダンへの〈遅まきながらの〉返答）」という論文で、「必要十分条件」のアプローチよりも、ルートヴィヒ・ウィトゲンシュタインの「家族的類似」の概念を軸にしたやり方のほうが好みだと述べている。そして、線引き問題をラウダンの「古くさい」アプローチから救いたいと主張する（線引き問題解決の要件に関するラウダンの「メタ議論」への批判といえるかもしれない(38)）。そのためにピリウーチが提唱したのが、科学と疑似科学を見分ける過程を一種の「言語ゲーム」と捉えるやり方だ。これは、言葉の使われ方を基準にさまざまな概念の似た部分と異なる部分を特定していく方法で、その目的は、必要十分条件とぴったり符合するわけではないが、それでもある活動を「科学的」と呼ぶときの意味を構成するさまざまな関係を特定することだ。なかでも特に重要なのが「経験的知識」と「理論的理解」の二つらしく、ピリウーチは次のように述べる。「科学について、みなの意見が一致するであろう部分が一つある。それは、科学とは経験に基づいて世界を理論的に理解しようとする試みであり、それゆえ科学理論は、経験による裏づけと一貫した論理の両方が必要だという点だ[39]」。こうした論理から、ピリウーチは科学と疑似科学の概念の「ウィトゲンシュタイン的な家族的類似」が見つかれば、それが現実的な基準になり、「現場の科学者と多くの科学哲学者が直観的に認めている両者の区分けを(すべてではないにせよ)おおむね復活させられる」と考える[40]。

しかしながら、この説は線引きの基準としてはあまりにも漠然としているように思える。たとえば、この説の論理的な土台はどこにあるのか。ピリウーチは「ファジー論理(対象をある集合に含めるかを決める際に、メンバーシップの度合いを推測する方法)」を使えば基準はもっと厳密になると繰り返すが、どういう経緯で明確になるかはよくわからないままだ。ピリウーチ自身、「実際にこのアプローチを機能させるには、関連する変数の定量的な指標を作成する必要がある。これが作成可能であることは確かだが、その細部には議論の余地がある」と認めている[41]。しかし控えめに言っても、経験に基づく知識と理論的な理解というのがどういう概念で、逆の発想とどう違うかを説明するのは、科学という概念自体を説明するのと同じくらい難しいだろう。この状態で、ピリウーチは線引き問題を解決したといえるのか。それとも解決を先送りにしただけなのか。

線引き問題の解決を試みる「ラウダン後」の哲学者はほかにもいるが、みな同じような壁に行き当たっている。同じ論文集で、スヴェン・ハンソンは科学をなんとも幅広く定義しようとしている。ハンソンは、哲学のような分野を科学ではないものに分類したらどうなるかを恐れているようで、科学という言葉が指す範囲を「知識の集積」に近い意味へ広げ、それを疑似科学と区別しようとする。彼によれば、人文系のような分野を科学ではないものの枠から救い出すことにはメリットがあるらしいが、その代償はきわめて大きい。そのせいでハンソンは、経験的な基準を軽視しているという疑似科学の問題点を指摘できなくなっているからだ（ハンソンが科学に分類しているものの一部が、経験に根ざした分野ではないため[42]）。

マールテン・ボードリーも、同じように危うい方向へ踏み出し、線引き問題には、実際には「領域の問題」と「規範の問題」の２種類があると述べている。ボードリーは前者を不毛な論争だと批判し、正当な学問ではあるが経験に基づくわけではない歴史や哲学のような分野を科学から切り離すための「縄張り争い」にすぎないと述べる。そして、本当に議論するべきは科学と疑似科学の違いであり、そこでは科学のふりをしているだけの分野と向き合うなかで、規範の問題が立ち上がってくると主張する。[43] しかしこうした分け方は、**科学ではないものと科学以外の分野**との違いが根本的に勘違いされていることの表れといえる。ボードリーが「領域」論争を科学と**科学ではないもの**とのあいだの議論と捉えているなら、「科学ではない」という言葉の意味を大きく取り違えている。彼が領域的な問題として取りあげているのは、おそらく科学と「**科学以外の分野**」に入るものとの差だろう。しかしこれは、規範にまつわる議論と同列に考えていいものではない。これまでの線引き問題に関する議論は、少なくとも公には、科学と**科学ではないもの**の違い、もしくは科学と疑似科学の違いを扱ったもので、これらはポパーやラウダンらも使用した専門用語だ。[44] ボードリーは**新しい**線引き問題を作り出そうとしているようだが、科学と**科学ではないもの**の違いという昔ながらの線引き問題を無視していい理由は述べていない。そして、科学と科学ではないものの違いというもっと大きなテーマにしっかり取り組まないうちに、科学と**疑似科学**の違いという規範の議論で何かを主張

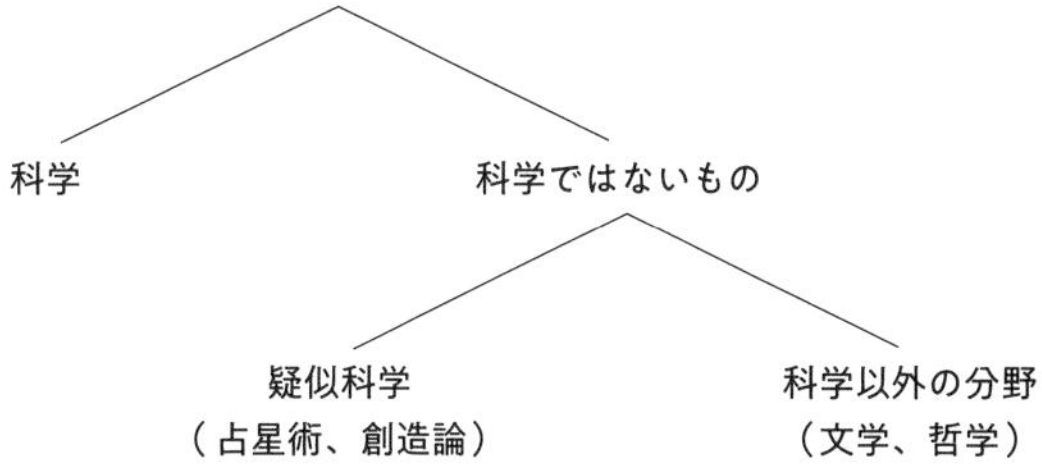

図1.1

するのは難しい。「領域」的な線引きの対象を科学と（歴史や哲学のような）**科学以外の分野**に設定していては、話をうまく進められない[45]。

線引き問題が科学と科学ではないものの差を扱うのか、それとも科学と疑似科学の差を扱うのかを、きちんと説明するのは難しい。単なる用語の問題のように思えるかもしれないが、そうではない。**科学ではないものすべて**を科学と区別しようと思うなら、ただ**科学のふりをしているもの**と区別するときとはまったく別の基準を使わなくてはならない。重要なのは、ほとんどの学者が、科学ではないもののカテゴリーに疑似科学と科学以外の分野が**どちらも含まれる**と考えていることだ。ある活動が科学ではないとみなされるケースには、その活動が単に科学のふりをしているだけの

(つまり**疑似**科学的な)場合と、経験から得たデータを重視していない(つまり科学**以外の**分野の)場合との両方がありえる(69ページ図1・1参照[46])。

このように、科学と何を区別しようとしているかを明確にできないという問題は、ピリウーチやハンソン、ボードリーら「ラウダン後」の時代の現象ではあるのだが、実はその原因はおそらくラウダンの時代、さらにはカール・ポパーの時代の著作に、非常にあいまいな表現が多いことにある。ポパーは『科学的発見の論理』のなかで、自身の目的が科学と数学や論理、そして「形而上学的な推測」とを区別することだと述べているが、[47]『推測と反駁』(邦訳:法政大学出版局)を出すころになると、対象を疑似科学に変えている。ラウダンも、話が科学ではないものと疑似科学のあいだを行き来している。[48]

これらの違いがどれだけ重要な問題かは、あとの章でまた詳しく説明しよう。のちの章では、必要かつ十分な条件というテーマを再び取りあげ、科学のどこが特別かという疑問そのものが、解決不可能に近い状況にあることを解説する。科学と科学ではないもの、疑似科学、科学以外の分野という用語のそれぞれの意味が正確に定まらない限り、線引き問題は解決しないこともわかるはずだし、この章で見てきたとおり、この問題にはまだ明確な答えが出ていない。私の目的は、必要条件と十分条件の両方を提示しなくてはならないという問題、あるいは線引き問題の解決から離れ、科学の特別さを表す方法を示すことだ。条件や線引きの問題は解決できないように思えるから、囚われるべきではない。それでも私たちは、科学を守る別の方法を見つけ出す必要がある。

しかしまず次の章では、科学の仕組みに対する誤解を解いていこう。

第2章

科学の仕組みに対する誤解

科学では、経験的根拠を使って理論を証明する。だから、必ず真理にたどり着く。こうした考え方は実は迷信だ。また逆に、すべては「単なる理論にすぎない」のだから、科学だからといって必ずしも信じる必要はないという考え方も間違っている。この二つの誤解はコインの表と裏のようなもので、根底には、科学は０か１００かだという思い込みがあるように思う。根拠に基づいて検証された理論は１００％確実に正しく、逆に決定実験を行う前の理論は単なる一理論にすぎず、確たることは何も言えないという考え方だ。

科学とは真理を発見する学問であり、ある理論はデータを用いて絶対確実だと実証されるまで科学とは認められないという誤った見方が広まっているせいで、科学を理解していない人たちが、その基準に満たない科学的知識は否定しても構わないと感じることが許されている。しかしその見方は、科学の仕組みを根本的に誤解している。

真理と確実性の問題

ほとんどの誤解がそうであるように、今回の科学に対する誤解でも、間違った批判のなかにわずかながら正しい主張が含まれている。科学は真理を**目指す**。経験から得たデータに照らして、理論を精力的にテストしようと試みる。しかし、その過程は残酷だ。カール・ポパーに対する批判でも見たように、ある理論に対する反証データが見つかった場合、研究者は難しい判断を強いられる。うまく修正を加えればまだ通用する理論かどうかは、最初の段階ではわからないことがあるが、何か手を打たなければ科学的でないとのそしりを受ける。また、理論がすべてのテストを見事に通過しても**なお**、それが真だという確証はない。この章でのちほど説明するように、科学の**実際の**仕組みはそういうものではないからだ。科学について確実にいえることが一つだけある。それは、理論にそぐわない根拠が見つかった場合、どこかが間違っているという点だ。おかしいのは理論そのものかもしれないし、理論を支える補助的な想定かもしれない。しかし理論に合致する根拠が見つかった場合でも、その理論が正しいのか、それとも単に現時点では正しいというだけなのかは決してわからない。

ポパーやクーンらの科学哲学者は、ずっと以前から、科学とは暫定的なもので、だからこそ科学的推論には強みと柔軟性があるとわかっていた。経験から得たデータと向き合うと、知識はどんどん増えていく。だからある理論には、今後見つかるデータによって見直される可能性があるという問題が常に立ちはだかっている。（1章で少し紹介した）帰納の問題は、これまで得たデータに基づいて世界の仕組みに関する仮説を立てようとすると、過去のものと似たデータが今後も見つかるはずだという大胆な想定をせざるをえない点にある。ところが、その想定が本当に正しいかは誰にもわからない。これまで目にした白鳥がみな白かったからといって、黒い白鳥がこの先見つからないとは限らない。これはかなり深い問題で、この視点に立つと、世界に対する自分の説が真であるという**確信**が（どれだけデータの裏づけがあったとしても）なくなるどころか、専門的な言葉を使えば、真である**蓋然性**《がいぜん》**が高い**かどうかもはっきりしなくなる。将来手に入る可能性のあるサンプルは無限にある以上、これまで確認してきたサンプルの規模がそれと比べて圧倒的に小さくなるのは避けられない。これまで目にしたサンプルのもつ傾向が、残りのすべてにも当てはまるとは誰にも言い切れない。未来が過去からの流れに沿って進むのかは誰にもわからない以上、限られた経験のなかで得た世界の一部に関する真理が、ほかの場所でも通用するかはわからない。

そのため、科学は実際に帰納法を用いているのだろうかという議論が（カール・ポパーのおかげもあって）今も続いている。限られた状況に対する知識を使い、世界に関する一般的な結論を出すことを科学が目指すなかで、ポパーは帰納法につきものの不確実さを避ける方法を考え出した。それが1章でも紹介したモーダス・トレンスで、これを使えば、理論が演繹《えんえき》的に妥当かをデータから確認できる。理論を検証ではなく反証しようとすれば、もっと確かな論理的土台が手に入る。

しかし、ポパーの説は大きな批判を浴びた。彼の理論にはいくつものメリットがあった一方で、疑問となる点が二つあった。まず、この理論は科学の実像を正しく描き出したものなのか。そして、自説を証明するのに有利な（追認する）実例にばかり頼りすぎていないか。デュエム＝クワインのテーゼでは、あらゆる科学理論はそれを支える想定の網の目のなかにあるため、「決定的なテスト」を行うのは不可能と考える。つまり、ある理論の反証となるデータが見つかった場合でも、補助的な想定を一つ犠牲にすれば理論を維持できてしまう。厳密な反証主義では認められない逃げ道だが、ポパーはこの点への反論が出るのをあらかじめ想定し、すでに理論に取り込んであると述べた[1]。本来の反証可能性の論理に従えば、反証が見つかった理論は捨てなければならないが、ポパーも把握していたとおり、科学の現場では、反証例が一つ見つかっただけで一定の地位を得た理論をあきらめる学者はまずいない。ミスを犯したのかもしれないし、実験器具に問題があったのかもしれない。そう考える科学者が多いのはポパーもよくわかっていたから、「反論をぶつけられてすぐに自らの理論をあきらめてしまう科学者は、その理論が秘める可能性を決して見いだせない」と述べている[2]。

反証可能性が理論の軸になっているにもかかわらず、ポパーには大がかりで劇的な例、つまり理論物理学者が行った大胆な予測が、のちにデータによって確認された話をもち出して自説のメリットを主張しようとするところがあった。1章で見たとおり、アルバート・アインシュタインの一般相対性理論では、光は強い重力場に引きつけられて曲がるという大胆な予測をし、それが1919年の皆既日食で確証された。予測が間

違っていれば理論は否定されただろうが、正しかったので見返りも大きかった。(3)

ところが、科学は多くの場合、こういうものではない。哲学者のサミール・オカーシャは著書『科学哲学』（岩波書店、２００８年）で、海王星の存在を予言し、その発見（１８４６年）に貢献したジョン・クーチ・アダムズとユルバン・ルヴェリエの話をもち出している。二人はニュートン力学が主流を占めた当時の科学界で（別個に）研究を進め、天王星の公転運動がわずかに乱れていることに気づいた。ニュートン力学では、すべての惑星は何か別の力が作用していない限り、（ケプラーの法則に従って）正確な楕円の公転軌道を描く。だから海王星が存在しなかったのなら、二人の観測データはニュートン力学の反証例になっていた可能性もあった。ところがアダムズとルヴェリエは理論を捨てるのではなく、別の重力源「海王星」を探して見つけ出した。(4)

理論物理学者はニュートン力学の予測の範囲内で研究を進めていたのだから、こんなものは反証例などではないと考える人もいるだろう。事実、ポパー自身がこの話をたびたびもち出し、賢明な科学者が理論を簡単には捨てなかった好例だと述べている。しかし水星の近日点移動*は、海王星が見つかる１５０年以上前の段階ですでにわかっていた。つまりニュートン力学の土台を揺るがすデータはもっとずっと前に見つかっていたのである。[5] その理屈を説明するために、天文学者は（補助的な想定を使いながら）さまざまなその場しのぎの解決策を試したが、どれもうまくいかなかった。その結果、ほかならぬルヴェリエ自身が、水星の公転軌道の乱れは太陽とのあいだにある未発見の惑星の存在で説明できると主張し、その惑星をバルカンと名づけた。バルカンは結局見つからず、それでもルヴェリエはその存在を信じたまま、１８７７年に他界した。そして当時の天文学者のほぼ全員が、バルカンが本当にあるかはともかく、水星の公転軌道の乱れはニュートン力学で説明がつくはずだと考えていた。40年後、アインシュタインがこの問題をさらに追求し、軌道に乱れがあるのは別の惑星からの強い重力があるからではなく、**太陽**の重力場が周囲の空間をゆがませているからだという新説を打ち出すと、ニュートン力学そのものが崩壊していった。そして水星の軌道が一般相対性理論で正しく計算できることがわかると、水星の軌道の乱れは、理論の正しさを示す大きな根拠とみなされるようになった。それでもこれは未来予測ではなく「事後予測」、つまりニュートン力学の信奉者らが**２００年にわたって抱え続けていた**過去の反証例を説明するために、アインシュタインの理論が使われたという話だ。科学ではいったい何年までなら、反証された理論を「簡単にあきらめた」ことになるのだろう。ポパーは基準を示していない。反証可能性は科学の論理としては有効かもしれないが、現場の科学者が理論を選ぶ指針にはほとんどならない。

トーマス・クーンも述べているように、反証となるデータが見つかった場合、広く信じられている理論をいつ捨てるべきか、いつまで支配的なパラダイムの枠内で解決策をさぐるべきかは、答えが難しい問題だ。クーンの著作には、「通常科学」に携わり、日々のパズルを解く仕事に苦闘する現場の科学者が数多く登場する。そこでは科学者が予測や誤り、そして反証になりそうなデータを現時点で広く受け入れられている理論の隅っこに取り込もうとする。(6) もちろんクーンも、科学ではときに劇的なパラダイムシフトが起こることはわかっていた。異常なデータが積み重なり、これまでの理論と折り合いを

＊　水星がその軌道上で太陽に最も近づく点（近日点）が時間とともに移動する現象。

つけるのがだんだん難しくなって、科学的な革命を起こすのに必要な力が十分にたまったところで、分野の枠組みが見る間に切り替わる瞬間……。しかしクーンも述べているとおり、パラダイムシフトは証拠との乖離《かいり》が十分積み重なれば起こるという単純なものではなく、そこには新しい理論の応用範囲の広さ、単純性、豊穣《ほうじょう》性、さらにはポパーが自身の論理に組み込みたがらなかった「主観的」、あるいは「社会的」な要因も関わっている。

しかも、仮説が厳しいテストをクリアできた場合でも、ポパーの論理には別の問題があった。本人も認めるとおり、理論がテストをパスしたとしても、真理と（あるいは真理に近いとさえ）考えることはできず、「今のところ」テストを生き延びているという地位に留まらざるをえないのである。(7) 科学的なテストは強力だが、同時にデータに**合致しうる**仮説も無限にあり、理論を**覆しうる**データも無限に見つかる可能性がある。だから科学的推論は、データに終わりがないという事実とうまく付き合っていかなくてはならない。データは常に増えていくからだ。「帰納論者」でなくても、数多くのテストをくぐり抜けてきた理論には、次のテストが待っていることを受け入れざるをえない。

　ポパーはこの問題を解決するため、データによる験証という発想を提唱し、厳しいテストを多数くぐり抜けてきた理論は、あっさり捨ててしまうのがばからしく思えるような信頼性を獲得すると述べ、そのことを「耐力の証し」と表現した。[8] ところがこの言葉は、人によっては、ポパーが捨てたと言い切ったはずの検証や確証のたぐいを求めているように聞こえた。もちろん、多くのテストに合格したからといって、その理論が**真**であるとは限らないのはポパーも認めている。しかし問題は、テストを通過した理論が、真である**可能性が高い**とさえいえない点にある。ポパーもこの問題はある程度は認識していたようだ（というより、先ほどの帰納の問題とまったく同じなのだから、認識しているべきだ）が、どう対処しようとしていたかは定かではない。[9] すでに述べたとおり、帰納法を使うと確実性だけでなく、蓋然性も担保されない。テストに使えるサンプルが無限にある以上、実際にテストに使うサンプルの数は話にならないほど少なくなる。だから十分に験証されていても理論の真実味は高まらない。ポパーはさまざまな場所で、反証可能性は「純粋に論理の話」と述べている。[10] しかしそれならなぜ、ポパーは験証をもち出したのか。現場の科学者が直面している問題に珍しく配慮したのだろうが、だとすれば、反証可能性は現場の研究とは関係ないという主張はなんなのか。[11]

科学哲学者はこれからも、ポパーについて議論を続けるだろう。その一方で反証主義の信奉者を含めた多くの哲学者は、右のような帰納主義者を悩ませた問題は今ある理論に対しても次第に増えていくという、逃れることのできない結論に至っている。理論を覆しうるデータは常に増えていき、同時にすでに見つかった根拠を説明する理論も無限にあると考える哲学者を、多くの科学者は「心配しすぎだ」と言い、厳しいテストを生き残った理論は真理か、真理に近いものだと主張する。しかし、彼らが直観的にそう信じられる理由が私にはわからない。科学者も、科学哲学者も、そうした傲慢な考え方がどんな事態を招いたかを歴史から学んでいるはずなのに。[12]

もしかしたら科学を擁護したくて、本当は無理だと察しながら、科学は理論を証明**できる**ふりをしているのかもしれない。発見の興奮のなかで、あるいは批判が熱を帯びるなかで、自分の理論は**正しい**、確実性は手に入ると主張したほうが都合のいいように思えるときもある。それでも科学を守りたいと願うなら、科学に付きものの特殊さをありのままに受け入れ、科学のどこが一番特別なのかという問いかけに対して、真理ともつかないものの裏に隠れたり、希望的観測にすがったりしないで、特別な務めを果たすべきだ。科学の土台に帰納的推論があると信じるにせよ、反証主義を信じるにせよ、（どんなに優れた根拠があっても）経験的理論が真かどうかを科学で証明することはできないし、もっと言えば、真理の可能性が高いとさえいえない事実を受け入れなくてはならない。

とはいえ、これは科学理論は信じるに値しないという意味ではない。そのことをこれから話していこう。

「単なる理論」ではだめなのか

ここで重要になってくるのが、第二の誤解への対応だ。第二の誤解とは、科学的主張が「証明」や「検証」はできず、「真理」たりえないのだとすれば、それは「単なる理論」でしかないのだから信じるべきではないという見方を指す。そのことを理由に、ほかの理論をもち出して「同程度には真理である可能性が高い」とか「こちらも真理である可能性がある」と解釈する、あるいは単純に、理論的な知識はどれも取るに足らないものだと主張する者がいる。

最初に理解しておかなくてはならないのは、理論と仮説の違いだ。仮説はある種の推測で、普通は大胆な推測ではなく、研究テーマに対する経験に基づいたものであることが多い。仮説は通常、研究者がデータ内のパターンに気づき、「なるほど、こいつはおもしろい。ひょっとするとこれは……」と思い始めたところで生まれ、その後に予測と、仮説のテストがくる。研究者はおそらく、仮説がこれまでに見つけたデータに合致するかを脳内で「さかのぼってテスト」してはいるだろうが、仮説を理論として提示したときに注がれる視線は、それと比べものにならないほど厳しい。

科学理論は確かな経験的根拠を伴っていなければならず、また広い世界に当てはめて予測し、**新しい**根拠に厳しく照らしても生き残れるかどうかを確認される必要もある。そのハードルは高い。多くの研究者は、同僚に見せる前に自ら理論を細かくテストし、世に出す前に自らそれを破棄する。科学では、理論には自らの予測が**なぜ**実現しそうかの説明がなければならないのが通例だ。そうでなければ、予測の反証を使って理論のどこが間違っている可能性があるかを推察することはできない（水星の近日点移動の話でも説明したように、過去の理論では説明が難しかった異常を新たな理論で説明、あるいは事後予測できるようになるのもプラス材料だ）。

ここでいったんカール・ポパーの論理に立ち戻り、彼の功績に目を向けよう。ポパーの反証可能性の説は細かな部分では正しくないかもしれないし、科学と科学ではないものを論理で区別できるという考え方全体も間違いかもしれないが、少なくとも彼は、科学の仕組みの押さえておくべき部分は一つつかんでいた。それは、経験に基づく根拠を忠実に追っていれば、世界に関する知識は増していくということだ。理論は暫定的にしか大切にされず、反駁《はんばく》されたり、データがもっと優れた別の理論を裏づけたりすれば破棄しなくてはならない。つまり科学の最も特別な部分は、**根拠がものをいう**点にある。

そのことを最もよく言い表しているのが、ノーベル物理学賞を受賞したリチャード・ファインマンの次の言葉だ。

基本的に、我々は次の手順に従って新たな法則を探す。まず、推測する。……次にその推測の結果を計算し、それが正しければどんなことが起こるかを予測する。それから計算結果を自然現象に、あるいは実験や経験に照らし、観察結果と直接比較してうまくいくかを確認する。実験と合わなかったなら、その理論は間違っている。この簡潔な一文が、科学のカギとなる要素だ。推測がどれだけ美しかろうと、推測した研究者がどれだけ賢かろうと、名前が知られていようと関係ない。実験結果にそぐわなかったなら、その推測は間違っている。それだけだ。[13]

その意味で、「科学的方法」には、科学的推論の過程に関する何か重要なポイントが表れているという意見は、完全に見当違いとはいえない。科学的方法は、線引きの基準としてはいま一つかもしれないが、そこには五感を通じて得た根拠に照らして理論をテストする際に欠かせない**大切な心の在りよう**が示されていて、経験的知識の大きな特徴になっている。何か奇妙なものを目にして、それに関する仮説を立て、予測し、テストし、すべてうまくいけば理論が手に入る。[14]こうした推論の進め方は科学**特有**のものではないかもしれないが、これがなければ科学を前進させられない。

理論は、ある仮説を広い世界に当てはめて考えようとするときに打ち出すものだ。理論は仮説よりも広い。仮説をデータと突き合わせるなかで生まれ、外へ出す前に厳しいテストを乗り越えているからだ。ある意味で理論とは、自然法則の域にほんの少しだけ達していないものだ。自然の法則ほど確かなものはこの世にない。というより、科学者が追い求める経験的世界の「真理」とは、自然法則にほかならないと主張する人もいる。科学者は、観察している世界をまとめあげ、予測し、説明する科学法則を発見したいと思っている。しかし、法則は理論に埋め込まれている必要があり、そして理論は単なる推測以上のものでなければならない。理論とは、データに照らした仮説の数限りない「ベータテスト」の産物で、そのパターンが今後の経験にも当てはまる**理由**でもある。リンゴが木から落ちる**理由**は、重力に引っ張られているからだ。地球温暖化が進んでいる**理由**は、温室効果ガスが排出されているからだ。科学理論とは、目の前の現象が起こっている経緯と理由、今後も起こる理由を説明するものだ。理論は予測だけでなく、無数の経験に合致する説明をもたらす。

理想的には、科学理論は次の三つの条件を満たすべきだ。まず、経験のなかにある一定のパターンを特定すること。次に、そのパターンが今後どう発生するかを予測する裏づけになっていること。そして最後に、なぜそのパターンが起こるかの説明になっていること。その意味で、理論は科学的な説明という建物全体の大黒柱といえる。たとえばアイザック・ニュートンの重力理論が、ガリレオ・ガリレイの地上の運動についての理論と天体の運動に関するケプラーの理論を統合するものになっているのは特筆すべきことだ。おかげでなぜ物体は地面に落ちるのか、なぜ惑星は太陽のまわりをまわるのかで思い悩む必要はない。どちらも重力の法則で説明できるからだ。経験にもうまく合致しているし、地表近くで投げたボールが惑星と同じように楕円の弧を描く(そして投げる力が十分なら地球を周回する軌道を描く)理由の説明にもなっていて、さらに(彗星《すいせい》がいつ現れたり戻ってきたりするかといった)予測の裏づけにもなっている。ところがニュートンの重力理論では、重力がどういった経緯でこうした作用を引き起こすかは詳しく説明されていない。よく知られるようにニュートンは重力とは何かという問題に対して「われ仮説を作らず」と述べ、イレギュラーな遠隔作用や、何もない空間で物体が引き寄せられたり、反発したりする現象の説明は、のちの研究者に任せた。ニュートンは、理論はもっていたがメカニズムはまだ手にしていなかったのである。

ではそのことを理由に、理論とは現象の**原因**を説明するものだという発想を否定するべきなのか。これは意見が分かれる部分だ。非常に有名な科学的説明のなかには、提唱された時点では説明しているパターンの因果的要因を示していなかったものがある（特筆すべきところでは、たとえばダーウィンの自然選択による進化論では、進化が起こる理由は完全には説明されておらず、説明がついたのはメンデルの法則が登場してからだった[15]）。

そこから、いくつかの疑問が生まれる。科学理論は予測の手段でしかないのか。また、我々が経験するパターンを短く言い換えただけで、理論に限界がある以上、現象の裏にあるメカニズムを表した決定的な答えは出せないのか。一般的には、科学的説明はそれ以上のもの、つまり単に現象が起こった**事実**を言い表すだけでなく、**なぜそうなったか**を説明しようとするものだと考えられている。答えはすぐに出なくてもよいが、優れた理論は、経験的探究を進めれば答えが手に入るという見通しを与えることが望ましい。この点がなぜ重要かは、理論がなかったらどうなるか、つまり手元にあるのは美しい予測だけで、その予測が現実になる理由の説明がなかった場合を考えてみるといい。

法則が根拠と合致する(そしてうまくいった予測さえいくつかある)が、理論的な裏づけがない場合、研究者はどこまで行けるだろうか(そしてどのくらいのスピードで破綻するだろうか)。「ボーデの法則」は、それを表した科学史上の最もわかりやすい例だろう。1772年、太陽系の惑星間の距離をおそらく長い時間をかけて測定したヨハン・ボーデは、そこに驚くような相関関係があることに気づいた。一般的な等比数列(0、3、6、12、24、48、96、192、384、768)のそれぞれの値に4を加え、10で割ると、その数(0・4、0・7、1・0、1・6、2・8、5・2、10・0、19・6、38・8、77・2)は天文単位(1天文単位は太陽と地球との距離)で表した太陽と太陽系内の惑星との距離にほぼ一致したのだ。1772年当時、太陽系内の惑星はまだ6個しか知られていなかったが、太陽からの距離は水星が0・387、金星が0・723、地球が1・0、火星が1・524、木星が5・203、土星が9・539だった。当初、この法則の原理を説明するメカニズムがないことを気にする人は誰もいないようだった。よく知られるように、ニュートンでさえ重力に関する「仮説を作らな」かったではないか。それでも疑問があった。1・6と5・2の「あいだ」の2・8に当てはまる惑星がないのはどういうわけか。そして10以降はどうなのか。そのことは、まだ見つかっていない惑星の存在を示唆する「予測」と受け止められた。そして9年後、天王星が19・18天文単位の距離にあることがわかると、人々は沸き返った。20年後には、科学者たちは火星と木星のあいだの2・77天文単位のところにある小惑星帯は、惑星が破壊されてできたものだと信じるようになり（さらに、今は亡きこの惑星を「ケレス」と名づけた）、ボーデの法則は画期的な偉業だと称えられるようになった。この法則は何も説明していない（予測によって確証される科学理論が実質的に皆無だから当然だ）にもかかわらず、二つの新しい惑星の存在を見事に予見したことで、真剣に扱われた。ところが1846年に30・6天文単位のところにある海王星、1930年に39・4天文単位のところにある冥王星が見つかると、徐々にほころびが生まれ、最終的にボーデの法則は、単なる偶然の一致の驚くべき産物にすぎないとみなされるようになった。[16]

このボーデの法則とひも理論のようなものを比べてみよう。ひも理論は、控えめに言うなら極小の世界の重力理論、大胆に言うなら、宇宙のすべてを扱う統一理論だ。[17] 専門的な部分を細かく説明するには、本1冊分のページ数が必要なきわめて難しいテーマだが、ここでは短く説明してみよう。科学では、アインシュタインの一般相対性理論で宇宙のとりわけ大きな世界（星や銀河）を、量子力学で極小の世界（分子や原子）を説明する。[18] どちらの理論にも経験的根拠による十分な裏づけがあるが、両者にはまったく両立しないという問題がある。つまり大胆な言い方をするなら、どちらも正しいということはありえない。しかし完全に正しい理論ではないにせよ、どちらもより大きな理論、つまり二つの理論が扱う現象を網羅し説明する、もっと大きな理論の特殊事例であるという可能性はある。そうした理論の候補の一つである「物理学の標準模型」と呼ばれるものは、宇宙の基本的な力のほぼすべてをうまく説明できたが、ただ一つ、重力だけは説明できなかった。そこで現在、科学者たちは量子重力理論を追い求め、最も有力な候補とされているのがひも理論だ（ただし有力候補はほかにもある）。しかしひも理論には、理論の正しさを示唆する経験的根拠の裏づけがまったくないという、別の問題がある。

現時点のひも理論は、多くの物理学者が正しいものであってほしいと願っている数理モデルである。というのは、単にほかに対抗仮説がほとんどないからだ。しかしここで、重要な疑問が浮かび上がる。経験的根拠の裏づけがないのなら、ひも理論は科学ですらなく、「単なる理論」でしかないのではないか。[19] これはボーデの法則とは正反対の状況で、つまりボーデの法則では、データに見事に合致していたが背景となる理論はなかったのに対し、ひも理論では信じられないほど複雑で実り多い理論はあるが、根拠による裏づけがまったくない。ということはどちらも、根拠に照らしたテストが必要だという、科学理論の基準に違反しているのではないだろうか。

２０１５年12月、ドイツのミュンヘンにあるルートヴィヒ・マクシミリアン大学で、まさにこの点を取りあげた「なぜ理論を信用するのか――現代物理学に照らして科学的方法論を再考する」という学術会議が開かれた。異例なことに物理学者と哲学者が一堂に会し、科学を実践する新しい方法はありえるのかが検討された。一つの提案をしたのが、物理学者から哲学者に転身したリチャード・ダヴィドだった。ダヴィドは著書『*String Theory and the Scientific Method*（ひも理論と科学的方法）』で、ひも理論への経験的裏づけを集めるのが難しい以上、説明の一貫性や統一性、豊穣性、さらには「優雅さ」や「美しさ」といった美的基準など、「経験以外による評価」に切り替えるべきだという意見を述べている。[20] 参加した何人かの科学者は反論し、ひも理論は（それをテストするための装置を実際に開発するのに大きな制限があるため）**現状では**テスト可能な経験的結果を出せていないかもしれないが、その予測は**原則上は**テスト可能な予測だと主張した。[21]

すべての物理学者がこの意見に同調するわけではないだろう。「集団思考」のような社会的要因の影響があるとか、大学での仕事を失う恐怖や、実績や研究費の必要性というプレッシャーがひも理論を、（経験的裏づけがなくても）「唯一の選択肢」にしているという意見もあった。[22] とはいえ彼らは、ひも理論は**テストできない**と言ったわけではない。否定的な意見をよく見ると、ひも理論は「実験に使えるエネルギーを用いた物理現象に対して、なんの予測も行っていない」とか、「現時点では、想定しうるあらゆる実験結果を使っても、ひも理論を反証するのは不可能である」といった慎重な表現が使われていることに気づく。[23] しかしこれは、「現状では」テスト不可能だという言葉と、「原則上は」テスト可能だという言葉の違いを真剣に捉えてこなかった科学者の逃げ口上でしかない。どうにもならない実際上の制約があるのかもしれないが、線引き基準のような哲学的な区別にとっては、そうした言葉遣いの違いこそが重要なのだ。

もしかしたら批判派の意見は正しく、現状はデータによる裏づけがないことを考えれば、ひも理論は注目されすぎているのかもしれない。この一つの理論を取り込むために、「科学そのものを作り変える」のはばかげているという彼らの意見は、ほぼ確実に正しい。根拠による実際の裏づけがないひも理論の枠組みが、今後生き残っていけるかは時間が教えてくれるはずだ。それでも、ひも理論は科学かという疑問に対して、私は「今のところ」テスト不可能だという言い方と、（経験的予測をまったくしていないなどの理由で）「原則的に」テスト不可能だという言い方をきちんと使い分ける人間でありたい。要は、ひも理論も過去の多くの理論と同じで、いずれ間違いだったと証明されるかもしれないが、科学たりえる可能性はあるということだ。

次に、この点と、科学にとっての理論の重要性というもっと全般的な問題との関係を考えよう。理論が科学に不可欠だとして、では、それだけがあればいいのか。理論を裏づける根拠、少なくとも裏づける**可能性のある**根拠になりうるものが見つかってからでなければ、理論を「科学的」だと主張できないのではないか。そうでなければ、自然の仕組みを述べるという、科学的説明に必要と思えることができない。プトレマイオスの天動説とニュートン物理学で見たとおり、理論は科学的でありかつ間違いであることもあるが、いずれにせよ根拠に合致することを目指し、説明を試みる必要がある。間違った理論を片っ端から科学的でないと否定するような極端へ走る必要はない。理論が科学的である条件は、真理を伝えていることではない。いずれ現金化できる約束手形のようなものでしかなくても、理論の裏にその予測を支えるメカニズムがあり、それが将来得られる経験的根拠に合致するかについての主張があればそれでいい。ひも理論については、この地点に達しているか、また将来達する可能性があるかという部分で学者の意見は割れている。それでも、ひも理論がなければこうした議論を行うことさえできなかった点は評価していいはずだ。ボーデの法則が科学になれず、ひも理論が科学になる可能性を残しているのは、それが理由だ。

ではなぜ、科学のすべては「単なる理論」にすぎないと主張する者たちがいるのか。

彼らは科学理論がすべて、ひも理論のような賛否両論あるものだと信じているのか、それとも単に、「自分たちには優れた科学理論がある」と言えることのパワーを理解していない（もしくは理解**したくない**）だけなのか。

進化論は「単なる理論」でしかないが、細胞レベルから種のレベルまで、また微生物学と分子生物学で信じられていることのほぼすべてに実例がある。１５０年かけて厳しくテストされ続けている。データを説明し、予測を行い、理論の裏にあるメカニズムであるメンデルの法則とも完璧に符合する。進化論は生物学の科学的な説明の屋台骨だ。実際、著名な進化生物学者のテオドシウス・ドブジャンスキーの「進化の下で考えない限り、生物学においては何も理解できない」という言葉は、生物学の本質を言い表していると広くみなされている。[24] 進化論の穴とされるものは、そうした本質を知らない素人の誤解でしかないことがしばしばであり、実際にある理論の穴も、成熟した分野につきものの一種の研究課題でしかない。クーンが言っているように、情報が常に増えていく開かれた系では、すべてを説明しきることは永久にできない。だから前進し続ける必要がある。[25]

しかし間違ってはならない。科学者は眼の構造の複雑さを説明してきたし、魚と四足動物をつなぐ「ミッシングリンク」の候補も見つけた。[26]進化論をおとしめたい創造論者が打ち出すようなばかげた説は、科学者同士が行う批判のレベルに達していない、イデオロギーの唱道者や陰謀論者の与太話でしかない。[27]

重力理論も「ただの理論」でしかない。病原菌説もそうだし、太陽中心説もそうだ。というより、これまで見てきたように、科学ではすべてが「ただの理論」でしかない。しかし、それは科学を信じられない理由にはならない。優れた理論は科学の土台になる。理論が科学的であるために、あるいは信じられるものであるために、演繹的に確実である必要はない。これは微妙だが重要なポイントで、私たちは根拠に裏打ちされた理論を信じてよいが、同時に新たな根拠が見つかって、その見解を捨て別の理論に乗り換えざるをえない場合があることを十分に承知しておく必要がある。科学ではシンプルに、手元のデータを厳密に分析し、ベストを尽くす以外にない。自分の考えが真か確信をもてなくても（確信するべきではなくても）、正当とみなすことはできる。

だから、批判はある意味で正しい。科学で何かを証明することは**できない**し、科学が提示するものはすべて、実際に単なる理論でしかない。経験的推論はすべて、今後見つかる可能性のあるデータに左右される。そして残念ながら、一部の一般市民、特にイデオロギーに突き動かされて科学を批判する者たちは、こうした科学の基本的性質を誤解している。科学が経験的推論の開かれた性質と向き合わなくてはならないのは確かだが、同時に推論の過程は厳密かつ慎重で、この世界に関する知識を増やすには最も有望な方法だ。では、なぜそういえるのだろうか。

「論拠」の役割

ここで論拠という考え方を紹介しよう。これは、経験的理論を信じることを正当とみなしてもいいかを考える際に必要なものだ。経験的理論が真と証明できないとき、確実ではないとき、さらに真である可能性が高いとは（原理的にも）いえないときでも、人間には、「確たる経験的裏づけのある科学理論は信じられる」という発想を無視するのは愚かだという感覚がある。

重要なのは、**真理**と**論拠**の違いをはっきりさせることだ。ある科学理論が厳密に見て、また論理的に見て、真である可能性が高いとはいえないにもかかわらず、厳しいテストをいくつもくぐり抜けていた場合、「この理論を**信じてもいい**のではないだろうか」という疑問が生じる。その気持ちは当然だ。帰納と検証、確証にまつわる論理的な問題にもかかわらず（そして「験証」という概念をもち出して実質的に譲歩することで、ポパーが［反証主義とは裏腹に］予測を裏づける例に頼ることになりかねなかったことを見た後では）、理論がテストをクリアすることには重要な意味があり、科学者がその点にこだわりたいと思うのももっともだ。科学理論の信頼性は、厳しいテストを何度もくぐり抜けるなかで**実際に**増していくようだ。実際、帰納論理の問題をよく知っている科学哲学者の大半も、自説に有利な根拠を使って理論が**真**だと証明することはできないからといって、その理論が**信じられない**と断じるのは軽率だと理解している。(28)

ある理論が正しいということと、信じてもよい理由があるということのあいだには微妙な違いがある。この発想はソクラテスの時代からあるものだ。生きているあいだに真理には到達できなくとも、近づくことはできるのではないか。少なくとも間違った主張を排除することはできるのではないか。「理論に論拠がある」とは、十分信じてもよい主張だという意味だ。つまり**手元の根拠を前提とすると、**正しいとみなせるということである。たとえばニュートンの重力理論はあとで間違いだと判明したが、**その当時の根拠を前提とすると、**科学者がその理論を信じたのは合理的だった。この点がなぜ重要かといえば、科学の仕組みの性質上、長期的に見れば経験に根ざした理論は**ほぼすべてあとで間違いだと判明する**はずだからにほかならない[29]。だからといって、そうした理論を信じるのは科学的でないとか、「残りの根拠」が見つかるまでどんなことも信じるのはやめておくべきだとかいう話にはならない。実際、科学のあり方を考えれば、残りの根拠がすべて手に入ることは**ありえない。**

可謬《かびゅう》主義という哲学の学説では、経験的見解に確信をもてることは永久にないという点を受け入れるが、同時に知識になるためには確実に真でなくてはならないと考えるのは非合理的だと主張する[30]。確かに帰納の問題があるせいで、理論の確実性や蓋然性は損なわれるが、だとすれば認識論としてどんなスタンスが適切なのか。演繹的に導き出されない見解はすべてあきらめるべきなのか。経験から強力な根拠が見つかっているのに、何かを**知っている**ということを拒否しなくてはならないのはばかげていよう。可謬主義者は、演繹的論理と数学を別にすれば、人間が確実な何かを手に入れることは絶対にないと認める。しかしだからといって、どんな主張も知識になることはないとして一切を捨て去る必要はない。真理であるものが必然的に真理であるとは限らない[31]。そして必然的でない真理のなかには、探究する価値をもったものが間違いなくある。だから知識の膨大な候補を（知識にはならないとして）あきらめるのではなく、「知る」という言葉の定義を広げ、経験に根ざした見解は信じてもいいという見方を含めるようにするべきだろう。のちに覆る可能性があるとわかっていてもだ。そのため可謬主義という考え方は原則であると同時に態度でもある。可謬主義の下では、いずれ間違いだとわかるかもしれないとしても、根拠に合致する見解は正当とみなせるという考え方に心地よさを感じて構わない。

もちろん、妄信や過剰な野心は厳禁だ。経験的な見解に対して優れた根拠が見つかっているというだけで、それがおそらく真だと思い込むのは避けなくてはならない。また「我々がそれが本当に正しいかどうかはわからないにしても、強力な根拠が見つかっているのだから、大元の理論は事実にかなり近いはずだ」と考えるのもよくない。[32] しかしそのレベルの冷静ささえあれば、不毛な懐疑主義に陥り、帰納の問題を重く受け止めすぎて、「将来覆されるかもしれないから」という理由で何も信じられないということにはならずに済む。可謬主義では、どれだけ根拠を積み重ねたところで１００％の確実さには到達しないと考えるが、論拠という発想は、経験的根拠を大事にする姿勢ともうまくなじむ。

確実性を人質にとられ、根拠のある見解をあきらめるようなことがあってはならない。ポパーらは懸命に努力してきたが、科学的推論の過程が演繹的に妥当になることは決してない。調子に乗って自分の理論は真だと強弁したり、不利な根拠から目を背けたい誘惑に負けたりしない限り、科学者が自説に有利な実例を励みにし、それに頼るのは正しい。では、帰納の問題はどうすればいいのか。そのことに向き合った哲学者は私が初めてではないだろうが、ここではあえて、多くの仲間がオフレコで口にした「帰納の問題などくそくらえ」の思いを紹介してみよう。帰納の問題は本来、我々に正当な見解を捨てさせ、思考停止に陥らせるためのものではなかった。デイヴィッド・ヒュームでさえ、帰納法はある意味で人間の推論に埋め込まれていると気づいていたようだ。

この暗雲を理性で振り払うのは不可能だが、きわめてありがたいことに、母なる自然その人が目的を果たし、私のこの哲学的憂鬱と錯乱状態を癒やしてくれる。心のゆがみをやわらげ、趣味に興じる余裕をくれ、生き生きとした感覚をよみがえらせて、このキメラたちを残らず消し去ってくれるのである。私は食事をとり、バックギャモンを遊び、会話をし、友人とはしゃぎ、楽しいときを3時間か4時間過ごしてから、同じ思索を再開する。するとそれはあまりにも冷たくこわばり、ばかげた思索のように見えて、これ以上深く入り込んでいく気にならない。[33]

思考と直観の両方が、我々に有利な実例が重要だと告げている。人間である以上、私たちは世界を知るのに帰納法に頼らざるをえない。

とはいえ、それは正しいことなのだろうか。帰納の問題に対して、誰よりもおもしろい対応をしたのがハンス・ライヘンバッハだった。ライヘンバッハは、帰納法を論理的に証明するのは不可能だが、少なくとも擁護することはできるという興味深い主張をした。[34] 彼の議論はこうだ。どんなもののあいだにも経験を通じて見つかる相関関係がない、無秩序な世界を想像してみてほしい。そこでは経験に法則性をもたらし、説明する方法は見つからない。法則性がないからだ。今度は逆にこの世界に似た世界、つまり経験のなかに相関関係がある世界で、なんらかの方法でその関係性を把握しようと試みたとしよう。その場合、用いるべき手法として最も優れているのは帰納法だ。科学そのものと同じで、帰納法も経験のパターンに対応でき、新しい根拠を基礎に結論を変えられる柔軟性をもっており、データが支持するなら個々の仮説を捨てて一から立て直すことができる。確かに、帰納法では間違った結論にたどり着くこともあるが、それは**どの推論の仕方でも同じ**だ。そしてほかにも優れた方法があるかもしれないとはいえ、**帰納法を上回るものは一つもない**。だからライヘンバッハは、帰納法も少なくともほかの方法と同じ程度には、世界の法則を解き明かすことができると結論づけた。よって帰納的推論は「実践的に擁護できる」のである。[35]

論拠という発想も、同じ方式で守れそうだ。すでに話したとおり、科学理論に論拠をもたらすのは、確実に真であることではなく、理論に経験的根拠があり、その根拠に照らした場合にその理論がきわめて正当な選択肢になっていることだ。これを、論拠のある見解の**実践的擁護**と呼ぼう。すなわち、科学理論が論拠をもつのは、**経験的に同等の別のどの理論とも同程度の裏づけがある場合であり、またその場合に限る**。別の理論のほうが優れているならそちらを信じればいいし、そうでないなら今の理論を信じ続けるほうが合理的だ[36]。論拠にはいくつかの度合いがあり、0か100ではない。だから確実ではない理論であっても、競合相手と少なくとも同じくらい、あるいはそれ以上に優れているのであれば、その理論を信じるべきということになる。ライヘンバッハの論理では、ある科学理論を信じてもいいかの**妥当性を証明する**ことはできないかもしれないが、少なくとも**擁護する**ことはできる。真である（そして真である可能性が高い）ことを証明できない見解でも、根拠に照らして論拠があるということはできる[37]。

ここでいくつかの哲学的な疑問が浮かび上がるに違いない。まず、「間違っている可能性のある見解でも論拠はあることがある」という言葉は、いったいどういう意味なのか。そして、自分の感覚が頼りになるとは限らず、見つけ出したパターンが今後も通用するかどうか自信がないときに、観察に基づいた帰納的推論に頼ることは許されるのか。経験的知識の土台には、懐疑という名の不安が根を張っていて、ルネ・デカルトからネルソン・グッドマンまで、多くの哲学者を悩ませてきた[38]。

しかし科学研究という視点では、こうした不安を気にする必要はほとんどない。確かに、悪魔が自分をだまそうとしたり、手元の装置ではデータが指し示す結果が得られなかったりする可能性はあるが、それらを信じる理由がないなら真剣に受け止めなければいい。また自分の集めた経験的根拠が、無数にある別のでっちあげの説（そして理論）を裏づける可能性もあるが、それらの説が自分の研究している現象を自説以上にうまく説明するものだと思えないなら、心配は無用だ。先ほど挙げた哲学的な疑問の答えはまだ出そうにないが、そもそも哲学と科学は出発点が異なるのを忘れてはいけない。科学を前進させるために、認識論上の難題のすべてに答えを出す必要はない。感覚的データの信頼性に対するデカルトの懸念を振り払い、人は感覚的経験から世界について学べるという前提を受け入れて**初めて**、科学は始まる。確かに人間の知覚力は状況次第で鈍るかもしれないが、だまされている可能性がある、あるいは感覚がおかしくなっている可能性があることを理由に、科学は前進できないと考えるのは行きすぎだ。というより、だからこそ科学の世界では、個人の信頼度をチェックするのに周囲の批判的な厳しい目を頼りにするのではないだろうか。全員がだまされているケースもあるかもしれないが、それでも全員が**本当に**眠っているとか、我々が**まったく**デタラメに用語を使っていると思える理由がないなら、証明する責任は懐疑派の側にあるという確信を抱き、科学者は前進すればいいだけではないだろうか。[39]

科学者がこうした実用的で哲学的な擁護で満足するようになれば、彼らはずいぶん楽になるだろう。科学の開かれた性質に悩む必要はもうない。自説に確実性はない（そしてあるはずがない）と心の奥底ではわかっているのに、あるふりをする必要もなくなる。必要なのは、科学研究の**進め方**というよりは、自説の守り方のちょっとした切り替えだ。真理につながるとは限らず、論拠を得るのがせいぜいでも、有利な実例は依然として重要だ。新しい根拠が見つかって覆される可能性を受け入れつつ、理論の裏づけを得ることはできる。これは文句なしに誠実な前進の仕方だと思っていい。科学者はほとんどの部分で、不確実さや疑わしさ、限界を受け入れる姿勢の価値をすでにわかっていて、結論を誇張してはならないと思っているからだ。[40] 科学者がときどき失敗するのは、党派的で無知な人から身を守る必要に迫られて軽率な発言をしてしまい、その結果よくある科学への誤解を広げてしまう場合だ。しかし、証明や確実性といった神話に頼るのをすっぱりあきらめ、かわりに論拠という発想を用いるようにすれば、科学者として生きるのはもっとずっと楽になるはずだ。

その際には、哲学者にも役立てる部分があると思っている。それは、不確実さを恥ずかしがらずに歓迎する科学とはどういうものかを、わかりやすく説明し、同時に論拠のある見解に対する経験的根拠の重要性を訴えることだ。それができれば、否定論者やイデオロギーの唱道者、陰謀論者といった科学に批判的な者たちの意見を無力化するのに大いに役立つだろう。科学の不確実性を利用してきた連中が、**自分たちの**見解の論拠を擁護する必要に迫られたとき、どんな報いが待っているだろうか。科学理論がそもそも不確かな性質をもつからといって、科学ではない説が真である可能性が高まったりはしない。むしろ両者の差は際立つだろう。科学ではない信念は、根拠をもたず、論拠がまったくないと判断されるだろう。

では、科学の何が特別なのか。私はここまで紹介してきた論理原則よりも、科学という急流を渡るために大切なものがあると信じている（次の章ではその理由を説明する）。それは、経験的根拠に対する適切な**態度**だ。章の前半で紹介した「実験結果にそぐわなかったなら、その推測は間違っている」というファインマンの言葉を覚えているだろうか。私は、「科学的態度」と呼ぶべきものがあり、それが科学を実践するのにも、科学の最大の特徴を解説するのにも欠かせないと考えている。科学的態度は、科学者にとっては直観的に心得ているものであり、哲学者にとっては、科学が知識獲得のまっとうな手段として特別に優れている理由をわかりやすく伝える一番の方法として歓迎すべきものだ。科学的態度は科学を実践する方法ではないし、レシピでもないが、これがなければ科学を前進させることはできない。次の章でも解説するが、科学的態度は、科学的説明の核となる理論を構築する、あるいは批判する際の科学者の心構えだ。

第3章

科学的態度の重要性

多くの人が、科学だけがもつ方法論なるものを軸に、科学のどこが特別かを見つけ出そうとしてきた。科学哲学者は方法論を使って科学者の取り組みの正当性を示そうとしてきたが、現場の科学者の多くがそうした方法論に従っていないことがわかってくると、このやり方は批判の的になった。(1) しかしそれは、科学の特別な地位と科学者の仕事がまったく無関係という意味ではない。科学の正当性を示す手段としての方法論にばかり目を向けるのはやめて、科学を実践する人間が抱く態度のほうに注目すべきというだけの話だ。

第1章でも見たように、科学を実践するためのレシピはないし、科学者がこの世界について考察する際に用いるタイプの推論と他分野の推論とのあいだに論理的な違いがあるわけでもない。科学者以外も、厳密かつ慎重に根拠を検討することはあるし、科学者もときには主観的・社会的などの別の評価基準に頼りながら、理論を比較判断することがある。ところが科学研究の重要な特徴であるにもかかわらず、哲学者がほとんど話題にしないものがある。それは研究の指針となる**態度**だ。確かに科学者は、常に決まったルールに従うわけではないが、科学史を見れば明らかなように、頼るべき何かはある。

なんらかの気風や研究の精神、信念の体系と言ってもいいだろう。経験的疑問の答えは研究対象に関して集めた根拠のなかにあり、権威やイデオロギーのなかはもちろん、理性のなかにすらない、という考え方。そうした信条こそが、科学の特別さを理解するのに一番よい方法だと思っている。私はそれを**科学的態度**と呼ぶ。

科学的態度とは、簡単に言えば、次の二つの原則を忠実に守る姿勢のことだ。

(1)経験的根拠を大切にする。

(2)新たな根拠に照らして自分の理論を変える意思をもつ。

もちろん、ほかはどうでもいいという意味ではない。トーマス・クーンの著作にもあるように、根拠を重視するだけでは理論を選べず、ほかの要素も考慮しなければならない場合がある。それでも、希望的観測にすがったり、不誠実な行動をしたりすることは絶対に避けるべきだ。科学の何が特別かをつかもうとするなかで、リチャード・ファインマンはごく簡潔に「科学とは、自分にうそをつかないでいるためにすることだ」と述べている。[2] 科学的態度の裏にある正しい心構えを、これほどうまく表現した言葉はない。

　科学的態度とか、科学的価値観といった話をしていると、そんなあいまいでぼんやりしたものは役に立たないという批判が返ってくることがある。だからここではもっと具体的に、科学的態度がどんなアプローチにつながるかを解説しよう。まず、根拠を大切にするとはどういう意味か。それを考えるのに一番いいのは、根拠を大切にしない姿勢がどういうものかを検討することかもしれない。根拠を大切にしない者は、新しい発想に抵抗し、独善的になる。どんな根拠を示されても、自説を曲げようとしないかもしれない。科学的態度をもつ人間が「根拠を大切にする」とは、**自説の土台に関わる根拠を積極的に探し**、**検討する**行為を指す。それによって理論の正当性が増すこともあれば、揺らぐ場合もあるが、科学者はその両方を受け入れなければならない。

　根拠を大切にするには、反証になる可能性のある現実に照らして自らの理論をテストする意思をもたなくてはならない。それは心地よいとか、正しそうに見えるとか、ほかに信じている事柄と相性がいいといった理由ではなく、経験したデータと合致するという理由で理論を信じようとする姿勢だ。科学哲学の文献でよくいわれるように、こうした姿勢だけを軸に理論を選ぶのは非常に難しく、場合によっては単純さや豊饒《ほうじょう》性、一貫性も検討しなければならない。それでも科学の根底にある信条、すなわち「利用できる根拠があるなら、それを基準に科学理論を選ぶべきだ」ということは変わらない(3)。

もちろん、根拠が大きな意味をもたない分野では重視しなくてもいい。数学や論理学では、問題はすべて理性を通じて解決できる可能性があるから、経験的根拠は大した影響をもたない。しかし経験にまつわる分野を研究するときには、根拠を拒絶する姿勢は研究の厳密さと真っ向から対立する。科学では、経験に基づいて知識を見つけ出し、それを使って世界の有りようを確かめる。根拠を大切にする姿勢は、我々が知りたい現実に近づく知識を得る唯一の手段であり、科学の根幹だ。

ここで、科学的態度を備えた研究者の特徴を思い浮かべた人もいるだろう。優れた科学的態度をもった人物は、謙虚で、熱意があり、心が広く、知的に誠実で、好奇心が旺盛で、自分に対する批判的な視点をもっているはずだと。しかし、科学的態度を単に個人の精神性の問題と考えたり、そうした特徴をもっているか否かを個々人の判断に委ねたりするのは危険だ。そのやり方では、たとえば否定論者や疑似科学の信奉者に対応しきれない。そうした連中は、まわりから見ればうそに決まっているのに、根拠を大切にしていると**言う**（そして実際にそれを信じてさえいる）かもしれないからだ。そうした人は、単に我々にうそをついているだけかもしれないが、自分にもうそをついている可能性もある。科学的態度を、根拠を大事にしているかどうかの**実感**の問題にしてしまったら、経験に照らして自説をテストする方法を模索する真にひたむきな人間と、根拠重視の精神は自説を裏づける実例を都合よく集めるためにあると勘違いしたイデオロギー唱道者とを見分けるのは不可能になる。だから、科学的態度の有無は行動から判定できるものでなければならず、そしてその判断は個人ではなく、科学的態度という指針を共有する幅広い科学者のコミュニティによって行われるべきだ。[4] **つまり根拠を大事にするとは、十分な正当性をもった見解をもたらしてきたものだとして科学者集団に認められた、磨き抜かれた一連のやり方に従って行動すること**である。

　科学的なプロセスは完璧だと言いたいわけではない。科学的態度を全力で貫いたとしても、それをもっていると自称する否定論者や疑似科学者を完全に排除するのは不可能だ。連中が自分自身と他者のどちらをだましているかを見分けるのは、ときに難しい[5]。同じように、科学者が自説にこだわりすぎて、データが物語る情報を信じたがらなくなることもある[6]。両者の差を見極めるのは難しい。しかし、科学と科学のふりをしたものとを、論理的または方法論的にはっきり区別することはできなくとも、自説に矛盾した根拠に直面した際の振る舞いに目を向けることで、基本的な価値観が欠けていないかを明らかにすることはできる。

では、根拠とは何か。科学的根拠に数えられるもののすべてを包括する定義を与えるのは、おそらく不可能だろう。経験を扱うさまざまな取り組みのなかには、統計的根拠や定性的根拠、さらに歴史的根拠が存在するかもしれない。根拠は経験から引き出したデータであり、ある説を合理的に信じる度合いに影響する。データは直接測定できる定量的なものもあれば、解釈が必要な漠然としたものもある。いずれにせよ科学者は、科学理論を選び、調整するには根拠がきわめて大事だという考え方を受け入れなければならない。

とはいえ、「科学者が根拠を合理的に使う」という言葉の意味については、さまざまな意見がある。ピーター・アチンスタインは言う。

あるデータや観察結果がある科学的仮説の根拠になるのか、また、どの程度なるのか。この点について、科学者の意見は一致しないことが多い。それはデータや観察結果が本当に正しいのか、あるいはほかの関連情報が無視されていないかという経験的な問題に関わることもあるが、意見の衝突が「根拠」という概念の捉え方の違いからくる場合もある。[7]

根拠についてのさまざまな概念や、経験的事実が科学理論を支持する仕組みの強みと弱みについては、そのテーマだけを扱った本が何冊も出ている。[8] 確率の哲学や統計学の哲学の専門家ではない人には驚きかもしれないが、まったく同じ根拠に対しても、そこからどんな推論をするのが適切かでは意見が分かれるのだ。たとえば確率論の世界では、「主観主義」的なアプローチを採るベイズ統計学派と、「頻度主義」的なアプローチを示したデボラ・メイヨーらとのあいだで激しい議論が続いている。[9] しかし、科学的態度は、根拠についてのさまざまな捉え方を貫くものになる可能性がある。根拠を**どう使うか**についての考え方が違っていても、根拠に**対する**科学的態度は一つだ。科学的態度を備えた人間は、根拠を最も重視すべきだという考え方を忠実に守りながら、どの理論が信じるに足るものかを判断していく。

もちろん、科学的態度の重要性を理解するのに一番よいのは、それが機能しているところを見ることだ。実例もすぐに紹介しよう。しかしまずは、ありがちな二つの誤解を解いておきたい。一つ目は、科学的態度は、線引き問題の解決策を意図したもの**ではないこと**。[10] 線引きの目的は、科学だけをある枠に、ほかのすべてを別枠に選り分ける論理的な基準を見つけ出すことだが、すでに見たとおりこれは難題で、基準を探す試みは実質的にどれも失敗に終わっている。その結果、科学はその性質をよくわかっていない者たちに誤解され、非難されている。科学的態度を科学の欠かせない特徴とする目的は、他分野を締め出すためではない。そうではなく、科学的推論の厳しい基準を満たそうとしない限り、経験的な主張をする人間は、人間が考え出したなかで世界を知る最善の方法である科学の水準に届かないと示すためだ。

二つ目の誤解として、私の意図に関するものが考えられる。私の意図は、現場の科学者がとっている行動を細かく記述することではない。現場の科学者が科学的態度をどのくらい保てるかは、所属するラボや日によって流動的に変わるもので、彼らは科学の常識に反する行動をとったかと思えば、またそこへ立ち戻ることもある。(11) そこで私は、科学的態度を、理想的な規範、つまり個々の研究者や研究分野全体が科学的価値観に沿ったものになっているかを判断する物差しとして提示したい。すでに見たように、科学的方法論の主張と異なり、科学はなんらかの公式が土台になっているわけではない。またその論理や方法論について0か100かで決められるものでもない。科学がどんなものかは、科学を実践する人間がもつべき価値観と結びついた、一連の実践によって決まる。

それは何も、行動だけが科学の正当性を示す材料になるという意味ではない。実践は重要だが、重要な判断材料はほかにもある。あえてそう述べるのは、この数十年、科学哲学の方法論的アプローチの反対派が「科学者は、科学的論理が示す手順を常に順守するわけではないのだから、科学はほかの種類の知的探究より優れているとも劣っているともいえないではないか」と主張してきたからだ。これは的外れな結論だと強く感じる。私は方法論の点から科学を擁護するわけではないが、同時に自分のアプローチの根幹には、合理的な正当化という発想がある。科学を擁護するために事実と価値とを明確に区別できなければならないという伝統的な発想には同意できないかもしれないが、同時に科学は救いようがないほど主観的だという意見を信じているわけでもない。客観性は重要だが、科学の実践を正しい方向に導く点で、価値観も重要だ。科学者の行動がときに不十分だったとしても、科学が掲げる目的の点から科学全体の正しさを示すことはできる。

科学を理解するうえでの実践の役割を認識したからといって、理想の重要性が下がるわけではない。またズルをしたり、ずさんな研究をしたりする科学者がいるからといって、科学の正当性が揺らぐわけではない。個々の科学者が非合理的になる場合があるからといって科学的論理の正当性が損なわれるわけではないのと同様に、科学者がときに科学的態度に背を向ける場合があると指摘しても、科学の価値が損なわれるわけでもない。というより、そういうケースがあるからこそ、個々の研究の価値を集団で厳しく審査する過程を擁護していくことが重要になる。科学の基準は個人だけでなく、科学者のコミュニティによっても維持される。後者はそのためのツールも開発してきた。科学的態度が科学者の行動を記述するものではなく、規範的なものであるのはそれが理由だ。人はときに自らの理想さえ裏切る。そうした場合、その人をまっとうな道に戻せるかは周囲にかかっている。これこそ、科学的態度が呼び覚ます行動だ。科学が他分野と異なるのは、科学者の**行動**だけでなく、**どんな行動を目指しているか**という部分にある。個々の科学者が過ちを犯すなかで、科学がこれだけ大きな知的権威を保っていられるのは、こうした**精神**のたまものだ[12]。

科学的態度の二つの実例

この本の冒頭で、科学について多くを学ぶには、成功だけでなく失敗にも目を向けることが必要だと述べた。また、物理学と天文学の歴史ばかりを実例にすべきではないとも言った。そこでここでは、まず科学的態度のメリットを示す医学の例を取りあげる。その後で化学における「失敗例」（常温核融合）[*1]に目を向けよう。この二番目の例を見れば、科学的態度をないがしろにするとどうなるかがよくわかる。[(13)]

このやり方の信頼性を示すには、物理学と天文学から実例を探したほうが科学的態度の価値を簡単に示せるのは確かだ。実際、これはそれほどおかしい考え方ではない。アイザック・ニュートンの重力理論やアルバート・アインシュタインの一般相対性理論は頼れる実例になる。ポパーがそれらに頼っていたことから話を始めた点を考えれば、これも理論をテストする際の正しい心構えの好例なのかもしれない。しかし、ポパーがアインシュタインの科学的態度をどう思っていたかは読者の想像に任せ、ここでは私が好きな科学史上の実例を紹介したい。イグナーツ・センメルヴェイスの産褥《さんじょく》熱に関する理論だ。この理論は、カール・ヘンペルによって科学哲学の世界で有名になった。彼が１９６６年の著書『自然科学の哲学』（培風館、１９６７年）で科学的説明のメリットを

＊１　室温などの比較的低い温度で、元素が融合するとされる現象。

示す例として使ったのである。[14] しかし私は、ヘンペルのように論理実証主義的な科学の説明のためではなく、科学的態度の実例としてセンメルヴェイスの理論を取りあげたい。これは科学的態度が現代医学を一変させた話とも深くつながっているが、そちらは6章で紹介する。

現代医学が築いた確固たる科学的地位を考えると信じられない話だが、17世紀の科学革命から200年以上がたった19世紀でも、医療はまだ暗黒時代にあった。1840年になっても、医療の世界には麻酔(1846年)も、病原菌説(1850年代)も、無菌手術(1867年)もなかった。それらが見つかったあとも、正しい情報を広め、懐疑派の抵抗を乗り越える方法がほとんどないという問題が残っていた。[15] 実験的な手法が直観や伝統におくれをとっていたのだ。そんななか、1846年のウィーン総合病院で、科学的態度の最高のお手本が見事に登場した。

イグナーツ・センメルヴェイスは、世界最高の産婦人科に勤める下級の医員だった。ウィーン総合病院の産科は、第一産科と第二産科の二つに分かれていた。第一産科では産褥熱(分娩《ぶんべん》熱[*2]とも呼ばれる)が横行し、致死率が29%に達していたのに対し、となりの第二産科ではわずか３％にとどまっていた。(16) また関連情報として、家で、もしくは病院へ向かう途中で「路上出産」した女性の罹患《りかん》率はかなり低いというデータもあった。では、第一産科は何が違ったのか。さまざまな仮説が出された。混みすぎているという説もあったが、センメルヴェイスが患者の数を計算したところ、実際の混み具合は第二産科のほうがずっとひどかった（女性たちが評判の悪い第一産科を避けたためであろう）。それから次に、第一産科の構造のまずさが指摘された。産褥熱で命を落としかけている女性に最後の祈りを捧げるため呼ばれた司祭が、鈴を鳴らしながらほかのベッドの脇を次々に通りすぎることで、患者が大きな恐怖に襲われ、罹患率が高まるのではないかという説だ。対して第二産科は、司祭が患者のいる病室へまっすぐ向かえる構造になっていた。そこでセンメルヴェイスは実験を行い、司祭に普段とは別のルートをとおり、静かに第一産科の産褥熱患者のいる病室へ向かうよう頼んだが、致死率は変わらな

＊２　分娩終了後に子宮・膣《ちつ》などへの細菌感染を原因として高熱が続くこと（ただしセンメルヴェイスの当時は感染が原因とはわかっていなかった）。

かった。

出産時の姿勢が横向きか仰向けかが関係しているのではないかという説も出て、テストが行われたがやはり結果は空振りだった。しかし最後に、大きな違いの一つは第一産科では医学生が出産を担当し、第二では助産師が担当していることで、医学生は妊婦の扱いが雑なのではないかという説が出た。そして医学生と助産師の配置を換えたところ、致死率もそれに合わせて変化した。しかし理由がわからなかった。医学生に妊婦をもっとやさしく扱うよう指示しても、致死率は下がらないままだった。

原因につながるヒントが得られたのは、1847年になってからだった。センメルヴェイスの同僚が、産褥熱で死んだ女性を解剖している最中に刺し傷を作り、それが原因で同じ症状にかかって命を落としたのだ。[17] 産褥熱には妊娠した女性以外でも感染するのかもしれない。そしてセンメルヴェイスは、産婦人科へくる前の医学生の行動に違いがあることに気づいた。彼らは授業で解剖を行ったその足で、手や器具を洗わないまま（忘れないでほしいのだが、消毒や病原菌説が登場する前の時代の話だ）産科病棟へ入っていた。そこから、産褥熱は「死体にまつわる粒子」が妊婦の体内に入ることと関係しているのではないかという仮説が立った。そしてセンメルヴェイスがテストとして、手を消毒液でよく洗ってから分娩に取りかかるよう医学生に指示すると、致死率は一気に下がった。

こうして彼は、産褥熱の発生数が第一産科でずっと多い理由だけでなく、「路上出産」のほうがかかりにくい理由も見つけ出した。センメルヴェイスは同僚と子宮頸《けい》がんの女性、さらに別の女性12人（そのうち11人が産褥熱で命を落とした）を続けて調べたあとに仮説を修正し、産褥熱は腐敗した生体組織を介してもうつると結論づけた。[18]

この話に科学的態度がどう関わっているかは明らかだろう。センメルヴェイスは産褥熱の原因という疑問に対して、自分が答えをもっていると思い込んだりしなかった。二つの病棟の類似と相違を調べ、観察結果と対照実験から学べるものを学んだ。さまざまな仮説を立て、一つひとつテストしていった。一つの仮説が否定されたら次のものへ移り、その過程で新しい情報を取り込むことをいとわなかった。そしてついに答えを見つけたとき（そしてのちにそれを拡張したとき）に、新しいデータをもとに自分の考えを変えた。

センメルヴェイスは、間違いなく「経験的根拠を大切にしていた」。状況を比較し、実際の経験に照らして自分の考えをテストしながら、産褥熱の原因は理性だけではわからないという考えを尊重していた。彼は「新しい根拠に基づいて理論を変える意思」ももっていた。否定されるたびに仮説を変えるだけでなく、原因は死体にまつわる粒子のほかに腐敗した生体組織の可能性があるという情報が判明すると、仮説を拡張した。彼は病気がうつるメカニズムを完全に解明できてはいなかったが(これはダーウィンが進化論を提唱したときに遺伝についてよく知らなかったのと同様だ)、否定しようのない相関関係をもとに、「不潔さ」が産褥熱の原因だと示した。

驚いたことに、センメルヴェイスの意見は数十年にわたって抵抗に遭《あ》い、見過ごされた。手を消毒すれば発症数は劇的に減らせるという、議論の余地のない経験的実例を示したにもかかわらず、医療従事者の大半は仮説に異を唱えた。無数の女性が失う必要のない命を失っていくなか、医学界の重鎮は、自分たちが産褥熱の原因かもしれないという発想をかたくなに否定し続け、自分たちのような紳士が何らかの意味で不潔だという発想を侮辱と受け取った。死体にまつわる粒子が病気を伝染させる**仕組み**の説明がなかったので、「悪い空気」のせいだという仮説にしがみついた。センメルヴェイスは仕事をクビになり、自身の仮説の有効性がヨーロッパ中の病院で証明されていくなかで（依然として医学界には認められず）、どんどんひねくれていった。最終的には精神病院に収容され、警備員に殴られたことで、産褥熱と似た血液性の感染症である敗血症にかかり、２週間後にこの世を去った。

センメルヴェイスの仮説に対する抵抗は、科学的態度の裏側といえる。つまり科学的態度があることで科学的発見や説明の進歩が促されるが、それがないと進歩が妨げられるのだ。１８４０年代には、肉体の「四体液」のバランスが崩れることで病気になるという中世的な発想が主流で、医学上の疑問に対しては、経験的発見よりも伝統と慣習が答えを供していた。１８５０年代にルイ・パスツールとロベルト・コッホが病原菌説を研究し、１８６７年にジョゼフ・リスターが無菌手術を導入してようやく、医学は科学的土台を得始めた。センメルヴェイスの説が正しいとみなされたのは、本人が死んでから何年もたったあとだった。[19]

センメルヴェイスを無視した連中が単純に愚かだったと思いたくなるのは当たり前だ。しかし問題は、彼らがなぜ目の前の正解をかたくなに無視し、見過ごし続けることができたかだ。その理由は、19世紀中盤まで医学界では、科学的態度が受け入れられなかったからだ。物理学の世界では、入念な実験と観察から得た根拠を通じてこそ経験的テーマを学べるという考え方が支配的になっていて、天文学でのガリレオ・ガリレイによる革命からはすでに200年以上がたっていたが、医学ではずっとあとまで古い発想が支配的だった。実際、産褥熱のエピソードで最も驚くべきなのは、なぜこれほど多くの医者が対照実験と経験的根拠から得た情報を否定したかではなく、センメルヴェイスがいかに時代をはるかに先取りして科学的態度を備えていたかという点だ。[20]

その一方で、現代の科学者であっても、この基準を満たさない研究がなされる場合がある。それが20世紀有数の科学の失敗例とも呼ばれる話だ。皮肉なことにこの失敗例によって、科学者が根拠のもつ力を信頼していることがこの上なく明らかになるのである。1989年春、スタンレー・ポンズとマーティン・フライシュマンというユタ大学の二人の化学者が記者会見を開き、持続的な常温核融合に成功したと発表した。事実ならとてつもない影響のある偉業だった。常温核融合が可能なら、クリーンで安価なエネルギーが世界中で豊富に手に入るという夢がまもなく実現するかもしれないのだ。しかし二人は、慣例どおりに同じ化学者による厳しい査読のある専門誌に研究成果を発表するのではなく、記者会見というやり方を採った。そのためもちろんのこと、科学者からのすさまじい懐疑の目にさらされ、すぐに再現実験をやろうという流れになった。

そして、再現実験は成功しなかった。二カ月にわたってメディアでもてはやされ、そのあいだほかの科学者に実験の詳細を伝えることを拒否したポンズとフライシュマンの研究には、致命的な欠陥があることが明らかになった。科学の慣例を無視して余計なことをしたせいだという批判も殺到したが、結局のところ問題は根拠の説得力だった。この騒動全体には多くの科学者が大いに恥じ入り、『常温核融合スキャンダル：迷走科学の顛末《てんまつ》』（朝日新聞社、1993年）や『*Too Hot to Handle*（熱すぎて扱えない）』、『常温核融合の真実：今世紀最大の科学スキャンダル』（化学同人、1995年）といったタイトルの本が発表されると、屈辱感はいっそう強まった。しかし科学者たちは、この件について恥じ入るのではなく、科学的懐疑主義の力を見せつけるものとして歓迎できたかもしれないのだ。なんといってもここで科学的判断の決め手になったのは、莫大なお金や名声、メディアの注目ではなくて経験的根拠だったからである。ある理論（と二人の人物の評価）がものの見事に破綻したにもかかわらず、これは科学的態度の勝利だった。[21]

ここにあるのは、センメルヴェイスが直面したのとほぼ正反対の状況だ。産褥熱のケースでは、一人の医師だけが「根拠に目を向けさえすれば自分の研究結果は正しい」と力説した。一方の常温核融合では、理論を提唱した二人の化学者はおそらく、理論を包む盛り上がりに舞いあがって慎重な調査ができなくなり、方法論をもう少し自分でチェックしたり、再現実験を行ったり、査読を経たりする前に結果を発表してしまった。幸いこのケースでは、広い**科学界**のほうが科学的態度をとり、研究をゆがませかねない自説への執着心、あるいは性急な判断に対するチェック機能を果たした。もちろん、損得勘定で二人を批判した科学者もいただろう。それでも科学界全体にとっては、どんな根拠がもち出されたかが適切な判断材料だったのである。

科学では、ミスは必ず起こる。科学者も人間だから、野心や自尊心、強欲さ、頑固さといった動機に左右される。しかし科学がすばらしいのは、みなが認めた透明な基準を使って経験的理論にまつわる対立を解消し、過ちを修正しようとすることだ。センメルヴェイスの場合は正しい理論がしっかり定着するのに20年を要したが、常温核融合では２カ月で済んだ。違いは科学的態度の有無だった。

科学的態度のルーツ

科学者の態度こそが科学の重要な特徴だという発想は目新しいものではなく、ポパーやクーンを含めた多くの研究者が以前から取りあげている。[22] 反証についての彼の説明のなかで、ポパーは科学の裏には「批判的態度」があると強調している。実際ポパーはある意味で、批判的態度が反証可能性より**先にくる**と感じていたようだ。[23]

科学的手法の特徴は、反駁《はんばく》可能性という形式的基準というよりも、自分の理論に対するきわめて批判的な態度だ。そうした批判的態度と、それに対応する批判的な

方法論的アプローチに照らして初めて、「反駁可能」な理論は反駁可能性をもちうる。(24)

彼の知的自伝では、反証という考えを最初に思いついたときを振り返り、批判的態度と科学的態度とを結びつけて考えている。

最も印象的だったのは、アインシュタインが一定のテストに合格できなかった自説は支持しないと明言していることだ。それゆえ、彼はたとえば「重力ポテンシャルによるスペクトル線の赤方偏移が起こらなかった場合、一般相対性理論は支持しない」と記している。こうした態度は、マルクスやフロイト、アドラー、さらには彼らの後継者の独断的な態度とはまったく異なるものだった。アインシュタインは、予測に合致することが理論の立証にはつながらず、一方で予測に合致しないことが理論の誤りを示す、そんな決定実験を追い求めていた。特に後者の点を強調したのはアインシュタインが初だろう。私はこれこそが真の科学的態度だと感じている。望みの理論の「検証」を常に見つけたと主張する独断的な態度とはまったく異なる姿勢。ゆえに私は１９１９年末までに、科学的態度とは批判的態度であり、検証ではなく決定テストを追い求めるものだという結論に達した。そうしたテストは理論を否定する可能性がある一方で、決して理論を立証しない。(25)

この言葉に、私は拍手を送りたい。これはポパーの反証主義に関する見識のなかに表れた科学的態度の重要な側面だ。しかし私がポパーに反対するのは、批判的態度を手にするには、線引き基準となる方法論的原則に落とし込むのが一番だという点だ。ポパーも把握しているとおり、科学者が経験的根拠がもつ力に向ける態度には特別なものがあるが、それを論理の問題にする必要はどこにもない。

クーンもまた、科学的態度の重要性を認識していた。この事実が見過ごされがちなの

＊3　エジンバラ大学のデイヴィッド・ブルアが提唱。科学の客観性に疑問を投げかけ、科学知識がこうむっている社会性の影響の分析を務めとした。

は、クーンの科学についての説明が、科学社会学の「ストロング・プログラム」学派[*3]から絶賛されたためだ。「ストロング・プログラム」では、科学理論は正しいものも間違っているものもすべて、根拠ではなく社会的要因で説明でき、それゆえある意味で人間がもつ関心に影響を受けると考える。クーンはこの解釈に仰天し、科学者にとって自然は重要ではないという見方を否定した。ある評論ではこう述べられている。

クーンは……ストロング・プログラムを端緒とする科学社会学の発展にひどく悩まされた。彼が不安視していたのは、科学にとっての価値の役割をストロング・プログラムの提唱者たちが誤解していることだった。……そのため、ストロング・プログラム派の科学研究は「自然の役割をないがしろにしている」と不満を述べた。彼は科学者の見解の形成に自然は重要な役割を担っていると強調した。[26]

理論は互いに比較されなくてはならないという考え方を真剣に受け取っていたクーンだが、同時に理論は経験的根拠に照らしてテストできなければならないとも考えていた。

（世界は）観察者の願望や欲望などまったく顧みない。自らの振る舞いに合致しないでっちあげの仮説を否定する決定的根拠の提示にかけてはきわめて有能なのだ。[27]

ポパーと違って、クーンはこれを科学的方法論の裏にある「態度」とは呼ばなかったが、それでも科学者が異なる理論のあいだにあって判断する際に、経験的根拠が重要な役割を果たすことはわかっていたし、経験的根拠の価値を重視する姿勢は、科学の前進に不可欠だと考えていた。

では、ポパーもクーンも、科学の価値観についてさらに踏み込めなかったのはなぜだろうか。批判的態度にせよ、自然は人間の願いや望みを気にしないという考え方にせよ、それらを科学と科学ではないものとを分ける基盤に位置づけてもよかったはずだ。[28]まず、答えが簡単なクーンのほうから説明しよう。クーンは、科学は特別だと感じ、科学の実際のプロセスを理解しようと苦労したが、形式的な線引き基準にはこだわらなかった。[29] 一方でポパーにとっては**まさにその問題**が自分のやりたいことだったのだから、なぜ批判的態度を科学の特徴と考えようとしなかったのかというのは、より検討すべき疑問だろう。一つの答えとしては、ポパーは反証可能性の理論を通じてまさにそのことをやったのだろう。しかしそれはある部分で、実際の科学研究のあり方と、科学の正しさを示す哲学的手法とを区別するという、ポパーの戦略とは相容れないものだった。ポパーは、自身の線引き基準の論理的な美しさを実際的な問題の考慮が脅かしうる点に悩み、相反する気持ちを抱いていた。反証可能性は線引き問題の論理的な解決策だと最もはっきり述べている文章のなかでさえ、ポパーは「何を『科学』と呼ぶべきか、誰を『科学者』と呼ぶべきかは、常に慣習や判断に委ねざるをえない部分がある」と言っている。[30] つまり明らかに彼は、柔軟性の大切さや、批判的態度の意義、状況に左右されるという実際的な問題の性質を理解していた。それにもかかわらず、科学とそうでないものとを区別する徹底して**論理的な**基準を求めていた。おそらくそれが足かせになって、科学的態度のようなものの本当の力を認識できなかったのだろう。科学的態度は、論理的な線引き基準の発見という自身の使命を果たすのに必要なほど「ハード」なものに思えなかったのかもしれない。

科学的態度のルーツをさらに深くたどっていくと、哲学者が科学の方法論について考え始めた時期に行き着く。フランシス・ベーコンは、今では主に科学的方法論の研究で有名だが、１６２０年に著した名著『ノヴム・オルガヌム』[31]（岩波書店、１９７８年）には、科学研究にはそれに伴う特別な「美徳」が必要だという発想が見てとれる。この本でベーコンは、誠実さや寛容さのような美徳は優れた科学の実践から切り離せないと述べ、科学では方法論が重要だが、方法論を支える適切な価値観も伴っていなければならないと主張する。ローズ＝マリー・サージェントは、「客観性」を見いだして科学を守ろうという現代哲学の試み、つまり事実を価値から切り離そうという試みは、ベーコンの主張を曲解した結果生まれたものだと述べている。[32]科学的方法論というテーマに最もゆかりがあるとされる人物が、同時に科学は適切な態度で実践すべきだという発想をもっていたのは皮肉にも思えるが、『ノヴム・オルガヌム』の序文と最初の50のアフォリズムを読んだだけでもベーコンの意図がはっきりわかる。

のちの作品『ニュー・アトランティス』（岩波書店、２００３年）でも、ベーコンは科学的美徳とは個々の科学者だけでなく、彼らを判断、支持する科学界全体がもたなければならないという発想を推し進めている。ノレッタ・コージは「科学的価値観への賛美」と題した論文で、ベーコンがコミュニティという点から科学について考えていたことについて語る。「ベーコンの新しい科学という夢には、新しい方法論の確立だけでなく、科学にその身を捧げるコミュニティの構築も含まれていた」と彼女は述べる。[33] このように「科学的方法」にまつわる議論が生まれたころからずっと、科学的態度についてもしっかりした議論がされてきたことがわかる。

最後にもう一つ、科学的態度のルーツとして取りあげておかなくてはならないのが、アリストテレスの時代に端を発する別の哲学分野「徳倫理学」との類似だろう。この分野の哲学者であるアラスデア・マッキンタイアは、古典的名著『美徳なき時代』（みすず書房、１９９３年）で、科学をテーマに冷酷な思考実験を行い、規範倫理を「集団的に実践」するメリットを考えるよう促している。

自然科学が大災害の悪影響を受けたと仮定しよう。一連の自然災害を、一般市民は科学者のせいだと考える。大規模な暴動が起こり、研究所は焼け落ち、物理学者は私刑に遭って、書籍や器具は破壊される。そして最後には、ノウ・ナッシング党の運動が政権をとり、学校で科学を教えることを禁止し、残った科学者を投獄、処刑する。やがて、こうした破壊行為に対する揺り戻しが起こり、もののわかった人々が科学の再興を目指すが、科学とはどんなものだったかをほとんど忘れてしまっている。残っているのは断片でしかない。理論の文脈から切り離されて意味がわからなくなった実験の知識や、実験や彼らのもつほかの理論との関係がなくなった理論の一部分、使い方を忘れた器具、破れて焦げているせいで判別不能な箇所のある本からの章の断片や論文のばらばらなページ。でありながら、そうした断片は物理学や化学、生物学という名の下でもう一度くくられる諸々の実践として再度まとめられる。大人たちは相対性理論や進化論、フロギストン説[*4]のメリットを議論す

＊４　架空の元素フロギストンに拠る、18世紀に提唱された誤った燃焼理論。

るが、手元にあるのは各理論のほんの部分的な知識でしかない。子どもたちは周期表の残った部分を暗記し、ユークリッドの定理の一部を呪文のように唱える。それが本当の意味での自然科学とはほど遠いことに誰も、もしくはほとんど誰も気づいていない。(34)

こうした世界に欠けている要素こそ、まさに科学を特別にしているものだ。科学の中身や科学知識、理論、さらには方法がすべてそろっていても、科学を実践する際の価値観や態度、美徳が備わっていなければなんの意味もなさない。そうしたものがなければ、そもそも科学的発見をすることもできないのだ。

ここまで書けば、科学と徳倫理学がどう似ているかは明らかだろう。(35)アリストテレスの時代から続く倫理の大論争における一つの立場は次のような意見だ。倫理的に正しい行動を正しいものにするのは、倫理学のなにがしかの規範的理論、たとえば最善の結果をもたらす基準にどれだけ合致するか(功利主義など)や、理性的な原理の順守(義務論など)を軸になすべき行動を示す指針に従うことではない。そうではなくて、倫理的な振る舞いを倫理的なものにするのは、それを行う人間の美徳だ。優れた道徳的性質を備えた人間は道徳的に振る舞う。道徳とは道徳的な人間のやることを指す――。

　科学についての議論でも、同じようなことができるだろうか。科学とは単に科学者のやることだといった単純な意見を信じるつもりはない。倫理をめぐる議論であったように、科学でも我々が尊重する価値の本質や由来、それらを広く科学界にもち込んで評価する手段も検討する必要があると考えている[36]。それでも倫理と科学的価値観の類似は興味深い。ひょっとすると私たちは、科学的**理論**をそうではない理論と区別することにばかりこだわるのはやめて、科学の実践の裏にある美徳を伴った認識的**態度**のほうにもっと注目すべきなのかもしれない[37]。徳認識論の分野では、この種の研究がちょうど始まったところで、徳倫理学との類似を参考にしながら研究が進められている。つまり、ある見解が正当とみなせるかを知りたいのなら、その見解をもつ人間の性格やその人が奉じる規範、価値観に少なくともある程度は注目するのがいいという説だ。これを科学哲学の問題に応用している研究者はまだ少ないが、それでもすでに優れた研究はいくつか出てきていて、決定的な判断材料がないなかで理論を選ばなければならないという科学哲

学の難題に、徳認識論を応用することで立ち向かおうとしている。(38)

ここまでの解説で、私が科学的態度は自分が考え出したものだと言いたいわけではないのはわかってもらえると思う。科学的態度という発想には長い歴史があり、ポパーやクーンよりもさらに古く、少なくともフランシス・ベーコンの時代、ことによるとアリストテレスの時代から続いてきた。私が強調したいのは、科学哲学の分野で、科学的態度がひどく無視されてきた事実だ。それでもこの発想は、現代の科学哲学で見過ごされがちだった本質的要素に光を当て、それによって科学を理解し、科学の立場を守るという重要な役割を担うことができる。方法論にばかり注目していると、科学の最も本質的な部分を見落としてしまうおそれがある。

この章のまとめ

科学哲学者のなかには、科学を守る一番の方法は、現場の科学に目を向けるのではなく、方法の論理的正当性を示す手段を見つけ出すことだと考える者がいる。その結果、科学だけを一方に、残りのすべてをもう一方へと選り分ける、線引き基準が必要だという発想が生まれ、これが問題を引き起こしてきた。そう考えると、科学的態度には、科学的説明の特別さの理由を捉えられる柔軟さと、ある研究が科学的かどうかを決まったアルゴリズムなしで見極められる頑健さの両方を備えているというメリットがあるように思われる。根拠に対する科学的「態度」をもつことは、ソフトに見えるかもしれないが、科学的であるということの本質を突いている。科学的態度が発見の文脈（科学が実際にどう動くか）と正当化の文脈（その動きをどう合理的に再構成するか）のどちらに関わるかはささいな問題だ。科学の信頼性に対する最大の脅威は、科学者の研究の実際と、その正当性を示す際に使われる手法のあいだの哲学的違いではない。問題は、科学的プロセスに対してイデオロギーが不適切に関わってくることにある。そして科学的態度は、まさにこうしたイデオロギーによる汚染を防ぐ防波堤になる。(39)

科学的態度の裏にある理念は、定式化は簡単だが測定は難しい。それでも、科学的態度は科学のあり方を説明し、知的手段としての科学の特別さの正当性を示すのに重要な役割を担っている。科学が成功を収めているのは、根拠に対する誠実で批判的な態度を備えているからにほかならない（またそれによって、査読と研究発表、再現性という、科学的態度を制度として守るための慣行が生まれてきたからだ[40]）。もちろん、科学が常に成功するわけではない。科学的態度をもった人間が、誤った理論を提示することはある。それでも、経験的根拠を大切にする姿勢には、自説を批判して、より優れた理論を打ち出す可能性をもつという力がある。この世界について学びたいなら、何よりも根拠を優先しなければならない[41]。決定的ではない根拠も無視してはいけない。それは、根拠と現実を比較してチェックするのが、この世界の真理を明らかにする（少なくともそれに向かって進む）ための一番の方法だからだ。

そう考えると、科学理論がもつ暫定的な性質が改めて浮き彫りになる。科学的態度は、真理にたどり着いたという確信は永遠に得られないという考え方と完全にマッチする。理論は常に暫定的で、かつそうあるべきだ。科学の特別さは、ニュートンやアインシュタインの理論が真だったことではなく、そうした理論が論拠を得るまでのプロセスにある。科学理論が信じられるのは、単に理論が経験によるデータに合致するからではない。感覚的データを尊重するプロセスと、荒削りな仮説は同じデータをもつ他者からの綿密な批判によって磨かれるという考え方を通じて、理論が形成されていくからだ。

　科学は壊れやすく、それがどうなるかは科学者の科学的態度を受け入れようとする意思にかかっている。どれだけ信頼できる方法があっても科学者に率直さと助け合いの精神がなければ、科学はうまくいかない。科学者でありたいなら、（自説を含めた）なんらかの理論やイデオロギーではなく、科学的態度そのものに従うべきだ。ほかの要素も無関係とは言わないが、最終的には根拠がものをいう。他愛ない話に思えるかもしれないが、これが科学の特別さの心臓部だ。

第4章

科学的態度と線引き問題
——解決の必要はもうない

科学的態度が科学の特別さを最もわかりやすく説明する手段なら、当然、「これは線引き問題の待望の解決策なのか」という問いが生まれるだろう。科学的態度は、科学とそれ以外とを分ける必要十分条件になりえるだろうか。私自身は、本当に見つけ出すべきは優れた科学の必要条件だけで、科学哲学はこの問題に囚われるべきではないと考えている。そして優れた科学の必要条件は、根拠を大切にする姿勢と、根拠を使って理論を見直す意思をもつことだ。この条件を満たさない研究は科学ではない。だからこの本のテーマを追求するうえでは、科学**ではない**ものが大きな教訓になる。科学的態度を**備えた**研究が科学**である**ことを証明する必要はない。必要なのは科学的態度を**備えていないもの**が科学**ではない**ことを証明することだけだ。重要なのは、科学的態度が厳密な意味での線引きの本格的な基準になっているかよりも、科学の特別さを理解するために科学的態度が助けになっているかだ。

必要十分条件とは何か

ラリー・ラウダンは、科学の必要十分条件を提示できなければ線引き問題は解決できないと断言し、科学哲学者がその試みに失敗してきたことを指して、線引き問題は死んだと述べた。しかし、この意見が正しいとしても、もちろん科学の特別さが不毛なテーマというわけではない。それに、必要十分条件を提示することが線引き問題解決の必要（あるいは十分）条件だという、彼の意見が間違っている可能性もある。[1]

ここで認識すべきは、必要十分条件の提示は非常に高いハードルだという点だ。ＡはＢであるために**必要だ**という言葉は、「ＢであるならばＡである」という言葉と同じ意味だ。同様に、ＡはＢであるのに十分だという言葉は、「ＡであるならばＢである」という言葉と同じだ。論理学を研究している者なら、ここに働いている等価の論理を把握し、「ＡはＢであるのに十分だ」が「ＢはＡであるのに必要だ」に、また「ＢはＡであるのに十分だ」が「ＡはＢであるのに必要だ」に等しいことを理解するだろう。ところがここですごいことが起こる。もし右の二つが組み合わさって「ＡはＢであるのに必要十分である」（もちろん、「BはAであるのに必要十分である」と同じ意味）になると、AとBは論理的に等しくなる。これは論理学の世界で最も強力な関係性だ。[2]

この論理が、線引き問題の解決を非常に難しくしている。科学の必要十分条件を手に入れるには、科学と**論理的に等しい**基準を探さなくてはならないからだ。それがどんな結果を招いたかは、ポパーを見るとよくわかる。線引き問題の解決策として提示した反証可能性が科学の必要条件なのか、十分条件なのか、はたまた必要十分条件なのかという問いに対して、ポパーはあいまいな答えを返している。[3]これに対してラウダンは、十分条件の部分を批判し、科学の高い基準を十分に守れていないと指摘した。（つまり確実に反証可能である）占星術のような分野はどう扱うのか、それらも科学と認めるべきなのかと述べたのだ。同様に、必要条件の解釈にも疑問が投げかけられ、反証可能な主張をしていないように見える科学の分野はどうすればいいのか、[4]それらは科学ではないのかと批判された。ここで指摘したいのだが、**仮に**、ポパーが自分の立場を明確にして反証可能性を必要十分条件として提示したとしても、彼は難しい立場に追い込まれただろう。ポパーは後年、「ある文（もしくは理論）が経験的で科学的なのは、反証可能である場合、かつその場合に限る」[5]と述べているが、これは右の問題を一緒にかぶることになるだけで解決はできていない。ポパーは、反証可能性は科学の基準として厳しすぎると考える者と緩すぎると考える者、双方からの批判に苦しんだ。[6]

この問題をもっと正確に読み解くには、論理学の世界での双条件関係のパワーを理解しなくてはならない。「AであるのはBである場合、そしてその場合に限る」という言葉は、「BであるのはAである場合、そしてその場合に限る」という言葉に等しい。つまり「理論が科学的であるのはそれが反証可能である場合、かつその場合に限る」は「理論が反証可能であるのはそれが科学的である場合、かつその場合に限る」と同じ意味になる。「反証可能であること」と「科学的であること」が論理的に同値になっているわけだ。「～の場合、かつその場合に限る」という文言を入れた瞬間、「科学」と「反証可能性」はそれらが真であるための条件が同じになる(156ページ表4・1参照[7])。ところが科学的であるための必要条件としては厳しすぎ、十分条件としては緩すぎるものを組み合わせても、「ちょうどいい」基準が生まれるわけではなく、問題が倍増するだけらしい。この基準は、進化論は科学で、占星術はそうではないという私たちの直観からず

表 4.1

基準	条件のタイプ	問題
もし何かが科学であるならば、それは反証可能である(反証可能でないならば、科学ではない)	必要条件	進化生物学は科学ではないのか
反証可能であるならば、科学である(科学でないならば、反証可能ではない)	十分条件	占星術は科学なのか
反証可能である場合、かつその場合に限り科学である(科学である場合、かつその場合に限り反証可能である)	同値	占星術は科学で、進化生物学は科学ではないのか

れている。[8]

だから私は、科学的態度を科学の特別さを理解する手段としてもち出す際には、「必要十分条件」的なアプローチは採らない。今見たようなポパーと同じ問題に悩まされるからだ。科学の特別な地位を守ることが目的なら、十分条件を示す必要はないと思えるし、「ある研究分野が科学であるためには、科学的態度が備わっていなければならない」という必要条件があれば十分だ。この言葉は、「科学的態度を備えて**いない**理論は、科学**ではない**」という言葉と論理的に等しくなる(表4・2参照)。

もちろん、十分条件を指定しない以上、

表 4.2

基準	条件のタイプ
もし何かが科学であるならば、それは科学的態度を備える（科学的態度を備えないものは、科学ではない）	必要条件
科学的態度を備えるならば、科学である（科学ではないものは、科学的態度を備えない）	十分条件
科学的態度を備える場合、かつその場合に限り科学である（科学であるもの、またそうであるものだけが科学的態度を備える）	同値条件

いえるのはどれが科学**ではない**かだけで、どれが科学かを見分けることはできない。その点は私も把握している。とはいえ、それだけわかれば十分だろう。ひも理論のようなものが科学かについて、決定的なことを言うことはできない。ほかの物理学の分野についてさえもだ。それでもたいした問題はない。確かに出発点は、**科学**が科学的である理由を示す手段を探すことだったが、おそらくこれは間違った問いかけなのだ。科学の特別さを明らかにするという目的を果たすには、一部の探究が科学的**ではない**理由を示すべきだろう。科学の定義は、科学でないものについて考えることで明らかになる可能性がある。そしてそれができれば、科学のふりをしたものに対策できる。科学の欠か

せない特徴が見つかれば、その特徴をもたないものは科学のはずがないといえるようになる。しかし、科学的態度を備えるものはすべて科学だということにはならない。科学的態度は科学の必要条件であって、十分条件ではない。

ラウダン以降、線引き基準を提示しようとする人はみな、科学の必要十分条件を示さなければいけないという問題に行き当たってきた。ラウダンの路線を踏襲するのはおそらく不可能（そのことは、ラウダンの「線引き問題の逝去論文」（第1章参照）の前後の状況を見るとよくわかる）であるだけでなく、大きな問題を招いた。だから私は、科学的態度という必要条件だけで事足りると言いたい。「科学であるには、科学的態度を備える必要がある」、つまり科学的態度は科学の必要条件になると述べることは、同時に「科学的態度を**備えなければ**、科学**ではない**」、すなわち科学的態度の欠如は、**科学ではないもの**の十分条件になると述べることである。「科学的態度を伴わない探究は、科学ではない」という言葉は、論理的には「科学的態度を備えないのなら、科学ではない」という文になり、その対偶は「科学であるのなら、科学的態度を備える」になる（表4・3参照）。

表 4.3

関係1	
「科学であるならば、科学的態度を備える」は、「科学的態度を備えないものは、科学ではない」に等しい	科学の必要条件は、科学ではないものの十分条件に等しい
関係2	
「科学的態度を備えるならば、科学である」は、「科学ではないものは、科学的態度を備えない」に等しい	科学の十分条件は、科学ではないものの必要条件に等しい

気をつけなければならないのは、そのまま残りの仕事も終わらせたい、つまり科学的態度を科学の十分条件にして、線引き問題という積年の課題を解決したいという誘惑を振り払う必要がある点だ。表4・3で示す等値関係が正しいとしても、関係1と関係2では、求められることがまったく異なる。科学の特別な部分を特定するのに必要なのは、関係1だけだ（そして論理学者ならもちろん知っているとおり、関係1は関係2を含意するものでは絶対にない）。関係2に手を出し、科学的態度を科学の十分条件にしようとすると大きな代償を払わされる。科学の必要十分条件を具体的に示さなければならないというラウダンの泥沼に引き込まれる（つまり、科学的態度は科学と論理

的に**等しい**ことを証明しなければならなくなる）だけでなく、**科学的であることに失敗するパターンはどのくらいあるのか**という難題にも行き当たるのだ。

科学の十分条件は科学ではないものの必要条件など考えなくてもいいはずだ。ある探究が科学的たりえないパターンは無数にある。芸術や文学が科学的でない最大の理由は、科学的であろうとしていないからだ。占星術や創造論の場合は別で、これらは**確かに**一見すると経験的だから、どういった経緯で科学的であることに失敗するのかを慎重に見ていく必要がある。こうした分野はどれも科学的態度を欠くものだが、だからといって科学的態度が**科学ではないもの**の**必要条**件と言っていいわけではない。私たちにいえるのは、科学的態度を尊重しない分野は、理由はどうあれ科学的ではないということだけだろう。今言うべきは、科学的態度の欠如が科学ではないことの**十分**条件という点だけで、**それのみが**科学ではなくなるパターンとは限らない。これは社会科学のような、科学とみなされたいがまだその水準に達していない分野に興味のある人には、いっそう現実的な問題かもしれない。しかしここで再び、科学ではないもののパターンはいくつもあるかもしれないが、科学的であろうとするなら科学的態度を重視するほかないという根本が生きてくる。そう考えれば、積年の線引き問題を解決しなくても、科学の特別さについて有意義なことがいえるようになるはずだ。

ここで重要なのが、あるものが科学であるかないかの判断をする際に、上から目線にならないようにすることだ。科学の特別さというテーマに取り組むほかの研究者とは違い、私は「科学的態度をもっていないから、科学でないものはすべて劣った活動だ」と言うつもりはない（実際、哲学も科学ではないのだから、そうでないほうがよい）。文学と芸術、音楽はどれも科学ではなく、科学的態度を欠いているが、それはごく当たり前の話で、問題は、科学的であろうと**見せかける**が科学ではないものにある。占星術や創造論、心霊療法、ダウジングなどは、経験的主張をする一方、優れた科学の進め方（根拠に対する科学的態度を備えることもその一つ）に従おうとしない。これらはどれも、科学のふりをしたものでしかない。科学の皮をかぶりつつ、科学的ではないやり方で経験的知識に近づけると主張するものには、軽蔑こそがふさわしい。経験的知識を追究するときに科学的価値観を疎んじることは深刻な問題である。

科学と疑似科学の区別は可能か

私のやり方は、線引き問題から一歩後退するだけでしかないと反論する人もいるかもしれない。一部の研究者は、科学と科学ではないものではなく、科学と**疑似**科学を分ける手段として、線引き問題に取り組んできたからだ。このやり方には、疑似科学のような経験的主張をしつつ、同時に科学のふりをしているだけのものに直接切り込めるメリットがある。だから、科学的態度は科学と**疑似科学**を区別するものとして使い、文学や哲学のような経験的主張をしない科学以外の分野のことは忘れるべきではないだろうか。そのために、科学的態度の要素として「経験的な主張をしている」とか「科学のふりをしていない[9]」とかいった項目をつけ加えたい人もいるだろう。しかし、その方向へ進むと大きな問題に行き当たると私は考えている。

1章でも見たように、線引き問題に関する文献を見ると、科学の反対は科学ではないものなのか、それとも疑似科学なのかがあいまいだという問題が立ちはだかる。論理実証主義者は、おそらく科学を形《けい》而《じ》上《じょう》学（彼らがいくばくかの偏見でもって追放しようとしていた科学ではない分野と考えてもよい）から区別しようとしていた。カール・ポパーは『科学的発見の論理』では科学ではない分野を念頭に置いているようだが、『推測と反駁《はんばく》』のころになると敵が「疑似科学」に変わっている。ラウダンでさえ、科学の怨敵《おんてき》が科学ではないものなのか、疑似科学なのかをはっきりさせていない。[10]

しかし、両者には明確な違いがある。先ほどの必要十分条件に関する論理的な問題を踏まえれば、何が科学かを理解するには、科学のふりをしているものだけでなく、科学ではないものにも**残らず**目を向けることが欠かせない。重大な研究不正を犯した者や否定論者、目立ちたがり屋、ペテン師だけを強く批判したいという気持ちはわかるし、そのあたりは７章と８章で行う。しかし必要十分条件の提示という点から線引き基準について考えるなら、すべての探究は科学か科学ではないもののどちらかでなければならないという論理は曲げられない。科学の必要条件は、**疑似**科学ではなく**科学ではないもの**の十分条件だ。ラウダン以降の現代の線引き研究は、多くが線引き問題を科学と**疑似**科学のあいだのものだと解釈してきたが、これが問題だった。すでに（１章で）述べたとおり、ハンソンやボードリーはまさにこの失敗を犯している。[11]

私は、線引き問題では科学と科学ではないものの違いを扱うべきだと確信している。科学ではないものには、経験的主張をするつもりのない**科学以外の分野**（数学や哲学、論理学、文学、芸術など）と、**疑似**科学という経験的主張をするつもりはあるがよい根拠という基準を半ば無視しているカテゴリー（占星術やインテリジェント・デザイン論、心霊療法、超感覚など）の両方が含まれる。[12] 倫理学や宗教など、もっと区分けが難しい分野もある。倫理学なら、どう見ても規範を扱う分野なのだから、哲学の残りと同様に「科学以外の分野」に入れるべきと主張する学者もいれば、倫理学の一部は自らを科学であると主張し、さらにはそのための条件すら満たしているのだから、科学か疑似科学かは各自の観点次第であると言う者もいる。宗教は霊的な土台に立って経験的な主張をする限りは簡単に疑似科学へ分類できるが、ガリレオ・ガリレイのように、宗教は経験的な分野と関わらないから科学以外の分野だと主張する人もいる。[13] 私も疑似科学の欠陥と不誠実さを批判したいのはやまやまだが、ここではもっと直接的に、科学的態度は、文学や芸術が科学ではない理由（創造的な表現の土台になっていない限り経験的根拠に関知せず、また科学理論を証明も否定もしないため）と、占星術や創造論が科学ではない理由（経験的根拠を大事にする**ふりをしている**だけで、理論を見直す意思もないため）の**両方**を示すのに使えるという認識をもつべきだろう。その一挙両得ができれば十分だ。

　科学と疑似科学の線引きだけを目的に、経験的主張を試みる分野だけを議論の対象にするべきだという意見もあるかもしれないが、すでに述べたような理由で、私はもっと論理的に明快なやり方を採っている。科学がなぜ特別かについては科学的態度ですでに答えが出ているのだから、それ以上の科学の（最高でも）必要条件や、（最悪の場合）十分条件を探す必要はどこにもない。だから私は線引き問題から後退しているつもりはないし、科学以外の分野と疑似科学、たとえば文学と創造論との線引きを約束することもない[14]。私のアプローチには、疑似科学には**含まれない**が科学ではない分野（そして、そのつもりがあるならおそらく疑似科学も）が、科学の高い基準を真似られるようになるための道筋を示すというメリットもあるだろう。

　この本は、科学を守るだけでなく、他分野を科学に**変える**ためのものでもある。たとえば社会科学のように、経験的証拠を心から大切にしてはいるが「もっと厳密な研究を行うには科学的態度に従うことが欠かせない」のをわかっていなかったために、そうして来なかった分野がある。本書はそうした分野もとりあげている。また私は、科学的態度の重視は、医学がそうだったように、もともと疑似科学だった分野が科学として成功を収めることにもつながると信じている。[15]科学の特別さを理解するのに、科学ではないもののすべてを批判したり非難したりする必要はない。質的社会学*は科学ではないという言葉は、それだけで十分軽蔑的で、さらに追い打ちをかけて魔術と一緒くたにする必要はどこにもない。ポパーは著作のなかで、アドラーやフロイト、マルクスを占星術と一緒にして、嬉々としてけなしている。しかし、たとえばもしかしたらフロイトは、自身の探究が満たすべき経験的基準を把握していなかっただけで、より科学的であろうとはしていたし、把握していれば真似られたかもしれない。科学哲学者が科学の必要条件をもっと入念に検討していたら、フロイト心理学を科学的態度を尊重したものに戻すこともできたのではないだろうか。[16]可能な限り、私は科学ではない分野に対して上から目線で批判したくない。科学的態度は経験的分野という戦場における掟《おきて》で、どんな分野でも、より厳密でありたいのならそれを採用してよいからだ。

もちろん、疑問は多く残っている。5章では、誰がどんな基準で、科学的態度の有無を判断するのかという問題を取りあげる。また8章では、科学的態度をもてていない人々をどう扱うかを解説する。そのなかには、意図的に科学的態度に反している者と、科学者から見れば明らかに何かがおかしいのに、科学的態度を尊重していると誤解している人たちがいる。しかし今は、線引き論者の頭に残っている二つの疑問に取り組むほうが先決だろう。一つが、科学的態度を科学の必要条件だけではなく、十分条件にしようとしたらどうなってしまうのかという点。そしてもう一つが、私自身はそのつもりはないのだが、「新たな観点から捉えることで、やはり私は線引き問題を解決したと主張できるのではないか」という点だ。

＊　聞き取り調査や観察、テキスト分析などの非数値的なデータを集め研究する社会学の分野。数値データを集めたうえでそれを統計学を用いて分析する量的社会学と対比される。

日々の探究は科学か

すでに見たとおり、科学的態度を科学と疑似科学を分ける基準として使うことを拒否すると、文学や哲学といった分野を、占星術や創造論と一緒に「科学ではないもの」というカテゴリーに放り込む結果になる。前述のとおり、必要条件だけでいえるのは「ある分野が**科学ではない**かどうか」だけで「それが**科学である**かどうか」はいえないという問題が立ちはだかる。これは科学の十分条件を明らかにしないことの弊害で、必要条件としてだけ科学的態度を用いるとあまりにも多くを科学からふるい落とすことになるかもしれない。これを**排他性**の問題と呼ぼう。しかしこれは別の問題、つまり科学的態度をいきなり十分条件としても提示し、線引き問題の解決に挑戦したくなったらどうなるかという問題の裏返しでもある。そうなると別の問題が生じる。ポパーは反証可能性を科学の必要十分条件として提示したことで、問題を解決するどころか倍に増やしたが、今回も同じことになるだろう。科学的態度を科学の十分条件だと言うと、あらゆる経験的探究を科学と認めるリスクを抱え込むことになる。配管工事やテレビの修理は科学だという見方に、線引き論者は納得するだろうか。こちらは**包含性**の問題と呼ぼう。

日常的な物事のなかで、科学的思考はしているが「科学をしている」とはいえない例としてわかりやすいのが、鍵探しだろう。[17] 私の兄が鍵をなくしたとする。兄は最後に鍵をもっていたのは家のなかだから、庭や車内を探す必要はないと考える。玄関を開けるときに使ったのだから、家のどこかにあるはずだ。そう思ってまずはズボンのポケットやタンス、テレビの横などありそうな場所を探し、やがてどんどん捜索の範囲を広げ、玄関を入ってからの行動を再現してみる。廊下から始め、手を洗った浴室へ行き、サンドイッチを作ったキッチンへ向かい、次にサンドイッチを食べるために座ったソファへ向かう。そこでクッションのすき間に鍵が落ちているのを見つける。この活動では、兄は科学的態度を用いているといえる。経験的根拠を大切にし、（さまざまな場所を調べ、一つひとつ可能性を除外することで）観察結果から学ぼうとしている。仮説（鍵はあそこにあるかもしれない）を常に変更もしている。とはいえ、これは科学だろうか。

そうだと言いたい人もいるだろうが、ほとんどの科学者と科学哲学者（そして線引き論者のほぼ全員）が違うと言い、このケースを除外する別の基準を探し始めるのではないだろうか。これが十分条件の引力で、鍵探しや配管、テレビの修理を科学として物理学と横並びに扱うなどできるはずがないという考え方をしたくなる。[18] 解決策としては、科学の基準に前に出した「理論をもつ必要がある」という要素を導入する方法が考えられる。2章で見たように、天文学の世界ではボーデの法則が歴史的失態として知られている。ボーデの法則は根拠に合致していたが、それは大がかりなデータの操作とほんの少しの幸運があったからだった。科学的態度の条件として「根拠を大切にし、新たな根拠に基づいて**理論**を変更する」と言ったからには**理論**をもっていなくてはならないのではないか。しかしこの考え方には欠陥がある。鍵を探している兄は、間違いなく理論を**試している**からだ。進化論と比べられるようなものではないだろうが、理論と考えてもいいものなのは確かだ。ではさらに、**本格的な**科学理論と**本格的ではない**科学理論の区別に挑むべきなのだろうか（表4・4参照）。

　科学的態度を科学の十分条件にしたい誘惑に負けてはならないと言ったのは、まさにこれが理由だ。物理学さえ科学とはいえない可能性に尻込みした人が、果たして鍵探しのような活動を、**本当に**科学的だと認められるだろうか。以前見たようにラウダンは、

表4.4

基準	条件のタイプ	問題
科学であるならば、科学的態度を備える（科学的態度を備えないならば、科学ではない）	必要条件	排他性。 文学と創造論を同列に扱うべきなのか
科学的態度を備えるならば、科学である（科学ではないならば、科学的態度を備えない）	十分条件	包含性。 「鍵探し」は科学か

線引き問題を必要条件と十分条件の両面から解決できなければ、排他性の問題と包含性の問題のどちらかを抱え込むことになると断言した。そう言われた科学哲学者は反射的に論理と方法論に頼り、先の文学と創造論の例のように、物理学を一方の側に、鍵探しを逆側に分類できるような新たな基準を探そうとする。しかし、私は違う。科学であることに失敗する無数のパターンを一つひとつ特定していくのは至難の業だと思うからだ。科学的態度を科学の十分条件にできないのは、科学ではないものの必要条件にならないからだ。すると線引き問題は結局のところ、我々はすでに何が科学で何が科学ではないかを知っているということ以外のことを言えなくなってしまう。[19]

科学的態度は、科学に不可欠な要素を特定するには強力な発想だが、あらゆる分野に目を向けて、物理学と化学、生物学とそれらに類するものだけを選り分けるのには使えないかもしれない。体系立てて鍵を探すことは心構えであり、態度だ。鍵探しを科学として受け入れられるかどうかはたいした問題ではない。鍵探しのような活動を科学に含めないためだけに、科学の必要十分条件を細かく定める必要はどこにもない。というより、科学的態度を十分条件として使うと、鍵探しは科学のカテゴリーに紛れ込んでしまう[20]。科学的態度の中身をシンプルにしておくのには、相応のメリットがあるのだ。科学的態度は気質であって、アルゴリズムのような手続きではない。科学的態度があるかどうか知るためのチェックリストはないが、科学的態度が備わっていないときは、ほぼ確実に感じとれる。だから、個別の必要条件をどんどん積み重ねていけば完全かつ正確な基準のセット、あるいは忌まわしい5段階の判定方法すら得られるはずだという発想には賛成できない。私は、科学的態度は、優れた科学者がデータと向き合う際に備えるべき心構えにすぎないと思っている。科学的態度とは何かを明らかにする目的は、科学の条件の一覧表を作ることではない。むしろこの単純だが科学に欠かせない性質が科学の皮をかぶっただけのイデオロギーに通常欠けていること、そしてそうしたイデオロギーの影から抜け出してもっと科学的に厳密になりたいと思っている、社会科学のような研究分野にも不足していることを示すためだ。[21] 私には、科学的態度は科学に必要だというだけで十分に思える。

エミール・デュルケームの有名な言葉「社会学者は物理学者と同じ心構えをするべきだ。……まだ未探索の科学分野を調査しようという人間は、自分を驚かし、悩ませる発見があることを覚悟しなければならない[22]」にもあるように、優れた科学者は好奇心と謙虚さをもって研究を進めるべきだ。もちろん、根拠を精査する前から（場合によっては調べたあとでも）答えはすべてわかっていると思ってはならない。科学的態度は反証可能性よりも柔軟で、行動科学のような経験的事実のある他分野で、科学を発展させる可能性があるだけでなく、捏造《ねつぞう》や不正、つまり自然科学者が経験に基づかない自説に都合のいい形へデータを操作する罪を、批判するのにも使える可能性がある。のちの章でも解説するように、科学についての否定主義や疑似科学の問題を明らかにすることもできる。

科学哲学者のなかにはこれからもたぶん、個々では必要条件に、科学的態度と合わせると十分条件になる別の条件を探そうとする者が現れるだろう。医学や物理学、進化論、ひも理論を科学の枠内に**含め**、占星術や心霊療法、「鍵探し」、ボーデの法則は**排除する**基準のセットの完全版だ。[23] しかし、それはこの本でやるべきことではない。私が目指すのは、**科学の前進に欠かせない、非常に重要な一つの条件**を明らかにすることだけだ。そして私の考えるその条件とは、科学的態度だ。科学ではないものは科学的態度を備えないから、これで科学の最も特別な部分を明らかにし、科学を守る手段が見つかったのではないかと期待している。しかもこの方法なら、線引き問題を解決するために必要十分条件を示さなくてはならないという難題に囚われずに済む。

科学的態度が線引き基準ではない理由

そしてもう一つ、重要な疑問が残っている。科学の必要十分条件を見つけ出すという発想を拒否したとしても、それでも私が線引き問題をラウダンから取り戻そうとしているのではないかという疑問だ。[24] この件を扱う多くの者が、科学者も哲学者も科学とそうでないものを見極めるのに大して苦労していない様子（ただしその具体的な方法については一致していないが）を指摘している。[25] ラウダンも言うように、科学の必要十分条件を提示しようという試みはほぼすべて失敗した。それは科学と科学ではないものの違いを見極めようとした代償なのか。それとも必要十分条件を提供せよというラウダンの要請を退けつつ科学の線引きをすることは可能なのだろうか。[26]

この路線を追求しているのがマッシモ・ピリウーチだ。ピリウーチは「The Demarcation Problem: A (Belated) Response to Laudan（線引き問題　ラウダンへの〈遅まきながらの〉返答）」という論考で、科学の必要十分条件を示すのは不可能だという点でラウダンに賛成しつつ、別の形で線引き問題を解決することは可能だと述べる。その方法として彼は科学の現場にはある種の「ぼんやりとした境界」を形成するような「概念のあつまり」があることを認識すべきだと主張する。1章でも紹介したように、ピリウーチははっきりした論理的基準を探すのではなく、「家族的類似」を特定するというウィトゲンシュタイン的なプロジェクトを追求したほうがいいと考えている。[27] このアプローチは科学の理解に向けた新たな道を切り拓くかもしれない。しかし気になるのは、このやり方だと線引きの議論がまったく中身のないものになりかねない点だ。

その後に出した別の論文「Scientism and Pseudoscience: In Defense of Demarcation Projects（科学主義と疑似科学　線引きの試みを擁護する）」で、ピリウーチは再び彼による「家族的類似」のウィトゲンシュタイン的解釈をしたものが線引き問題の解決策になると述べている（こちらの論文では、科学哲学者のあいだでは「コンセンサス」となった見方だと述べている）。[28] しかしここで彼は、科学を区切るはっきりした論理的基準がないなかでは「ぼんやりとした境界」しかないことを甘受しなくてはいけないが、そうすると前の項で話した鍵探しのような「日々の探究」も科学と認めざるをえないことにいら立っているようだ。ピリウーチは言う。

配管が科学だというのはほとんど筋がとおらない。数学ですらそうだ。科学とは科学者の行うことであり、現代の科学者はかなり明確な役割と道具、仕事の進め方を備えている。それらによって科学者を、哲学者や歴史家、文芸批評家、芸術家はもちろん、配管工や数学者とも簡単に区別できる。[29]

ピリウーチの言う「科学とは科学者の行うことだ」という主張は、ハンソンの「科学とは何かを説明できなくても、科学とは何かくらいわかる」という発言からダイレクトに出てきたものに思える。[30] しかし、ここには基準はまったくない印象だ。**ピリウーチの意見**を信じるなら、「何が科学かは見ればわかる」と言ってそれでおしまいになりはしないだろうか。そうなれば、最近ポストモダニズムの相対主義的なやり方をもち出すことを覚えた創造論者や、気候変動の否定派が大喜びするのは想像にかたくない。[31]

ラウダンの必要十分条件というアプローチは否定したほうがいいというピリウーチの発想には賛成だが、それでも科学の欠くべからざる特徴は明らかにできるはずだ。ピリウーチもペテン師から科学を救いたいのは私と同じだろうが、[32]「ぼんやりとした境界」は言いすぎだろう。少なくとも、必要条件は定められると思う。

科学とは単に「科学者の行うこと」だとは私には**思えない**。これは、たとえ科学がよい研究の進め方と実際に密接に結びついているとしてもだ。こうしたよい研究の進め方は、個々の科学者と、広い科学界の両方が共有する批判的な価値観から発展する。[33] 次の章で見ていくように、科学的態度を構成する信念や規範、価値観、振る舞いを監視する実践的手段を生み出す過程では、科学者のコミュニティが重要な役割を担う。よい科学的研究の進め方を一連のルールとして明示するのは不可能だが、きっとそれは、科学者のコミュニティがたまたま信じていることには尽きないはずだ。[34] ピリウーチもこんな鋭い意見を述べている。

科学は本質的に社会的な活動であり、方法や扱う話題、社会的慣習(科学者仲間による批判や研究助成など)、あるいは(学界内外での、政府機関や民間企業での)制度的役割によってダイナミックに境界が変化する。[35]

それでもこの結論を、科学とは科学者の行うことだという主張につなげるのは間違いだ。そんなふうに言ってしまえば疑似科学者が大きな脅威になるということを、ピリウーチは忘れていたのだろうか。私はもっと具体的に、科学の特徴は科学的態度だといえるし、ラウダン的なアプローチを一部あきらめて何が科学かを明言できなくなったとしても、**何が科学でないか**を区別できるようになるメリットを把握していれば、この立場を守れると思っている。

この姿勢を、必要十分条件を探すアプローチと線引き問題の両方を完全に放棄する行為と見るか、それとも私がピリウーチと同じように、線引き問題をラウダンの高すぎる基準から救おうとしていると見るかは、個人的にはどうでもいい。私の「科学の必要条件であり、科学ではないものの十分条件」というアプローチを線引き問題の変則的な解決策として受け入れることには、間違いなくメリットがあるが、代償も伴う。その一つが、科学的態度の構成要素である信念や価値観のようなはっきりしないものを、線引き基準としてどう使うかという問題だ。また科学的態度の測定方法もはっきりしない。だからこそ、方法論的なアプローチは線引きの基準として機能してきたわけで、これは態度を使ったアプローチにはできない部分だろう。それでも、線引きの枠組みに合致するかどうかだけで科学を説明しようとするよりは、科学的態度を使ったほうが問題は少ない気がする。態度や価値観は、測定は難しくてもちゃんとある。だから私は、「科学的態度を使って科学を理解するには昔ながらの線引き問題はあきらめなくてはならないが、科学的態度でも科学に特権的な地位をもたらしている不可欠な要素を具体的に示すことはできる」と言えればそれで満足だ。

そのことはカテゴリー分けにどう影響するだろうか。線引きの基準にならないとはいえ、科学的態度を必要条件としたときにさまざまな探究活動がどう見えてくるかは興味深い。そこで行われるのは、科学と科学ではないものとの分類**ではない**。必要条件しかない以上、いえるのは「科学であれば、科学的態度を備えている」という点だけで、「科学的態度を備えていれば科学である」とはいえない。だから科学的態度にできるのは、何が科学で**あるか**ではなく、何が科学**ではない**かを明らかにすることだけだ（表4・5参照[36]）。

科学的態度は、伝統的な線引き基準以下のものしか提示できないかもしれないが、それでも科学の特別さの理解につながる強力なツールにはなる。科学的態度を**備える**分野

表 4.5

科学的態度を備えるもの
・自然科学（根拠に基づいた見解）
・科学的な一致が得られていないが、それが正当である分野（明確な根拠が得られていないため、判断を下せない）
・間違っているが、科学的ではあるもの（間違っているが、当時の根拠では論拠があった見解）
・社会科学（そのなかでも実験と根拠を用いているもの）
・日々の探究（根拠に基づくもの）
科学的態度を備えないもの（科学ではないもの）
・数学／論理学（経験に基づかない）
・文学、芸術など（経験に基づかず、科学になろうとしていない）
・社会科学（そのなかでも根拠に基づかないもの）
・悪質な科学（ずさんで、手抜きで、間違っている）
・研究不正（うそ、ごまかし、ミスリード）
・疑似科学（科学のふりをしてはいるが、すぐれた根拠についての基準を受け入れない）
・否定主義（イデオロギーに基づき、根拠を大切にしない）

がすべて科学**である**ことを保証はできないかもしれないが、科学的態度を備え**ない**活動はどれも科学では**ない**と示す過程を通じて、科学のことがもっと詳しくわかっていく可能性もある。

　とはいえ、すぐれた根拠についての基準に従うことで科学的態度を尊重しているかをいったい誰が判断するのだろうか。次の章でも話すとおり、これは個々の科学者の価値観を超えた問題で、科学界全体による判断が関係するはずだ。

第5章

科学的態度の実践

――科学者はどう科学的態度を尊重すべきか

科学を正しく機能させるには、個人の誠実さだけに頼ってはいけない。明らかな不正はめったにないが、科学者が誰かをだまし、うそをつき、根拠をいじり、ミスを犯し、誰もがもつ認知バイアスを放置することで、科学の信頼性が損なわれるケースは無数にある。

幸い、対抗策はある。科学は単なる個人の知的探究ではない集団の活動で、そこでは科学的主張を評価するのに広く受け入れられたコミュニティの基準が使われるからだ。科学は公的な場で議論されるもので、最大の特徴として、誤りやバイアスを見つけ出すために取り決められた理想的なルールがある。科学的態度は個々の科学者の心の内だけでなく、科学者のコミュニティ全体のなかにある。

もちろん、現在の科学者と200年前の科学者とは違うという意見もあるだろう。今の科学者はチームで協力しながら研究を進め、同僚の意見を採り入れながら理論を構築していくことが多く、そのプロセス自体が疑似科学との大きな違いだと見る人もいる。(1) すでに同じ意見をもつ者から追認してもらおうとするのと、厳しく批判してくるであろう専門家仲間に「考えをぶつける」のとではまるで違う。(2) しかしそれ以上に現在では、理論はチームの一員や同僚の枠を超えた科学界全体から厳しい目を向けられることになっている。科学の成果が社会に共有される前に、科学界が評価と批判を行うのだ。

入念な統計学的方法や、発表前の査読、データの共有と再現といった科学の実践方法はよく知られており、この章でもあとで扱う。しかしまず重要な点として、科学的態度がどういう誤りを防ごうとするのかを明らかにしよう。少なくとも個人のレベルでは、問題の要因には意図的な誤り、ずさんな手順、無意識の認知バイアスが呼び込む意図しないミスの３種類がある。

科学的誤り、三つの要因

科学の世界で起こりうる誤りのうち、最も悪質なのが意図的な誤りだ。めったに起こらないが憂慮すべき不正のたぐいで、過去の実例を思い浮かべた人もいるだろう。７章ではマーク・ハウザーの動物の認知研究や、アンドリュー・ウェイクフィールドのワクチン研究など、近年の有名な研究不正をいくつか見ていくつもりだが、ひとまずここでは、「不正」という言葉が指す中身は複数あることを理解する必要がある。たとえば研究結果が再現不可能であることは必ずしも不正の兆候ではないが、何かがおかしいことを示す最初のサインという可能性もある。データの改ざんや根拠に関するうそはミスリードを誘う人間の手口としてありがちだが、明確な科学的基準があっても何が不正で、何が単なるずさんな手順かを見分けるのはときに難しい。しかし、故意の不正とデータの意図的な無視とを分ける明確な線がなくても、科学的基準が十分に高く保たれていれば、でっちあげの理論が（その誤りの源が何であれ）公表段階までいくことはまずない。[3] 科学的態度を集団のレベルでもつことは、意図的な不正を察知するための（完璧ではないが）確実な対策になる。

二つ目の誤りは、ずさんさや怠慢が原因になったもので、意識的・無意識的なイデオロギー的・心理的要因が動機になっている場合がある。研究者は自分の理論が真理であってほしいと願うもので、論文が出版できたときの見返りは絶大だ。また特定の結果を見つけたいとか、あるいは単に価値のあるものを見つけたいというキャリア上のプレッシャーがあることもある。ここでも罪には複数の種類がある。

（１）データを意図的に選別する（自分の主張を裏づけそうな結果だけを取りあげる）。
（２）曲線に当てはめにいく（望みの曲線に合致するように変数を操作する）。
（３）望みの結果が得られるまで実験を続ける。
（４）理論に合致しないデータを排除する（選別の裏返し）。
（５）少ないデータしか使わない。
（６）Ｐ値ハッキングを行う（統計的に有意な相関関係が得られるまで、なかば無理やりに大量のデータをふるいにかける）[4]。

これらはどれも優れた統計的手法に対する裏切りとみなされているが、すべてを不正と断じるのは早計だ。厳しく批判してはいけないという意味ではなく、研究者がどんな動機でそうした手段を用いたかを事例ごとに考えなければならない。意図的なデータの無視は不注意よりたちが悪いように思えるが、両者の差はささいなものなのかもしれない。

進化生物学者のロバート・トリヴァースは、自己欺瞞《ぎまん》に関する著作で、怪しい研究を行う科学者が自分や周囲にどういう言い訳をしがちか調査している[5]。のちには、アメリカ心理学会(APA)後援の学術雑誌では必須条件であるデータ共有を、そうした雑誌に論文を掲載した心理学者の多くが行わない理由という興味深い疑問にも切り込んでいる[6]。これはショッキングな話で、トリヴァースが引用したヤルテ・ヴィハーツらの調査では、心理学者の67%がデータの共有要請を拒否したそうだ[7]。興味深いのはそのあとで、ヴィハーツらが、データを共有しない者ほど論文に統計的な誤りがある割合が大きいという仮説を立てて分析したところ、データを外に出さない著者による論文は、了承した著者のものに比べ、誤りがある確率が高いだけでなく、誤りの96%が著者の有利になるものだということを発見した(ただし著者たちに不正の嫌疑がかけられたわけではない。というより元データがないのだから不正の有無はチェックしようがない。できるのは論文内にある数字を計算し直して統計的な誤りをチェックすることだけだった)。

トリヴァースはジョセフ・P・シモンズらが行った別の研究にも触れ、疑似相関や有意な結果が得られるまで実験を続けることなど、心理学研究のさらなる問題が見つかったと伝えている[8]。こちらの研究でシモンズらのチームは、前に示した(3)(4)(5)にあたるデータ収集と分析の「自由度」の問題に着目した。たとえば「もっとデータを集めるべきか。一部の観察結果を除外すべきか。どんな条件を組み合わせ、どれとどれを比べるべきか。どんな制御変数を使うべきか。尺度を組み合わせたり、変換したりするべきなのか」。論文は「研究者がこうした事柄について事前に決めているケースはまれであり、現実的ではないこともある」というものの[9]、それが、根拠の「あいまいな部分を都合よく解釈する」ことにつながると指摘する。そして二つのパラレルな研究を使ってこの点を示す。つまり研究の「自由度」を意図的に調節すれば、明らかに間違った結果（特定の曲を聴いた人の年齢を変えられる）も「証明」できるのである[10]。

これに対して、そんなことは公然の秘密だと思う人もいれば、心理学は科学ではないという人もいるだろう。しかしトリヴァースは、こうした統計学的、方法論的に怪しい手法はほかの科学分野にもあるのではないかと指摘する。人間の性質を研究することが生業の心理学者が、データを都合よく解釈することに抵抗がないなら、他分野の科学者だってそうに決まっているではないかという意見だ。

そして誤りの三つ目の要因が、意図しない認知バイアスだ。これは人間なら誰もがもっているもので、科学者もその影響からは逃れられない。おそらく一番わかりやすいのが自説への執着だろうが、ほかにも代表性バイアスやアンカリングバイアス、ヒューリスティックバイアスなど種類は無数にあり、ダニエル・カーネマンが名著『ファスト&スロー』(早川書房、2012年)で、また急成長を続ける行動経済学の研究者がそれぞれの研究で特定、解説している。[11] 本書では8章でそうした認知バイアスと、このところ勢いを増す科学否定主義とのつながりを取りあげる。バイアスが科学を信じている人のなかにもあることは、当然ながら問題になる。

そうしたバイアスは、経験的推論の誤りを見つけ出す訓練を積んだ科学者ならなくせるはずだと考える人もいるだろう。さらに誰だって誤りを指摘され、みんなの前で恥をかくのはいやだから、科学者は自らの理論を客観視し、周囲の厳しい視線にさらされる前に自分でテストするに違いないという意見もある。しかし実際には、自分の推論の穴に自分で気づくのはなかなか難しい。博士号をもっていようがいまいが、認知バイアスは私たち全員のなかに根を張っている。

認知バイアスの恐ろしい破壊力を示す格好の例が**確証バイアス**だろう。これは、自分がもともと信じている事柄を裏づける根拠を見つけようとする一方でそうではない根拠は無視するというバイアスで、科学的態度と相反するものだ。科学者は自身の見解を裏づけるよりも、それを変えさせるような根拠を探すはずだから、この誤りは犯しにくいはずだと思う人もいるだろうが、個々の科学者がどれだけ気をつけても、このタイプの誤りは査読が行われるまで、場合によっては発表後まで見つからないことがある。[12] だからこそ、科学的態度は科学界全体で受け入れたときに最大の効力を発揮する。科学的態度は単なる個々の科学者の良心や推論能力の問題ではなく、組織としての科学を形作る慣習の礎《いしずえ》でもある。だからこそ、あらゆるタイプの誤りに対して有効になるのである。

批判的なコミュニティと集合知

理想を言えば、個人のレベルで科学的態度がしっかり根づき、科学者個人が誤りを減らせるのが望ましい。もちろん、その努力をしている科学者はいる。そして科学は、それを行っている者が実際の根拠に照らして自分のミスを見つけ修正しようという意思をもつ、数少ない人間活動である。これは科学の名誉だ。それでも、常にその想定に頼るわけにはいかない。頼るには誤りがどれも意図しないもので、研究者が見つけ出そうという意欲をもっている（そして見つけ出せる）ことが前提になるが、不正や意図的な根拠の無視がある以上、科学者全員が自らのミスを修正する意思と力をもっていると考えるのは楽観的すぎるだろう。だからこそ、広いコミュニティにメンバーが属することが重要になる。

近年の行動経済学研究を見ればわかるように、推論の誤りを発見する力は、個人よりも集団のほうが優れていることが多い。そうした研究のほとんどは無意識の認知バイアスをテーマに実験を行っているが、もちろん意識的なバイアスについても犯した本人より集団のほうが誤りを見つけやすい。特に秀逸なのがロジックパズルを使った実験で、なかでもウェイソン選択課題というパズルはとりわけ大きな成果を出している。[13] この実験では、参加者は机に並べた4枚のカードを示される。カードは片面に数字、もう一方にアルファベットが書かれているが、カードに触れてはならない。ここでは4枚のカードには4、E、7、Kが書いてあるとしよう。参加者はさらに、「母音のカードの裏には偶数が書いてある」というルールを知らされ、そのルールが正しいことを確かめるには(最小限)どのカードをめくればいいかを訊かれる。

実験報告によれば、この問題に正解を出すのは非常に難しい。実際、めくる必要があるのはEと7のカードだけという正解を出せた人の割合はわずか10%だった。Eをめくるのは、裏に奇数が書かれていないかを確かめるためで、書かれていればルールは正しくないということになる。7のカードをめくるのも、ルールの反証となる母音が裏に書かれていないかを確かめるのに必要だ。参加者は、4をめくる必要がないことに気づきにくい。論理学を学んだ人間なら、4はルールが正しいかどうかに無関係だとすぐ気づくかもしれない。4の裏に何が書いてあるかは無関係だからだ。ルールでは、「母音のカード**の場合に**裏に偶数が書いてある」と述べているだけで、「母音のカード**の場合に限り**裏に偶数が書いてある」とは述べていないからだ。4の裏が子音だったとしても、ルールが間違っていることの証明にはならない。同じようにKも確認する必要はない。ルールで述べているのは、母音の**場合に**裏に何が書かれているかのみで、子音の場合にどうなっているかではない。

しかしこの実験で本当におもしろいのは、みなでこの問題を解くようにいわれたとき、正解率が80％に急上昇することだ。これはグループの「一番賢い人間」に残りが従うからではない。実験では、個々では問題を解けなかった人たちでも、グループになると解ける場合が多かった。これは、人間の推論能力が集団になると高まることを示している。集団の一員になると、人は他者の仮説に厳しい目を向け、論理を批判する過程を繰り返しながら、間違った答えを排除していく。また、グループでは他者からの説得を受ける一方、他者を説得しようともする。個々では自分の意見を評価する意味がないと考え、「正しそう」な答えにたどり着いたらあえて考え直そうとはしない人も、何人かで集まるともっと厳しい視点をもつようになり、結果として正解にたどり着く確率もずっと上がる。集団のトップが答えを知っているからではなく、集団に組み込まれると推論能力が上がるから、正解率が上がるのだ。(14)

法学者のキャス・サンスティーンは著書『*Infotopia: How Many Minds Produce*

Knowledge（インフォトピア　集団と知識の生成）』[15]で、この例などを経験的根拠に、集合による推論には無数のメリットがあるという説を掘り下げる。「集合知」効果と呼ばれることもあるが、今は専門家の意見が正しく評価される科学という場を正当に扱うことが目的だから、こうしたポピュリスト的な呼び方はふさわしくない。とはいえ、後述するように、サンスティーンは専門家の力をよくわかっていて、科学の実践の仕方を巧みに言い表している。別の効果もある。サンスティーンは著書で、実験で得た根拠に裏打ちされた三つの原則について掘り下げている。全体として、人間の推論には次の傾向があるというのだ。

（1）集団のほうが個人よりも優れている。
（2）意見交換のある集団を形成するほうが、ただ人数を増やすよりも優れている。
（3）専門家のほうが一般人よりも優れている。[16]

先ほどのウェイソン選択課題には（1）と（2）がよく表れている。個人よりも集団のほうが優れているのは、部屋の誰かが正解にたどり着く(そしてたどり着いた瞬間に正解だと認識される見込みが高い)可能性があるからだけではなく、誰も正解がわからない状況でも、集団が意見を交わして質問をぶつけ合い、個々では知りえなかったものを発見できるからだ。集団としての成果は、個々のメンバーが挙げる(あるいは個々の意見をただかき集めたときの)成果よりも大きくなることがある。

もちろんこれは繊細なテーマだし、今述べたことには限界もある。集団で行動したほうが成果に乏しい場合もあるからだ。たとえば上の人間に従う強い圧力があるとか厳しい上下関係がある集団では、メンバーが「集団思考」に陥るおそれもある。最初に口を開いた人の意見に集団が引きずられる「カスケード効果」や、自分より地位の高い人間の意見に合わせる「権威効果」が起これば、集団的推論の効力は失われかねない。集団であることが裏目に出て、信じていなくてもみなが周囲に意見を合わせたりして、推論が真理ではなく間違いに近づいていく場合もある。それを避けるため、サンスティーンは集団の生産性を最大限に高めるための原則も示している。そのなかに、次のようなものがある。

（1）集団は、異議を唱えることを義務とみなすべきである。
（2）批判的思考を評価すべきである。
（3）批判や反論を奨励すべきである。[17]

これは科学によく似た考え方ではないだろうか。公の場では、科学者はとりわけ負けず嫌いになり、誰もが正しくあろうとする。権威だからと従うことはほとんどない。実際、科学的な論争では意見を集約するよりも、誰かの推論の穴を見つけることが、より高く評価されることが多い。そうした熾烈《しれつ》な意見のぶつかり合いがある環境に当てはめるなら、サンスティーンの三つの原則は一つにまとめられるはずだ。すなわち、事実に関する疑問の正しい答えが最も見つかりやすいのは、**専門家の集団**がお互いに**意見をぶつけ合う**ときである。こちらも科学によく似た発想に思える。

とはいえ、科学の**集団**としての側面を強調しすぎ、**オープン**で**公的**なプロセスだという別の側面を軽視するのはよくない。科学者がたいていチームで研究を進め、大きな会議や会合に顔を出すのは確かだが、一人の科学者が自分の研究室で誰かの論文を批判するのも、集団としてのプロセスへの一つの参加のあり方だ。また、最近の科学者は大型ハドロン衝突型加速器のような大規模プロジェクトに参加し協力し合うことが増えているとはいえ、これが科学の特別さの決定的特徴にはなりえない。その発想だと、アイザック・ニュートンやアルバート・アインシュタインのような一人の科学者が打ち出した理論は無価値ということになる。共同研究は意見を公の批判にさらす一つの方法ではあるが、唯一の方法ではない。一人で研究を進めている科学者も、まずは科学者の大きなコミュニティに吟味してもらわなくては理論は受け入れられない点をわかっている。**これこそが**科学を特別にしている。科学が集団で実践されていることは、必ずしも重要ではない。大切なのは同じ価値観が広く科学界で尊重されていることだ。

科学では、専門家の意見でさえほかの専門家からの最高に厳しい目にさらされ、意図的な、あるいは意図しない誤りやバイアスが発見、修正される。手順や推論のミスや、根拠と理論との不一致は、ほかの科学者に察知されるものと思ったほうがいい。科学的態度は、研究の具体的な進め方として、コミュニティに受け入れられている。もちろん、サンスティーンらに見たように、科学的価値観や科学の実践に非常によく似た探究手法の正当性が心理学の実験的研究で示されているのも励みになる。それでもこうした発想の重要性は、科学哲学者もずっと以前から認識していた。

トム・セトルは、「The Rationality of Science versus the Rationality of Magic（科学の合理性と魔法の合理性）」[18]と題したすばらしい論文で、科学的な見解は合理的だが、魔法への信念は合理的ではないという言葉の意味を探究している。セトルは、個々の科学者の合理性から科学の特別さを説明しようとすべきでなく、それと同様に、魔法を信じる集団の一員が個々にもつ合理性を軽蔑すべきではないとする。かわりに彼は科学と魔法の違いを「協力的に批判し合おうという心構え」に見いだした。魔法を信じる人には、個々人の考えを集団で批判する習慣が足りないということだ[19]。哲学者のスヴェン・オーヴェ・ハンソンは、「Science and Pseudo-Science（科学と疑似科学）」という論文でこう述べている。

（セトルによれば）科学と魔法のような科学ではないものとを分けるのは、個人の知的特徴ではなく、合理性と批判的態度が組織に根づいていることだという。個人としてみれば、無文字社会の魔法使いは必ずしも現代西欧社会の科学者より非合理的だったわけではない。彼らに欠けていたのは、集団として合理性を獲得し、相互に批判し合う知的な環境だった。[20]

セトルはさらにこう述べる。

私は科学の伝統における批判の組織的な役割を強調したい。科学界のすべての個人が、特に自分の考えに対して一流の批判家でなければならないという要求は厳しすぎる。科学では、批判は主に集団で行うものなのかもしれない。[21]

ノレッタ・コージも、科学を構成する「批判的なコミュニティ」を大いに賞賛する。「Belief Buddies versus Critical Communities（信念でつながった仲間と批判的なコミュニティ）」という論文で、コージはこう述べる。

私は、典型的な科学と典型的な疑似科学とを分ける一つの特徴が、批判的なコミュニティ、つまり会議や学術雑誌、査読を通じて意見交換と批判を促進する制度の有無だと考える。……我々は科学について、一人の科学者が孤独に研究を進め、長い時間をかけてそれまでの誤解を解く新たな理論体系を考え出すというロマンチックなイメージをもっている。しかしそのとき我々は、どんなに隠居がちな研究者も近年は査読つきの学術雑誌に囲まれていること、自称天才が一見すばらしい発見を行っても、記者会見を開いたり、インターネットで宣伝したりするだけでは足りないことを忘れている。実際には、発見は、批判的な科学者集団からの厳しい吟味と修正提案に耐える必要がある。[22]

最後に、ヘレン・ロンジーノも著作のなかで、科学は本質的に社会的な活動で、研究には個々の研究者の価値観が必ず表れるが、科学全体がもつ集団的な性質によって客観性が保たれているという発想を尊重する。『*Science as Social Knowledge*（社会的知識としての科学）』[23]という先駆的作品で、ロンジーノは、自らが受け入れた考え方は「科学的推論は特別だ」という主張と始めは対立するように見えるかもしれないと述べている。確かに本の全体的なテーマは、クーンに対する社会構成主義者[*1]の反応によく似ているように見える。あらゆる人間の活動と同様に科学研究も個人の価値観に左右される以上、厳密な意味での客観性を保つことは不可能で、根拠だけに基づいて見解や理論を選んでいるというのは幻想だという考え方だ。

実際ロンジーノは前書きで、もともとは「価値判断とは無関係な科学という発想を、哲学的に批判する」つもりだったと明かしている。しかし次第に「科学の客観性と、科学が社会的・文化的に構築されていることを調停する」ような内容へ変わっていったそうだ。読んでみると、ロンジーノは一般的な経験主義者の言う「事実と価値」との区別や、科学的方法のなかにある論理を用いて科学を守ろうとしているわけではない。むしろ彼女は、科学についての我々の考え方を二つ変える必要があると主張する。一つ目が、科学は実践であるという考え方を尊重すべきだという点、そしてもう一つが、科学は個人ではなく、主に社会集団による営みだと認識すべきだという点だ。[24] この二つの転換からロンジーノは驚くべき結論、つまり「科学研究の客観性は、その研究が個々人の取り組みではなく、社会的な取り組みであるときにもたらされる」に至る。
なぜそうなるのか。一番の要因は、個々の科学者がもつ利害と関心がばらばらで、だからこそそれが相互チェックのシステムになるということだ。そこでは発表前の査読などの批判が個々人がもつバイアスへの対策になる。だから科学知識は「公の所有物」になる。

すると科学知識と呼ばれるものは、コミュニティ（究極的にはすべての科学者から成るコミュニティ）が生み出し、個人、あるいは巨大なコミュニティのなかの小さなコミュニティによる貢献さえも超越したものとなる。打ち出された理論や仮説は、さまざまな視点と衝突し、組み合わさるなかで、科学的知識に変わっていく。ここゆえに、客観性は個人ではなくコミュニティによる科学の実践がもたらす。

＊1　科学的知識も社会的要因によって規定されていると主張する考え。特定の科学理論の成功をも社会的要因から説明しようとするストロング・プログラム（第３章参照）が一つの例。

での科学の実践は、科学的方法の論理に関する議論のほとんどよりもはるかに広い視点で理解すべきだ。[25]

ロンジーノは、「価値判断と客観性とは相容れないものではない。客観性は研究対象に向き合う際の個々の研究者の態度ではなく、コミュニティの実践がもつ機能として分析される」と結論づけている。[26]科学的態度は個々の研究者だけでなく、科学界全体が尊重すべきだという発想の枠組みとして、これほど優れたものもないだろう。

セトルやコージ、ロンジーノの結論は、明らかにサンスティーンの研究ときれいにつながる。個々の科学者の誠実さや「良心」だけでなく、コミュニティの営みとして科学的態度を貫くことが、制度としての科学を特別なものにする。個々の科学者がどんなバイアスや信条をもち、いかなる政策を提示しようと、科学は個々の研究者の単なる集まりという以上の客観性をもっている。哲学者のケヴィン・デラプランテは、「社会制度としての科学は、誤りにつながるバイアスの削減に尽力する点で特徴がある」と述べている。[27]しかし、具体的には科学はこれをどのように行っているのだろうか。そこで次は、お互いに誠実であり続けるために科学者が築いてきた制度を詳しく見ていこう。

科学的態度を導入し、誤りを減らす

私たちは、科学的誤りの要因を調べるのに時間をとられがちで、またそれが意図的なものかどうかにかかわらず、研究の穴を見つければおのずと責任を追及し、動機を調べたくなる。この研究が再現不可能なのはなぜなのか。もちろん、原因は不正とは限らない。先ほど見たように、意図しない認知バイアスが科学を脅かしていることもある。問題のある研究をすべて腐敗の産物だと考えるのは間違いだ。[28] それでも、問題は修正する必要があり、誤りは察知しなければならない。ここで大切なのは誤りの要因ではなく、科学にその対処法が備わっていることだ。

すでに見たとおり、誤りを発見する力は個人よりも集団のほうが強い。誤りを積極的に見つけようとしている人であっても、基本的に専門家集団が生み出す「集合知」効果には太刀打ちできない。しかし幸い、科学には仮説を集団で監視する機能が備わっていて、監視のための無数の手法が制度化されている。ここではそのうち、**定量的方法**、**査読**、**データの共有と再現**という三つを紹介しよう。

●定量的方法

優れた科学的テクニックについては、それだけをテーマに書かれた本がいくつもある。重要なのは、研究には**定量調査と定性（質的）調査**の二つがあることだ。[29] 統計的推論には、歳月をかけて磨かれてきた、科学者にはおなじみの言葉の用法がいくつかある。因果関係と相関関係の違いもその一つで、大学の統計学の入門科目で教えられている。ほかには「仮説を立てる際とテストする際には別のデータを使う」のように、もう少し小さなものもある。いずれにせよこうした推論は厳密だから、科学者には定量的な誤りはほとんど許されないはずだが、実際にはこの種の誤りを彼らは犯している。すでに見たとおり、データの共有を拒否する傾向と、研究における数学的な誤りは関連している。統計的に有意な値とされる0・95（95％）の信頼度を誰もが追い求めるなか、データをでっちあげる人間もいる。[30] しかし意図的な不正にせよ、単なる手順のずさんさにせよ、問題がすぐに公になることは、科学者が科学的態度をもっていることを示している。科学者は別の研究者が示した数字をチェックし、黙って待たずに積極的に誤りを探しにいく。査読で見過ごされたとしても、出版から数時間で誤りが見つかる場合もある。定量的、統計的な誤りは**どれも**、科学の汚点とみなす人もいるだろう。しかし、誤りを見つけ出そうという文化は科学の美点だ。この世界では、科学者は権威を信じず、論文に書かれていることをすべて正しいと思い込むことはない。とはいえ方法論的な誤りの一部は非常に広範でかつ根深く、どういうものかがやっと明るみに出始めた[31]。

　統計学は、根拠に関する関係を示すために実施される実にさまざまなテストの貯蔵庫である。これらはもちろん因果関係があることとイコールではないが、相関関係は統計学の分野の標準的な指標で、ときにそこから因果関係があると推論できる。最も一般的なものの一つは、仮説の**P値**の計算だ。Ｐ値は、ある**帰《き》無《む》仮説**が正しかった場合（つまり問題の変数のあいだに実際のところ相関関係がない場合）に特定の結果が生じる確率を表す。ここで帰無仮説は、もともとの仮説が統計的に有意かを測定するために設ける作業上の想定を指す。つまりそれは「二つの変数間に実際には因果関係がなく、もし両者のあいだに相関関係を見つけたらそれは偶然の産物だ」という、議論のきっかけとしての便宜上の仮説だ。統計的有意性を得るには、帰無仮説を否定できる強力な根拠を見つけなくてはならない。つまり単なる偶然以上の相関関係を示さなくてはならない。科学の世界では、仮説が統計的に有意であること、言い換えるなら相関関係が単なる偶然の産物ではない可能性が高いかどうかの分岐点として、P値0・05(5%)以下がよく使われる。この値をクリアすると、相関関係が現実にありそうだとみなされるのだ。[32]つまりP値は、帰無仮説が正しかった場合に手元のデータが得られる確率といえる。P値が小さいほど、相関関係が偶然である可能性は低くなり、帰無仮説が間違っている可能性は高まるため、科学者はここを目指す。P値が大きければ逆に根拠が弱く、帰無仮説が正しい可能性が高いということになる。だから、科学者はみなP値0・05以下を追い求め、これが研究内容を論文として出版できるかの慣習的な基準になっている。

P値ハッキング(データ浚渫《しゅんせつ》とも呼ばれる)とは、研究者が大量にデータを集め、相関関係が見つかるまでデータをふるいにかける行為を指す。[33]少し考えればわかるとおり、二つの変数が偶然によって相関する可能性はゼロではない以上、十分な量のデータを集め、十分な計算能力を備えた装置があれば、実際につながりがあるかどうかにかかわらず、0・05のしきい値をクリアする相関関係を見つけることは、ほぼ確実にできる。この問題は、すでに話した自由度と組み合わさることで悪化する。データの収集をどこでやめて、どのデータを除外して、研究をそのまま進めてデータをさらに集めるかといったことは研究者の裁量だからだ。それでも、途中で結果に目を向け、データ収集を続けるかを判断する行為はP値ハッキングにあたる。[34] 自由度を都合よく用いれば、ほぼすべてのデータから正の相関関係だけを取り出せる。しかも最近は、以前よりP値ハッキングがずっとやりやすくなっている。[35] 単にプログラムを組み、有意な結果が出るまで待つだけでいいからだ。そのこと一つとっても、今は怪しい研究結果が出されることが多くなっているといえるだろう。もはや、二つの事柄の相関関係を示す仮説を事前に立てる必要すらなく、生データと高速コンピュータさえあればいい。研究者が結果の一部だけを報告し、統計的有意性を得られなかったほかの実験結果はすべて除外するという問題もある。何を報告し、何を残すかの判断を自由度の問題とみなすと、まずいことになりかねないわけだ。シモンズらはサンスティーンが引用した論文で、「どんな仮説についてもそれに合致する『統計的に有意な』根拠を示すのは受け入れがたいほど簡単だ」と述べている。[36]

実例は、私たちのまわりにもあふれている。たとえば誰もがうさんくさく思う、グレープフルーツを食べるとでべそが治るとか、コーヒーを飲むとがんになるといった朝のテレビ番組の情報は、再現不可能な研究の一例だろう。しかし何より決定的なのは、シモンズらが行った調査だ。チームは自由度を巧みに操作することで、ビートルズの「ホエン・アイム・シックスティ・フォー」がそれを聞く人の年齢に影響することを証明できた。曲を聴くと若返ったように**感じる**のではなく、**実際に若返る**ことを示しているのだ。[37]因果関係としてありえないことを証明するのは、分析に対する究極の冒涜《ぼうとく》だが、それでも通常はP値ハッキングは重大な不正とはみなされない。

ほとんどの場合、研究者は必要な選択を誠実に行いながら、データの収集と分析を進め、自分が正しい選択か、少なくとも合理的な選択をしていると本気で信じられる。しかし、研究者の判断には、いつの間にかバイアスが影響している場合がある。単純に「使える」、つまり望みの結果をもたらすテクニックを用いているだけの場合もある。[38]

これにキャリアアップのプレッシャーや研究助成金の獲得争い、ほとんどの大学にある終身在職権や昇進のための「論文を出すか、さもなくば去るか」の風土といった要因を加えると、自分の研究について「正しい選択」をする動機づけを得るための理想的な環境ができあがる。シモンズの論文の共著者の一人で、行動学者のウリ・シモンソンは「誰もが多少はP値ハッキングをしている」[39]と述べているが、別の研究者は自分の論文に「Why Most Published Research Findings Are False（ほとんどの出版された論文の発見が間違っているわけ）」という、より不吉な警告となる題名をつけている。[40]

では、P値ハッキングはそんなに悪いことなのだろうか。もちろん科学者は自分にとって有利な結果だけを発表したいし、テストをクリアできなかった仮説や使えなかったデータを隅から隅まで確認したい人などいない。それでも、都合のいいものだけを選んで報告する行為――データを「埋葬する」という言い方をする人もいる――は、まさに疑似科学の実践者が自分を本来以上に科学的に見せようとする際の手口だ。科学哲学者のロナルド・ギアリーは、『*Understanding Scientific Reasoning*（科学的推論の理解）』というすばらしい著作で、そうしたものの一つとして、ジーン・ディクソンらの「未来学者」が未来を予測できると豪語する例を紹介している。実際は彼らは次の年のことについて無数の予言をしたうえで、当たったものしか報告しないのである。[41]

多くの人がこれを、科学的態度を破壊するものだと思うだろう。根拠に目を向けてはいるが、適切な使い方をしていないからだ。テストすべき仮説を事前に想定していない以上、「データ」を集める目的は操作以外にない。実際は違う可能性が高いのに有意に見える結果を得ようと「P値」のみを追い求める行為から、論拠が得られるはずがない。ポパーも、有利な実例を探す人間は、目的のものを簡単に見つけ出すと警告している。しかもテストすべき仮説がないのだから、この手口が科学研究の精神に与えるダメージはなおさら大きい。彼らがやっていることはもはや理論を打ち出すことではなく、また根拠に応じて理論を変えることでもなく、相関関係を報告するだけである。関係がある理由は不明で、疑似相関だとうすうすわかっていてもだ。

Ｐ値ハッキングは、科学者は科学的態度を尊重するものだという考え方への挑戦だ。しかし再現不可能な研究の大部分を科学でないものとして捨てるわけにもいかない。では、どうすればよいのだろうか。そこで、科学が特別なのは決してミスを犯さないからではなく、ミスに厳しく対応するからだという点を思い出してほしい。実際、Ｐ値ハッキング危機への科学界の対応は、我々の科学的態度への信頼を大きく深めるものだった。

まずＰ値という概念の指す範囲と、科学研究でのＰ値の役割を理解することが大切だ。そもそもＰ値は、有意性の唯一の尺度を意図するものではなかった。

ロナルド・フィッシャーが１９２０年代にＰ値を導入した際、Ｐ値は決定的なテストとして使うためのものではなく、単に根拠が（古い意味で）有意かどうか、つまり再度確認する価値があるかを判断する非公式な手段でしかなかった。実験を行い、結果が偶然に得られるものと合致するかを確認するという考え方だ。……Ｐ値の正確さは見かけ上のものでしかないから、フィッシャーにとっては数値を使わない流動的なプロセスの一部で、データや背景知識と組み合わせて科学的結論へつなげる材料程度のものだった。ところが間もなく、P値は、根拠に基づいた意思決定をできる限り厳密かつ客観的にしようという運動に組み込まれた。「P値は今のような使い方をされることを意図したものでは決してなかった[42]」。

もう一つの問題は、普段からP値を使う人でさえ、思い違いが多いことだ。

P値は非常に誤解されやすい。たとえばよく、関係の強さを表していると思われているが、効果量がきわめて小さくても、サンプルの量が十分ならP値は非常に小さくなる可能性がある。またP値が小さいからといって、その発見が非常に……興味深いとは限らない[43]。

別の言い方をするなら、P値で測定できるのは効果（関連性）が偶然ある確率だけで、効果量（関連の強さ）ではない。Ｐ値が示す確率の解釈も誤解されている。Ｐ値０・01は、結果が疑わしい確率が１％しかないという意味ではない。[44] 結果が生じる確率に関する事前知識がなければ、正確なところはわからない。「真の効果がある確率の値により異なるが、Ｐ値０・01は少なくとも11％の誤警報の確率に相当する」という試算もある。[45]

Ｐ値は一部の人が言うほど重要なものではないのだろうか。統計的有意性を確認したり、研究を発表したりする際の絶対的な基準にするべきなのだろうか。Ｐ値ハッキングの問題はどんどん広く知られるようになっていて、Ｐ値の提示を求めるのを止める学術誌も出てきている。[46] Ｐ値ハッキングを見つけ出し、明るみに出すさまざまな統計テストを提案する研究者もいて、ミーガン・ヘッドらは**テキストマイニング**[*2]の手法を使ってハッキングがどのくらい広まっているかを測定することを提案している。Ｐ値ハッキン

＊2　コンピュータプログラムやソフトウェアを用いて大量の文章データから有益な情報を得る手法の総称。たとえば企業が消費者アンケートの結果を分析して商品開発に活用するときに用いられる。

グを行っている研究者の研究はP値が0・05付近に固まりやすくなるので、P値を集めたグラフ、P曲線を作ると形がおかしくなるというのが基本的な発想だ。(47)

学術雑誌に投稿する際の要件を変えるのもいいかもしれない。著者が自分でP曲線を算出することを求めるようにし、P値ハッキングが行われているかどうかを、ほかの科学者が一目でわかるようにするのだ。あるいは、結果を出す際に使った自由度や効果量、事前確率の想定など情報をすべて開示するよう求めるやり方もある。(48)しかし、そうした情報がどのくらい役立つと考えるかは人によってまちまちで、そのため一部の提案は物議を醸している。(49)ヘッドはこうも指摘する。

NHST(帰無仮説有意性検定)の廃止を支持する研究者は多い。しかし出版バイアス[*3]の問題の多くは、効果量と信頼区間、あるいはベイズ信用区間の報告などでも起こると述べる研究者もいる。出版バイアスはP値だけの問題ではない。研究者のなかにある強力な(つまり有意な)事実を報告したい気持ちを映した問題というだけだ。(50)

では、情報の完全開示と透明性が解決策なのだろうか。もしかしたら、研究者のP値の使用は認めるべきで、査読者や編集者など評価する側が気をつけなくてはならないということなのかもしれない。シモンズらはいくつかの指針を示している。

著者の要件

1　著者はデータ収集の終了に関するルールを、収集を開始する前に定め、論文内で報告しなければならない。
2　著者は実験セルごとに最低20の観測結果を収集し、できない場合は説得力のあるデータ収集コストを示して正当性を訴えなければならない。
3　著者は研究で集めた変数をすべて列挙しなくてはならない。
4　著者は設定ミスを含めた実験の条件をすべて報告しなくてはならない。
5　観測結果を除外する際、著者はその結果を含めた場合にどんな統計的結果が得ら

＊3　ネガティブな研究結果はポジティブな結果よりも公表される可能性が低く、そのため、否定的な情報が公開されにくいこと。

れたかを報告しなければならない。

6　分析に共変量《きょうへんりょう》が含まれる場合、著者はそれを除いた統計分析を報告しなくてはならない。

査読者の指針

1　査読者は著者が前記の要件に必ず従うようにしなければならない。
2　査読者は結果の不備に対して寛容にならなければいけない。
3　査読者は著者に対し、結果が恣意的な統計判断に依存するものでないことを示すよう求めなければならない。
4　データ収集や分析の正当性に説得力がない場合、査読者は著者に対し、正確な再現実験・調査をするよう求めなくてはならない。[51]

そしてこのルールの有効性を示す驚くべき実例として、シモンズらはビートルズの曲が聴いた人の年齢を「変えた」という先のインチキ仮説に立ち戻り、指針に従って再び実験を行ったところ、効果が消えたと述べている。こうした厳密なアプローチを採り、誤りを見つけたらそれを排そうとすることは、疑似科学ではありえないだろう。

Ｐ値ハッキングで驚きなのは、科学が今陥っている危機をよく表したものである一方で、科学的態度の価値も示している点だ。よりよい定量的方法にこだわることで科学界が科学的態度を尊重している点を示すだけなら、もう少し恥ずかしくない実例を選んだほうがよかっただろう。しかし私は見つかったなかで最悪の実例を選んだ。それでも、科学者がこの問題に細心の注意を払い、解決を試みているのはわかった。科学的な手順の一つに欠陥はあったが、科学界の対応は申し分なかった。「**わかった。問題はまだ解決できていないし、これからもミスを犯すかもしれないが、我々はこの問題を調査してそれを正そう。ずさんだったり（あるいはもっとひどかったりするかもしれないが）、またＰ値ハッキングに頼ったりするのは個々の科学者の問題かもしれないが、これは科学界全体の恥だ。科学者のあるべき姿ではないから、全員で正していく**」。

論文の最後に、シモンズはこう述べている。

科学者としての我々の目的は、できるだけ多くの論文を発表することではなく、真理を見つけ出して広めることだ。この論文の共著者3人を含む、我々の多くがこの目的を見失い、論文として出版できそうな研究の内容をまとめるために許されることならなんでもするというプレッシャーに屈しがちになる。それは誰かをだましたいからではなく、あいまいなものを都合よく解釈し、「出版に最もつながりやすかった結果を生み出す判断が一番適切でもあったに違いない」と自分を納得させたいからだ。我々は、著者と読者、査読者の負担を最小限に抑えた開示の要件を定めるという解決策を支持する。これは研究者の論文出版に向けた重圧を取り除くものではないが、周囲や自分に対して許されると考える行動の範囲を制限することはできる。我々は開示の要件を、科学者という職業の信頼性がかかっているつもりで尊重しなければならない。なぜなら、実際にそこにかかっているからだ。[52]

この主張がほかの研究者にも響いた。スティーブン・ノヴェッラは「P-Hacking and Other Statistical Sins（P値ハッキング等の統計上の罪）」と題した論文の最後で、科学的行為の基本原則を示し、あらゆる科学哲学者が姿勢を正して注目するであろう、不穏な比較を行う。

ホメオパシーや鍼《はり》治療、超感覚研究には、いずれも悩ましい欠陥がある。彼らの研究結果は論文採択のしきい値に全然達していない。これらの分野の研究は、どれもP値ハッキングのにおいがし、全体にきわめて小さな効果量しかもたず、再現可能な一定のパターンも見られない。……それでも、科学と疑似科学とをはっきり分ける方法はない。確かに、いかにも疑似科学らしいきわめてうさんくさい説もあるが、右で述べたような問題はすべて主流の科学にもある。問題も必要な解決策も非常にはっきりしている。我々がすべきは、理解を広めて科学界の根深い悪習を変える意思をもつことだ。(53)

こうした文化を精力的に醸成していけることが、科学的態度をもっていることの何よりの証明であり、また科学的態度の尊重への何よりの呼びかけになる。(54)

●査読

査読の利点のいくつかについては、前の定量的手法に関する項目で見たとおりだ。自分の仕事で近道を行きたい誘惑に駆られた人たちは、科学界を代表する人たちに驚かされることになるだろう。なにしろ匿名の草稿に対して意見とコメントを出すことに同意した専門家読者が見返りとして得るのは、匿名のままで自分が科学者という職業を助けたという誇りだけだからだ[55]（新しい研究を最初に目にし、コメントを通じて内容に影響を及ぼせるという利点もある。しかしそれだけだ）。門外漢の人にとっては驚きかもしれないが、ほとんどの査読には報酬が支払われない。あったとしても、雑誌の定期購読の無料化や、書籍の無料提供といったごくわずかな見返りだけだ。

査読の過程はほとんどの科学雑誌に必要不可欠で、編集者は厳粛な心持ちで、正しく精査される前の研究を共有する。多くの場合、審査をいっそう厳しいものにするため、論文は一人ではなく**二人**の専門家が査読する。念には念をというわけだ。著者にとっては恐ろしいことに、掲載に至るには普通、両方の査読者から合格をもらう必要がある。そして修正案が示された場合は、手を入れたうえで同じ査読者に送り返すのが通例だ。

出来のよくない論文が査読をすり抜けることもあるが、大切なのはこのシステムに、公平性と客観性の原則という形で、科学的態度が具体的に表れていることだ。完璧ではないが、少なくとも個々の研究結果が科学界全体に共有される前に、科学者のコミュニティがその内容に影響を及ぼせる仕組みになっている。

また、ミスが見つかった場合は必ず論文が**撤回**されるという、別の段階での監視のシステムもある。誤りが残ったまま論文が雑誌に掲載されてしまった場合は、ミスを告知したり、論文そのものを取り下げたりする場合があり、その際は今後の読者を混乱させないため、事実を周知する必要がある。実際、２０１０年にイヴァン・オランスキーとアダム・マーカスという二人の研究者が、RetractionWatch.com（撤回監視.com）という論文撤回の調査サイトを開設したため、そこへ行けば取り下げられた科学論文の最新リストを確認できる。開設のきっかけは、撤回の事実が十分に周知されているとはいえない現状で、撤回に気づかなかった別の科学者がその論文を土台にして研究を進めてしまうことを心配したからだ。

年に約６００本もの科学論文が撤回されている事実を、嘆かわしいと思う人もいれば、問題が悪化する前に手を打った科学コミュニティを称賛したいと思う人もいるだろう。撤回を公開宣伝することには、研究者に、そうした「屈辱の掲示板」に貼り出されるのは避けたいという気持ちを呼び覚ます効果さえもあるかもしれない。サイトのブログ記事のなかで、オランスキーとマーカスは、科学の自浄作用にサイトが貢献していると主張している。

多くの人は論文の撤回を屈辱と考えるかもしれないが(当事者にとっては絶対そうだろう)、撤回は科学的態度が実践されていることの証明でもある。科学にミスはつきものだが、ミスがあった場合でも、コミュニティの基準に照らしてそのミスは修正される。論文の撤回は、必ずしもその論文に不正があったことを意味しているわけではない。これは科学以外の分野ではあまり理解されていない重要な点だ。発見の価値を損なうレベルのミスがあれば、それだけで十分に撤回に値する(誤りはほかの科学者による再現実験で見つかる場合もあるが、これは次の項目で解説する)。P値ハッキングの話一つとっても監視の仕事の対象として十分だが、不正は科学的態度に対する究極の裏切りだ(そのため、テーマをこれ一つに絞って章を立て、解説する)。さしあたっては、論文はさまざまな理由で撤回され、それは科学界の用心深さを示していることだけ指摘できれば十分だ。

そのため査読は、科学の実践の必要不可欠な要素といえる。個々の科学者が自分の誤りに気づける度合いには限界がある。見逃すこともあれば、見逃したいと思うこともある。だから誤りを見つけ出し、別の研究に影響しないようにするには、論文として出版する前に別の誰かに査読してもらうのがおそらく一番だ。査読があるおかげで、科学者は誠実さを保てる（彼らがもともと誠実だったとしても）。忘れてはならないのは、集団は個人に勝ること、そして専門家の集団は個々の専門家に勝ることだ。実験を通じて証明するまでもなく、この原則は基準として査読のプロセスに組み込まれていた。意見や理論を別の研究者が批判する文化がなかったらどうなるか。何も問題はないと思う人もいるかもしれない。だからここで再び、科学にとって一番の教材は失敗例だという原則に従い、３章でも紹介した常温核融合の例を取りあげ、研究を公表する前にコミュニティによる監視を無視すると、どんな落とし穴が待っているかを見ていこう。

常温核融合の話を新聞の「見出し」からしか知らない人は、この話を不正として、少なくとも悪意の産物だということにして歴史から抹消したいかもしれない。すでに紹介した『常温核融合スキャンダル』や『常温核融合の真実』を読むと、二人の研究者を非難して、すべてにふたをし、こんなことは二度と起こらないと言い張りたくなる理由がよくわかる。しかしこの話の一番おもしろいところは、科学的プロセスのなんたるかがよく表れていることだ。話に決着がついてからならいろいろな結論を下すことができる。実際、研究結果の否定に5000万ドルあまりの資金が投じられ、政府がパネルを設定して調査を行ったあとで、外野からは多数の評言が聞かれた(56)。それでも常温核融合をめぐる騒動は、科学の実践にまつわる習慣を破るとどうなるかを教える警句《けいく》的なエピソードになっている。

難しいのは、この話には問題がありすぎて、科学のあらゆる課題を指摘するのに使えてしまうことだ。分析的方法の弱点や、データ共有と再現性の大切さ、主観と認知バイアスの問題、経験的根拠の役割、政治やメディアの介入の危険性……。実際、常温核融合をテーマにしたある本の最終章では、この失敗から得た科学的プロセスに関する教訓が無数に列挙されている。(57) しかしここでは、査読という一つのトピックに絞って話を進めたい。

３章でも紹介したとおり、１９８９年３月23日、スタンレー・ポンズとマーティン・フライシュマンという二人の化学者がユタ大学で記者会見を開き、驚異の科学的発見を成し遂げたと発表した。彼らは常温核融合反応の可能性を支持する実験的根拠を、大学一年生が行う化学実験室のほとんどで手に入る材料を使って得たというのである。発表は衝撃をもって受け止められた。それが本当で、商用化が実現すれば、ほぼ無限のエネルギーが手に入るからだ。大物政治家や記者は色めき立ち、発表は『ウォール・ストリート・ジャーナル』紙など、メディア各社の媒体で一面を飾った。ところが、記者会見は別の意味でも衝撃的だった。ポンズとフライシュマンは、自らの実験の詳細をつづった論文をまだ発表しておらず、ほかの科学者は研究内容をチェックできなかったからだ。

これは、異例という言葉では表しきれないほど、科学の世界では異例なことだった。査読は科学の基本中の基本で、発表前に誤りを見つけ出し、適切で批判的な疑問を投げかける一番の方法だ。物理学者のジョン・ホイジンガは、「研究内容を焦って発表する傾向は、17世紀から始まった」と指摘する。イギリス王立学会が、最初に発見した研究者ではなく、最初に公表した研究者に先取権を与えるようにしたから[58]だが、おかげで科学の世界では研究ライバルからのプレッシャーがすさまじく、重要な発見を誰が先にしたかで言い争いが起こることは珍しくない。そのため、「公表を焦るなかで、科学者たちは実験を通じた研究内容のチェックという重要な過程を飛ばし、編集者は査読をないがしろにする。それが不完全な、場合によっては不正確な結果を生み出している[59]」。常温核融合もこの状況に陥っていたようだ。

会見を行った当時のポンズとフライシュマンも、ブリガムヤング大学のスティーブン・ジョーンズという研究者を批判していた。二人が研究助成金の申請をした際、審査の過程でジョーンズが彼らの大発見のことを知り、研究内容を盗んだと訴えたのだ。これに対してジョーンズは、自分はもっとずっと前から核融合の研究を行っていて、ポンズとフライシュマンの申請はその研究へ立ち戻り、自らの発表をもう先延ばしにしないための「きっかけ」にすぎなかったと反論した。そして（ユタ大学とブリガムヤング大学）両方の事務局が関わって、話が双方の特許と栄誉の奪い合いに変わっていくと、状況は悪化し礼儀をわきまえた行動をとる者はほとんどいなくなった。前述のとおり、科学者も人間で、他分野と同じようにライバルからのプレッシャーにさらされている。そして結局は、ポンズとフライシュマンが、自らの拙速を後悔しながら生きる羽目になった。

その後、二人の研究の実験的根拠が弱いことが判明した。二人はパラジウムと白金、重水とリチウムの混合物、電流を使った電気化学実験で大量の過剰熱が発生したと主張したが、それが核反応で、化学反応ではないとすれば、放射線はどこへいったのかという問題があった。重水素の核を融合させると、普通は熱だけでなく中性子（とガンマ線）が放出される。ところがポンズとフライシュマンは物理学科から借りてきた検出器を使っても中性子をまったく（あるいは何かの間違いと思われるほど少ない量しか）検出できなかった。彼らの間違いのほかに、どうやってこれを説明できるだろうか。

こうした問題点を解決するのはきわめて単純な事柄だと思う人もいるだろうが、会見直後のこの時期、ポンズとフライシュマンはデータをほかの研究者と共有するのを拒否していて、再現実験を試みる研究者は、「『ウォール・ストリート・ジャーナル』等から実験の詳しい情報を得る」くらいしかできなかった。[60] 言うまでもなく、これは科学のあるべき姿ではない。再現実験は実験手法を推測しながら、あるいは電話で情報をくれと訴えながら行うものではない。それでも、ゲーリー・トーベスが言うところの「集団錯乱」が起こるなかで、多くの科学者が騒ぎの熱にあてられ、部分的に発見を「確証」する研究もいくつか世界中で登場し始めた。[61] パラジウムを使った実験で、自分たちも過剰熱を検出したと報告するグループもあった(やはり放射線は見つからなかった)。ジョージア工科大学研究所のチームは、重水素原子が検出されないのは、ポンズとフライシュマンが用いた試験管の素材が原因で、素材にホウ素が含まれない試験管を使って結果をテストしたところ若干の放射線が検出され、逆に検知器をホウ素の入った防護壁の背後に置くと放射線が消えたと述べた。別のチームは、二人の電気分解反応の生成物がヘリウムと熱だけであるとすることで、放射線が見つからない点を理論的に説明した。[62]
もちろん、批判する人もいた。特に一部の核物理学者は、太陽中心部のような超高温・高圧の環境で起こるような核融合が、室温で起こるはずがないと大いに怪しんだ。ところがそうした批判は、核融合に対する典型的な「古い」発想だといわれ、多くの者からはねつけられた。心理学者なら、このあとに起こった部族主義や右へ倣えの日和見《ひよりみ》主義、そして「裸の王様」めいた反応に大喜びするに違いない。実際、常温核融合に対する好意的な反応の大部分は、社会心理学者のソロモン・アッシュが行った同調に関する研究で説明できるという意見もある。アッシュは実験を通じて、自分が所属する集団の意見に合わせなくてはならない場合、多くの参加者が明らかな事実でも否定する傾向があることを発見した。(63) それでも重要なのは、そうした心理的影響があっても、科学の世界にはそれを洗い流す厳しい批判的吟味のシステムがあることだ。では、常温核融合の監視はどこで行われていたのか。そのうそをすぐに暴けなかったことを非難するのは簡単だが、データ不足とよくわからないことだらけというハンディキャップを背負いながらも、科学者たちは別の場所で、きちんと批判のための研究を行っていた。そしてポンズとフライシュマンの研究の詳細が徐々に明らかになっていくと、問題点もどんどん見えてくるようになった。

まず、放射線はどこへいったのかという問題があった。先ほども言ったように、一部の人間は説明がつくと考えていたが、大多数は懐疑的だった。そしてもう一つの問題が、過剰熱は未知の化学反応ということで説明できるのではないかという点だった。1989年4月10日、『*Journal of Electroanalytical Chemistry*（電気分析化学研究）』誌にポンズとフライシュマンの論文が載ったが、慌てて作成したこの論文は痛々しいほど不完全で、間違いだらけだった。査読で誤りが見つからなかったのは、そもそも査読がなかったからだった。[64] 審査したのは雑誌の編集者（ポンズの友人）だけで、科学界からの「大きな関心」を理由に、急いで掲載されたものだった。[65] その後に開催された多数の化学会議で、ポンズは自身の研究の問題点に対する細かな質問にあまり答えようとせず、生データの提出を拒んだ。部分的な「確証」は数多く出ていたと擁護する人もいるだろうし、実際、自分たちも似たような結果が出たと主張する者もいた。ポンズ自身、研究にいくつか問題があることを自覚しつつ、常温核融合は可能だと信じていたかもしれない。

それでも、この章ですでに話したように、データを共有しないことと分析的誤りの発生には強い相関がある。[66] ポンズが、研究の弱点と自覚している部分がばれるのを意図的に避けようとしたのか、それとも単に理論をめぐる狂騒《きょうそう》のなかで冷静さを失っていただけなのかはわからない。彼の行為は不正だという人もいるだろうし、実際そうだったのかもしれないが、不正でなくとも非難されるべきものだ。科学者は自説に対する批判に自ら加わる、少なくとも協力するのが当然で、非協力的な人間は責められる。ポンズの過ちは、ほかの科学者の研究を邪魔するという、科学的態度の精神への反逆を犯したことだった。科学的態度を順守するには、自分や他者が見つけたデータと自分の考えを比較する意思をもたなくてはならない。[67]

そこからはあっという間だった。ポンズとフライシュマンによるものよりも長く、よく練られた論文が『ネイチャー』誌に投稿された。査読を待つあいだに、『ネイチャー』の編集者のジョン・マドックスは社説欄でこう言った。

これはたぐいまれなる研究だ。というのはこの研究は、この世界の常識に反旗を翻すと同時に、圧倒的に正しかったために、その重要性が即座に認められたからだ。

ある問題に対して一風変わった独自のアプローチを採るような著者は、自分たちには研究を評価してくれる真の同僚はおらず、従来どおりの考えをもつ査読者が論文を精査する前から口を「ノー」の形にしていると感じているのかもしれない。それでも、信じがたい主張は実際に信じがたいとわかることがほとんどで、そして査読者はそれをすぐさま察知しても許される。(68)

それから数週間がたった4月20日、マドックスは、ポンズとフライシュマンの論文を掲載しないことを発表した。3人の査読者全員が論文に深刻な問題を発見し、研究を批判したためだ。最大の問題は、二人が対照実験をまったく行っていないように見えたことだった。実際には、これは誤った認識だった。二人は重水を用いた実験に加えて、初期段階の実験で軽水を使い、同様の結果を得ていた。(69)しかしポンズはその事実を隠し、同じ結果を得ていたテキサスA&M大学のチャック・マーティンにだけ伝えていた。マーティンと話した際、ポンズは、今が研究の「最も刺激的」な部分だが、国防に関わる問題なのでこれ以上は話せないと伝えた。(70)同様に二人の実験結果を「確証」したほかの研究者も、炭素とタングステン、金でもうまくいくことを発見していた。[71]しかし、これらの対照実験が全部「うまくいった」なら、もともとの論文の実験結果は疑わしいということになりはしないだろうか。それともポンズとフライシュマンの発見は、二人が思うよりもさらに大規模でエキサイティングなものだったのだろうか。

それから間もなく、崩壊が始まった。５月１日、ボルティモアで行われたアメリカ物理学会の会議で、（カリフォルニア工科大学の電気化学者である）ネイト・スミスが二人を激しく批判する講演を行った。彼は疑わしい実験結果を示したポンズとフライシュマンを不正のかどで告発せんばかりに非難し、参加した２０００人の物理学者からスタンディングオベーションを受けた。そして（記者会見から２カ月とたたない）１９８９年５月18日、マサチューセッツ工科大学のリチャード・ペトラッソらが『ネイチャー』誌に論文を発表し、ポンズとフライシュマンの示した結果は実験のセッティングによって人為的に作り出されたもので、核融合反応ではないことを示した。ポンズが（根拠の中心とされていたにもかかわらず）ひた隠しにしてきた完全なガンマ線スペクトルグラフは、誤った解釈をされていたようだった。そこから原論文の実験結果への非難はいっそう高まり、「確証」した研究者も攻撃されるようになって、政府の調査パネルも設置された。やがてポンズは姿を消し、その後大学を辞めた。

科学界が個々の科学者のミスやずさんさを広く監視するとき、査読は最も重要な手段になる。個々の科学者はさまざまなプレッシャーにさらされ、意識的に、また無意識的に手を抜こうとすることがある。しかしどれだけ邪魔や抵抗をしても、批判的な監視の目をかいくぐることは結局のところできない。科学は公的な取り組みで、研究者は根拠を提示する用意をしておかなければ、破滅が待っている。どんな研究でも、事実は必ずいずれ明らかになるからだ。

もちろん、常温核融合の騒動が**起こったこと自体**を嘆き、科学というプロセスそのものが問題だと考える人もいるだろう。科学を批判する者たちはそうするだろうし、疑似科学にすぎないものをそのかわりに据えようとするかもしれない。しかし思い出してもらいたい。P値ハッキングの項でも見たように、科学が特別なのはそれが完璧だといえるからではない。というより、科学が前進するには誤りとそれを発見することの両方が重要になる。この論争にコメントした人々が、科学には自浄作用が備わっていると指摘している。誤りがあっても、普通は大事《おおごと》にならない。ポンズとフライシュマンがデータを共有する心づもりをし、科学的態度を尊重していたら、この件は話題になったとしても数日でかたがついていたはずだ。自尊心や金銭、その他のプレッシャーといった要素が関わってくるにせよ、激しい競争と厳しい批判のある科学の世界では、誤りはほぼ必ず見つかる。だから私たちは、誤りがあることを理由に科学を単に非難するのではなく、20世紀最大級の科学的誤りが２カ月弱で見つかり、経験的根拠の欠如という理由だけで足場を失ったことを称えるべきだ。外的要因で話が複雑になり、決着が遅れたとはいえ、この話は科学的態度が最高の力を発揮したお手本だ。ジョン・ホイジンガは言う。

> 常温核融合をめぐる騒動には、科学的プロセスのあり方が表れている。……科学者も人間で、科学の世界でも誤りやミスは起こる。それらは通常、同僚と研究について議論し始めた段階で、もしくは査読の過程で発見される。仮にミスが見過ごさ

れて発表に至ったとしても、発表された研究はほかの科学者に厳しくチェックされる。これまで積み上げてきたデータと合致しない場合は特にそうだ。……科学的プロセスには自浄作用が備わっている。(72)

●データ共有と再現

ここまで見てきたように、データ共有の拒否はよくないことだ。科学者として仕事をする人間は、一定の知的な誠実さを保つという暗黙の合意を交わし、自分の研究結果の正確性をチェックする作業に協力する。(アメリカ心理学会が後援している学術雑誌に投稿する際など)場合によっては出版合意書に署名することで、別の研究者から開示請求があればデータを提供すると宣言する**必要もある**。査読の先に待っているのが、こうした「科学的発見は再現できなければならないはず」という基準だ。

しかし、ヴィハーツの調査結果についてのレビュー論文のなかでトリヴァースが示唆するように、データ共有は必ず行われるわけではない。科学者も人間だから、やるべきことを怠る場合がある。それでも、コミュニティは建前を崩さない。[73] 科学的態度を備えた人間は、根拠のもつ反証のパワーを尊重しなければならない。これは、苦労して導き出した理論を吟味し、場合によっては否定しようとする人間に協力することでもある。だからこそ、科学界全体でこの基準を守る（守られていない場合は周知する）ことが大切だ。

それでもデータを共有しないことと、再現できないような研究をすることは別次元の話だということは指摘しておくべきだ。データ共有の拒否の背後にあるのは、別の人間が自分たちの結果を確証できないのではないかというおそれであろう。再現できないからといってその研究が不正ということには必ずしもならないが、恥ずかしいことなのは間違いない。研究が再現できないことは、**どこかに**問題があることを示唆する。定量的な誤りや分析ミス、研究手法やデータの収集方法の不備、その他無数のずさんでだらしないミス。不正が発覚するケースもあるかもしれない。いずれにせよこうしたことは個々の研究者にとってよくない知らせなので、自分たちのデータを抱え込む人が出てくるのである。もちろんトリヴァースはこうした行為を非難し、この種の研究者を「えせ学者」と呼んでいる。またヴィハーツが示しているように、データ共有を拒否した研究は定量的な誤りを抱えている可能性が高いという憂慮すべき問題もある(74)。実際のデータを確認したら、ほかの問題も見つかる可能性があることは想像にかたくない。

実際に見つかることもある。まずは後続の研究者が先行する研究者と同じデータ、同じ方法を使ったにもかかわらず、異なった結果が出るケースだ。この場合、その研究は再現不可能だといわれる。次にくるのが、最初の研究が再現不可能だった理由が明らかになるケースで、理由がデータの改ざんだった場合、おそらくその研究者のキャリアは終わる。手法がまずかった場合は評価が下がる。しかし重要なのは、ある研究が再現不可能だったこと自体は、科学界全体にとって**必ずしも**悪いことではないという点だ。科学はそうやって学んでいく(75)。そしてこれは「科学には自浄作用が備わっている」という言葉の意味の一部でもある。ある科学者がミスを犯し、別の科学者がそれを見つけ、教訓になる。教訓の中身がミスを犯した研究者の倫理観ではなく研究対象に関するものなら、研究の継続も可能だし、理解が進む場合もある。自分では何かを知っていると思っていて、実際にはそうでないとき、そこにはさらなる発見に向けた壁がある。一方で、今まで正しいと思っていた事柄が間違いであることを見つけたなら、それが壁を破るきっかけになる。世界の仕組みをさらに学ぶチャンスだからだ。だからこそ、失敗は科学にとって価値がある。[76]

科学で最も重要なのは、失敗を**見つけ出そうとする姿勢**だ。本当に危険なのはミスではなく、それをごまかそうとすることにある。ミスは修正し、教訓にできるが、ごまかしはたいていミスを隠す際に使われる。見つかる前に多数の研究者が改ざんされたデータを研究の土台にしてしまう場合もある。知識を生み出すことより自分のキャリアを重視する研究者は、科学的態度という理想をないがしろにするだけでなく、科学者仲間をもだましている。うそや操作、改ざんは経験的根拠に対する誤った態度そのものだ。

しかし繰り返すが、再現不可能な研究と不正の区別はしっかりしなくてはならない。ここでもやはり論理的思考が役に立つ。つまり、不正な実験結果はほぼすべて再現不可能だが、だからといって再現不可能な結果のすべて（あるいはそのほとんど）が不正の産物というわけではない。科学的態度に対する罪は、当然ながら不正のほうが大きい。

しかし、再現不可能な研究が生まれる理由のなかでもそこまで悪質ではないものに着目すれば、科学的態度について学べることがある。そして、再現不可能な理由が**不正とはまったく関係なくても**、おそらく広い科学界は見逃さない。データ共有と再現可能性という基準を定めるだけで、科学的態度は尊重できる。[77] 再現できない理由が意図的であろうと、そうでなかろうと、同じメカニズムを頼りに見つけ出せる。

であるなら、ほとんどの科学研究は再現可能なはずだと考える人もいるだろう。科学研究の少なくとも半分が他者の発見の再現に関わらなくてはならず、それゆえ研究の正しさを確信したうえで、科学を前進させられるという考え方だが、実情は異なる。ほとんどの学術雑誌は、他者の実験結果を再現しただけの研究を掲載することを渋る。再現に**失敗した**研究のほうはおもしろいだろうが、こちらも掲載にはかなりリスクがある。科学研究では、オリジナルの発見をした研究者が栄光を手にし、再現できようができなかろうが、それをチェックしただけの研究はあまり評価されないのだ。だからこそ、何かを再現**しようとする**研究でさえ、科学の世界ではかなり少ない。[78] 理由としては、査読の基準が非常に厳しいから、再現する**必要**がそもそもないという意見がある。厳しい目が向けられている以上、再現不可能だとわかるケース自体が非常に少ないはずだという考え方だ。しかし、最近はこうした想定も疑問視されていて、ここ数年、メディアには科学（特に心理学）の「再現性の危機」をテーマにした記事があふれている。気になる人は自分で確認してほしいが、特に心理学では研究の実に64％が再現不可能だとわかったという[79]。

Ｐ値ハッキングの「危機」と同じように、こちらも科学が特別であるという主張、また経験的根拠を重視する価値観を受け入れているからこそ科学者は特別なのだという主張にとって、これは大きなマイナスだと考える人もいるだろう。それでもやはり、この再現性の「危機」に科学界がどう対応したかを見てみると、いろいろなことがわかってくる。

まずは危機そのものを見ていこう。２０１５年８月、権威ある『サイエンス』誌に、「Estimating the Reproducibility of Psychological Science（心理学研究の再現率の推定）」と題した心理学者のブライアン・ノセックらの論文が掲載された。これは衝撃的な内容の論文だった。発表の数年前、ノセックはデータ共有の割合と科学実験の再現性を高めることを使命に掲げる、センター・フォー・オープンサイエンス（ＣＯＳ）という非営利組織の創設に携わった。ＣＯＳは最初に再現性プロジェクトと題した計画を立ち上げ、ノセックは２７０人の研究員を雇い入れ、１００個の心理学研究の再現を試みた。ところが驚いたことに、再現できた研究はわずか36％だった。[80]

ノセックらが再現できなかった研究を不正とみなさなかったことを指摘するのは重要だ。調査ではすべての研究で、示された効果は出ていた。ただほとんどの研究で効果量が半分しかなかったのである。つまり著者が言うほど根拠が強力ではなく、使用している事例の半分以上で結論が裏づけられていなかった。ではなぜそんなことが起こったのか。すぐに思いつくのが、この章で紹介した「自由度」の問題だろう。実際、再現を試みた研究員は、サンプルサイズの小ささから分析の誤りまで、さまざまな問題を見つけた。

これが、科学の再現性の危機として世界中で大々的に報じられた。しかも影響は心理学の世界にとどまらなかった。ジョン・ヨアニディス（「Most Research Results Are Wrong（研究結果のほとんどは間違っている）」という前述した論文の著者）は、この問題は細胞生物学や経済学、神経科学、臨床医学といった別の分野のほうが深刻かもしれないと言い[81]、「心理学で見られるバイアスのほとんどは、どの分野にもある」と述べた[82]。これに同意する研究者もいた[83]。そしてもちろん、懐疑派もいた。南カリフォルニア大学の心理学者ノルベルト・シュヴァルツは、「再現性の重要さに疑いはないが、たいていの場合、それは単なる攻撃、自警団的行為にすぎない」と反論した。彼は問題視された研究にはいずれも関わっていなかったが、再現性をチェックする研究自体のデザインや分析手法の誤りが吟味されることはほとんどないと不満を述べた[84]。

するると、それを実行する人が現れた。２０１６年３月、ハーバード大学の３人の研究者（ダニエル・ギルバート、ゲイリー・キング、スティーブン・ペティグリュー）と、ヴァージニア大学のノセックの同僚一人（ティモシー・ウィルソン）が、ＣＯＳが行った再現研究を分析し、「再現に用いた研究手法はデザインが甘く、適用にも問題があり、統計的な誤りも紛れ込んでいる」ことがわかったと発表した[85]。そして、もともとの１００件の研究を、より優れた手法を使って再分析すると、再現率は１００％に近くなったと主張した。ウィルソンはこう述べた。「ノセックの研究は大いに注目を集め、おかげで間違った結論が引き出された。お粗末な仕事の結果から一般的な結論を得るのは間違いである。そしてこれはお粗末な仕事だったと我々は考えている[86]」。

科学を大事に思う人間にとって、これは印象的なことだった。そして私は、これこそ科学の裏にある批判的態度の最高の表れだと主張したい。いくつかの研究の方法論の問題を指摘する研究が発表され、そしてそれからわずか7カ月弱で、問題を指摘した研究にも問題があったことが指摘される。茶番めいた結論を出すよりも、私は「科学には門番を見張る門番がいて、誤りを修正し真理に近づくことを目的としたチェック、再チェックのシステムがある」と言えることのほうがうれしい。

では、ノセックの研究の誤りはなんだったのか。問題はいくつもあった。

（1）ノセックらは、再現する研究を恣意的に選んでいた。ギルバートは言う。「彼らは特殊で恣意的なサンプリングのルールを作り、それを使って心理学の大半の分野や、おそらく科学界最高の方法を用いた研究のたぐいをサンプルから軒並み除外していた。加えて、その独自のルールにも違反した。だから我々が真っ先に気づいたことは、彼らが何を発見したとしても（よい発見でも悪い発見でも）、それから心理学研究の再現率を推定することはできないということだった。論文のまさにタイトルになっているにもかかわらず、だ」[87]。

（2）研究のなかには、正確な再現とはとてもいえないものがあった。最もひどかったものの一つが、スタンフォード大学で行われたアファーマティブ・アクション（積極的格差是正措置）の研究を再現する実験で、もともとの研究では、スタンフォード大学の白人学生が、別の学生４人が映っている映像を見せられる。白人３人、黒人一人の学生４人が人種について話をしていて、その途中で白人一人が誰かを侮辱する発言をする。すると映像を見ている白人学生たちは、黒人学生にその発言が聞こえたに違いないと思ったときには、そうでないときよりも、有意に長くその学生を見ることがわかった。ところがＣＯＳのチームは、この映像をなんとアムステルダム大学の学生たちに見せた。オランダの学生が英語を話すアメリカの学生を見て同じ反応をしなくても驚きはないだろう。しかし問題はこのあとで、この問題に気づいた再現チームはアメリカの別の大学で再度実験を行い、もともとの研究と同じ結果を得た。にもかかわらず、そのことを報告せず、アムステルダム大学での再現が失敗したことだけを報告していた(88)。

(3)再現実験の前に定量分析の手順を統一していなかった。ノセックらのチームはすべての結果をまとめたものを見る際に五つの異なる尺度(効果の強さなど)を使っていた。ギルバートらは、一つの尺度に絞るべきだったと述べている(89)。

(4)COSのチームは、偶然、再現に失敗するものがいくつくらいありそうかの見積もりを事前に出していなかった。再現率100%を最初から期待するのは統計的方法としては擁護できない間違ったやり方だ。キングは言う。「100個の研究を再現するなら、いくつかは単なる偶然で失敗する。これはサンプリング理論の基礎だ。だからこそ研究者は、統計学を使って偶然失敗するものがいくつありそうかを見積もっておく必要がある。そうしなければ、実際に失敗した実験の数が無意味になってしまう(90)」。

こうした誤りの数々を考慮に入れて修正すると、もともとの１００件の研究の再現率は「それぞれの研究結果が真だった場合に予測できる割合に近い」ものになった。[91] それでも、ギルバートとキング、ペティグリュー、ウィルソンは、ノセックらが不正などをしていたと言いたかったわけではない。ギルバートは言う。「はっきりさせておきたいのは、この研究に関わったなかに、誰かを欺こうとした人は一人もいないことだ。彼らはただミスを犯しただけで、そして科学者はときにミスをするものだ[92]」。

しかしノセックは、ギルバートらにはひどいバイアスがかかっていたと反論し、「彼らはデータを都合よく解釈し、自分たちの視点に合わないデータは無視している。そしてそれに基づいた想定をしている」と述べた。[93] 要約すると、ここではノセックがもともとの研究を行った科学者の一部に対して行った非難（データの意図的な選別）をギルバートらがノセックに行い、さらにノセックが同じ非難をギルバートらに返しているのである。

正しいのはどちらなのだろうか。もしかしたらどちらも正しいのかもしれない。ウリ・シモンソン（この章で紹介した、シモンズらのＰ値ハッキング研究の共著者の一人で、この再現性の危機をめぐる議論の応酬とその後の騒動には無関係）は、ノセックらとギルバートらの使った統計的手法は、どちらも「不完全なことが予想できるものだった」と言った。シモンソンによれば、この件の一つの解釈は、ノセックらの論文は「グラスに40％入っている」と述べているのに対し、ギルバートらの論文は「グラスは100％いっぱいかもしれない」と言っていることになる。(94) そして続けてこう説明した。「再現性を評価するためにデザインされた最新の手法を使うと、グラスは40％満たされていて、30％が空で、そして残りの30％についてはもっとデータを集めるまでは空かいっぱいかわからないという結果になる(95)」。

この最後の言葉から、再現性の危機の話が科学的態度とどう関わるかがわかる。つまり、経験的な疑問への答えがはっきりしないなら、もっと研究しなければならない。この件では、研究者は科学的態度を使い、ほかの研究を批判した研究を批判した。しかしそれでもまだ、チェックの余地は残っている。常温核融合の話と同じように、どちらが正しいかを最終的に判断するのは、科学界全体にかかっているのである。

仮に再現性プロジェクトの対象となった100件の研究がどれも再現可能だとわかっ

たとしても、データ共有と再現性の問題には引き続き厳しい目を向けていく必要がある。この騒動の解決はまだ遠そうだが、一ついえるのは、科学者は研究と報告の方法およびお互いの研究の再現の試みの透明性を、さらに高める必要があるという点だ（再現性の基準を定めることがどれだけ重要かは、常温核融合の騒動を見ればわかる）。そしておそらく、話はすでに前向きな方向へ進み始めている。『サイコロジカル・サイエンス』誌は2015年、研究者には今後、研究方法と分析のモードを事前に登録してからデータ収集を行い、実際の調査結果とあとで突き合わせるよう求めていくと発表した。ほかの学術雑誌もこの方式に倣っている。(96)

「再現性の危機」で監視が厳しくなったのは科学にとってよいことだ。もちろん、当事者の一部は恥ずかしいと思うだろうが、隠しごとをするのはよくないことだと科学者に受け入れられたのは、科学的態度へのさらなる勝利だ。というより、これだけ真面目に自分たちの誤りを突き止めて取り除こうとする分野がほかにあるだろうか。一般からの批判にさらされた場合でさえ、科学は根拠についての最高の基準を完全に守り続けている。個々の科学者による違反はこれからもときどき起こるだろうが、それでも科学界は科学的態度を順守している。「再現性の危機」はそのことを明らかにした。

この章のまとめ

この章では、科学の世界で起こる誤りのいくつかについて、かなり厳しく扱ってきたが、言わんとすることは、科学に欠陥がある（あるいは科学が完璧だ）ということではない。話の途中で科学者もまた人間だと示してはきたが、人はみな自説に夢中になり、自説が正しければいいと思い込むものだ。真であってほしい説を支えようとして判断ミスを犯すのは、統計学者であっても常にありえる。また、科学者は、誰もがもつバイアス（確証バイアスや動機づけられた推論など）の影響を受けないなどと言いたかったわけでもない。そうしたバイアスが、P値ハッキングやデータ共有の拒否、自由度の乱用、査読を無視して記者会見を性急に開くこと、再現不可能な研究の公表（研究テーマが再現不可能性自体であったときであっても）の要因になっている可能性はもちろんある。しかし、さまざまな例において、こうしたひどい誤りの原因は意図的な見過ごししかありえず、それゆえ必ず不正が明らかになると考えたい人は、一歩下がってそれらが無意識の認知バイアスのためだという可能性がないか考えてみてほしい[97]。

幸い、**制度としての**科学は個々の科学者よりも客観的だ。厳しい監視の目が、個々の科学者がもつバイアスへのチェック機能を果たしている。この章で取りあげたいくつかの実例では、個々の科学者の野心やちょっとした心の隙が問題の原因になっていたが、コミュニティによる厳しい監視がそれに対処できていた。もちろんすべての科学者が科学的態度を尊重するのが望ましい。しかしこれまで見たように、科学的態度は単に個人の心構えではない。それは、お互いの理論を公的な基準に照らして判断することを職務とする学者のコミュニティが尊重する共通の精神なのである。実際、それこそが科学と疑似科学の本当の違いなのかもしれない。

疑似科学者が科学者より認知バイアスに影響されやすいわけではないし、科学者のほうが合理的だということですらない（そうであってほしいが）。重要なのはそういうことではなく、**科学では分野全体の取り組みとして根拠に関する一連の基準が設定され、それを通じて人間の最悪の衝動をチェックし、修正を行いながら前進すること、そして**

理論の提唱者以外の人々の手によって、科学理論が信じるに足る論拠を備えることだ。

科学は経験的テーマについて人為的な誤りを発見・修正することに最も長けた分野だが、それは科学者が飛び抜けて誠実だからでも、個々の科学者が科学的態度を守ろうとしているからでもない。それはむしろ、そのためのメカニズム（厳密な定量的方法、科学者仲間による吟味、根拠のもつ反駁《はんばく》のパワーへの信頼）が、コミュニティのレベルでの科学的態度に支えられているからなのである。

大切なのは科学的**方法**ではなく、科学的**態度**だ。だから科学が完璧に「客観的」だとか「価値観」は無関係だとか言う必要は、もはやない。むしろ価値は、科学の特別さに欠かせないものだ。ケヴィン・デラプランテは言う。「科学は今もまだ、とても『価値負荷的』な取り組みだ。優れた科学も、よくない科学と同様に価値判断を含んでいる。優れた科学とよくない科学の差は、価値判断の有無ではない。両者を分けるのは価値判断の種類なのだ[98]」。

それでも、考えるべき問題はまだ残っている。まず、自分は科学的態度を備えていると勘違いしている者たちをどう扱うべきか。これについては、疑似科学と科学否定主義をテーマにした8章で考えていくが、それでも私は、大まかな答えは読者にもすでに見えているのではないかと思う。つまり、科学が誠実であり続けるためには、個々の科学的態度への信頼だけでは不十分だし、その人の「私は科学的態度を満たしている」という（もしかしたら間違っているかもしれない）感覚についてはなおさらだ。何が科学で、何が違うかを判断するのはコミュニティだ。

しかしそこで、第二の問題が登場する。つまり「コミュニティが決めている」というのは簡単だが、科学者のコミュニティが道を誤ったときにはどうなるのか。8章ではこの問題も取りあげ、ガリレオ・ガリレイのような個々の科学者が正しく、集団が間違っていたケースを検討する。(99) 実例として、あまり有名ではないがおもしろいハーレン・ブレッツの理論を紹介しよう。ワシントン州東部の低地帯「スキャブランド」が大洪水で形成されたとする説だ。また、気候変動を今否定している者たちが、明日のガリレオかもしれないという発想が間違っている理由もいくつか示す。そして約束どおり、科学的不正の問題は7章で取りあげる。

しかしその前に、次の6章では科学の欠点や失敗から少し離れ、科学的態度が素直に大成功につながった実例と、成功した経緯を見ていこう。例に使うのは近代医学だ。

第6章

科学的態度が変えた近代医学

規律を欠いていた分野が科学的に厳密な分野に変わる過程に、科学的態度はどう関わるのか。それを把握するのは簡単だ。近代医学という好例があるからだ。20世紀以前、医学は直観と民間の知恵、試行錯誤をベースに行われていた。大がかりな実験はなく、データも集めるのが難しかった。というより、仮説は経験的根拠に照らしてテストしなければならないという発想もほとんどなかった。それを比較的短期間で変えたのが、1860年代に病原菌説が発表され、20世紀初頭に臨床医療へ応用されていったことだった。(1)

3章で見たとおり、イグナーツ・センメルヴェイスによる産褥《さんじょく》熱の原因の発見(1846年)は、科学的態度とは何かを教える絶好の教材である。センメルヴェイスは時代のはるか先を行っていたので、彼の説はいわれのない反発にあった。それでも、彼が尊重していた科学的態度は、のちに科学的医学が花開く土台になった。センメルヴェイスと同時期に、初めて麻酔が公に実施され、外科医は手術に集中できるようになった。意識を保ったまま痛みに叫ぶ患者を、押さえつけなくともよくなったからだ。もっとも、それで致死率が下がったわけではなく、手術が長引くと患者の傷が外気に触れて感染症にかかる難しさは残っていた。[2] ルイ・パスツールが細菌を発見し、ロベルト・コッホが殺菌のための方法を細かく説明して初めて、病原菌説が浸透した。そしてリスターが１８６７年、（細菌を殺す）消毒薬と（菌の侵入をそもそも防ぐ）無菌手術を導入すると、病気以上に医療が患者を苦しめるケースがようやく防げるようになった。[3]

現代の視点から見ると、こうした進歩は当たり前のこととして過小評価されがちだが、彼らがいたからこそ、定量的手法や研究室での分析、対照実験、そして直観ではなく根拠に基づいた診断と治療という発想が発展したのだ。しかし西欧医学は**いつも**自分たちが科学的だとうぬぼれていて、変わったのは「科学的」という言葉の意味だけだった。[4] 医療占星術や患者の体から血液を抜く瀉血《しゃけつ》術はかつて、合理性と経験則という最高の原則を土台とした最先端の治療法とみなされていた。18世紀の医師も、さらに言うなら古代ギリシャ時代の医師も、ほとんどの者が自分の知識を「科学的」だとみなしていた。[5] 彼らが嘆かわしいほど愚かだったとは誰にもいえない。すでに見たとおり、そうした事柄は医師という職業を構成するメンバーによって判断されるので、それぞれの時代の基準に合わされている。そして19世紀初期の基準では、瀉血は何も問題ないとみなされていた。

この章の目的は、特定の時代の考え方をけなすことではない。とんでもない見解をテストもせずに信じ続け、今なら無能さに基づく犯罪とみなされる行為によって、患者を死なせることがあったとしてもだ。そうではなく、この章では医学が暗黒時代から抜け出す道を見つけていき、入念な観察と計算、実験、そして経験的に示された発想を（そしてそれのみを）受け入れる柔軟な心構えが、医療の土台になっていった経緯に光を当てたい。

科学的態度には、根拠を大切にする姿勢だけでなく（何を根拠とみなすかは時代によって変わる可能性があるため）、**新たな根拠に照らして理論を変える意思**も求められる。特にこの後半部は、ある研究分野が疑似科学から科学へ、単なる意見から論拠のある見解へ昇格する際にきわめて重要になる。というのは、こうした考え方を尊重し、伝統という権威を根拠にした「答えは初めから知っている」という姿勢を改め、実験と他者の経験から学べると悟ったことで、初めて医学は科学として前進できたからである。

野蛮だった過去

名著『医学の歴史』(丸善出版、2015年)で著者ウィリアム・バイナムが指摘しているとおり、西洋医学は瀉血や毒物を用いた治療、頭蓋骨に穴を開ける穿頭《せんとう》など、ほとんどの場合病を悪化させるだけの「治療」をいくつも行っていたにもかかわらず、常に自らを最新のものだと考えていた[6]。

古代に医学を最も巧みに体系化したのはヒポクラテスだ。(有名なヒポクラテスの誓い以外で)彼の発想の柱になっていたのは、「四体液説」の医学への応用論だった。ロイ・ポーターは著書『*The Greatest Benefit to Mankind*(人類への最大の恩恵)』でこう述べる。

紀元前5世紀のヒポクラテスから2世紀のガレノスまでが信奉した「四体液説」では、自然界の4要素(火、水、風、土)と人体の4種類の体液(血液、粘液、黄胆汁、黒胆汁)との対応を強調し、それらのバランスが健康か否かを決めるとみな

していた。(7)

四体液説は見事な理論で、説明も興味深かった。四体液説では、風邪は粘液、嘔吐《おうと》は黒胆汁が関わるというように、人は四体液のバランスが崩れることで病気になるという発想をし、それらのバランスを維持することで健康を保とうした。その一つの手段が瀉血だった。(8)

ヒポクラテスが発明し、ガレノスが高等技術に位置づけた瀉血は、1000年以上ものあいだ(19世紀に至っても)医学的な治療法だと考えられていた。脈について4冊の本を書いたガレノスは、自然は、(月経のように)不要な体液を取り除くことで病気を防ぐのであり、瀉血によって医師はこの自然の摂理を利用できるようになると考えていた。(9) ポーターいわく、「ガレノスはどんな病気であれ(貧血に対してさえ)瀉血がふさわしいと判断していた」という。(10) だから、患者が意識をなくすまで(その結果亡くなるまで)血を抜くことも多かった。

現代の視点で言えば野蛮で古い、こうした当時の医療行為としては、ほかにも穿頭やヒル治療、水銀治療、動物のフン治療など多くの種類があった。しかしショッキングなのは、こうした無知が何世紀も放置された点だ。このため、患者はかなり最近まで、病気と同じくらい医者を怖がることが多かった。

これは、単に当時広まっていた理論が誤りだったということだけでなく（というのはすでに見たように、多くの科学理論ものちに間違いだと判明するからである）、そもそも医師の考えのほとんどが経験や実験を土台にすらしていなかったことを表している。医学はまだ科学的態度を備えていなかったのである。

科学的態度の夜明け

経験に基づかない時期から脱却するのに、医学は驚くほど時間がかかった。天文学や物理学がすでに見限っていたスコラ学の伝統がまだ幅を利かせていて、17世紀の科学革命から200年がたっていても、医学的な疑問は対照実験ではなく、（決着がつく程度まで）理論や議論を通じて解決するのが通例だった。[11] 経験的で臨床的な医療行為は、19

世紀中盤まで完全な脇役だった。ルネサンス期に芽吹いた科学的医学は、現場の治療法というよりは机上の知識への影響が強かった。[12] 近世にも、(ウィリアム・ハーヴェイが行った17世紀の血液循環研究など)解剖学や生理学で飛躍的前進はあったが、「(医学における)すばらしい達成は、病床での治療よりも、紙上でより多く見られた[13]」。

実際、天然痘ワクチンの発見という18世紀医学の輝かしい成果は、科学ではなく、当時広まっていた民間の知恵を尊重したことで生じたとする研究者もいる。[14] こうした「非科学的」な状態は18世紀(医学の「インチキ療法」の時代として知られる)を通じて続き、本当の現代医学が始まるのは19世紀中盤になってからだった。[15]

ルイス・トマスは痛快な回顧録『医学は何ができるか』(晶文社、1995年)のなかで、現在の科学的な医療と19世紀初頭の医療を比較して、こう述べている。

19世紀初頭の医療では、医師が思いついたものはすべて病気の治療法として試されていた。当時の医学書には、現代の基準で見ると恐ろしいことが書かれている。瀉血や吸い玉療法、下剤の乱用、びらん剤を使って皮膚をただれさせる行為、氷水療法や熱湯療法、単なる気まぐれとしか思えないものの影響で考え出され組み合わされた植物エッセンスの数限りない調合などが、次から次に学術論文に記されていた。……当時の一般的な治療法は、ほとんどが好影響よりも悪影響を及ぼしがちだった[16]。

なかでも特に一般的だったのが瀉血で、その理由の一つが、有名な医師のベンジャミン・ラッシュが熱烈に支持したからだった。中世から行われてきた瀉血は、健康にとてもよいと考えられ、回復に必要な「究極の介入」の一つとされていた。医師のアイラ・ルトコフは意義深い作品『*Seeking the Cure*（治療法の模索）』のなかでこう述べる。

ラッシュのエゴイズムと科学的方法論の欠如のせいで、市民は無駄に苦しんでいた。当時は血圧や体温を測定する意味を誰一人わからず、医師が心拍数と呼吸数の重要性を理解し始めた段階だった時代である。アメリカの医師たちが自らをまったく戒めないせいで、患者は苦しみ続けた[17]。

そうやって、当時の医師は実際に患者を苦しめていた。

医師たちはときに、患者から1日16オンス（約470ml）の血を抜き取ることを最長14日間連続で続けた。……現代の献血ではドナーは1回当たり同じ16オンスの血液を提供することが認められているが、間隔は最低でも2カ月を空けなければならない。19世紀の医師は、抜き取った血の総量を、それがキャリアの成功を示す統計であるかのように自慢した。瀉血を評価する声はなんとも根強く、頻繁に合併症が生じ、治療にまったくつながらなかったことも多かったなかで、ラッシュの研究の支配力は揺らがなかった。[18]

果たせるかな、ラッシュは腸チフスに罹《かか》った自身に瀉血を行った結果、1813年に命を落とした。[19]しかし当時の恐ろしい医療行為は瀉血だけではなかった。

医療は文字どおりの暗中模索で行われていた。電気は最新の技術で、まだ普及していなかったから、侵襲的検査*や繊細な手術、難産まで、ほぼすべての医療行為は太陽の光かランプの明かりの下で行わなければならなかった。病気の感染性のような現代医学の基礎的な発想も、まだ強い反発に遭《あ》っていた。一般的な病気の原因さえわかっていなかった。ベンジャミン・ラッシュは、黄熱の原因は悪くなったコーヒーだと考えていたし、破傷風の原因は反射神経への刺激だと広く考えられていた。虫垂炎は腹膜炎と呼ばれ、患者は死ぬまで放っておかれた。医師の不潔な手と器具が病気を広げていることに誰も気づかなかった。「敗血症という名の恐ろしい亡霊」はいつもそこにいた。傷は必ず化膿《かのう》するものという深い思い込みがあったせいで、膿《うみ》の分類が発達していた。薬の標準化も進んでおらず、誤って毒を飲ませることも珍しくなかった。「専門的」に調合された薬ですら、たいてい量が多く嘔吐してしまうほどだった。血とともに病気を体外に出すというやり方がまだ広く浸透していて、きわめて保守的な医師さえもが、恐ろしいほど大量の下剤を処方してい

＊　穿刺《せんし》、切開、薬物投与等によって、患者の体または精神に傷害や負担が生じる検査。

た。熱を出した人を冷水浴で治療するのは現代なら「殺人とみなされ」るだろう。全身麻酔も局所麻酔もなかった。患者が痛みに耐えなくてはならないときは、アルコールを使うのが一般的で、……ときには純度の高いアヘンのこともあった。開放骨折で医師にかかれば、生き残れる確率は半分しかなかった。脳や肺の手術は事故に遭わなければ行ってもらえなかった。手術中に患者がきわめて大量に失血することもよくあったが、ある医師は励ますように「命に大きく関わることはない」と述べている。[20]

当時のアメリカ（医学の科学化がかなり遅れていた国）の状況と、ヨーロッパですでに始まっていた進歩とを比較することは重要だ。19世紀初頭においては、特にパリが医学的理解の前進と医療の改善の中心地で、おそらくその要因は、病院の運営元が教会から国に変わったことだった。[21] パリではより経験的な見方が広まっていた。病床での診断の正誤を確認するために検屍《けんし》解剖が用いられていたし、医師は触診と打診、聴診の利点を理解し、ルネ・ラエンネックは聴診器を発明した。より自然主義的な発想から、医学生も病床の傍らで学ぶようになった。こうした発展に続いて、ドイツでは科学研究室が興隆し、ルドルフ・ルートヴィヒ・カール・フィルヒョウらは顕微鏡の価値に気づき、それが基礎科学をさらに前進させた。[22] おかげで世界中から、特にアメリカから医学生がフランスとドイツへ集まり、科学に根ざした医学教育を受けた。

それでも、アメリカでもヨーロッパでも、現場の医療行為はなかなか改善しなかった。すでに見たとおり、センメルヴェイスは最初に科学的態度をもって患者の治療にあたろうとした科学者の一人で、それとほぼ同時期にはボストンで麻酔の奇跡の力が示された。しかしこうした前進ですら抵抗に遭った。[23]

本格的な革新が起こったのは、病原菌説が提唱された１８６０年代だった。キャリア初期に発酵と「自然発生説」という難題を研究していたルイ・パスツールは、生命は単なる物質から誕生しないことを実験を通じて証明しようとした。しかしそれならなぜ、フラスコに入れた培養液は空気にさらしたままだと「悪くなり」、生命体が発生するのだろうか。[24]

パスツールは見事な実験手順を考案した。ニトロセルロースの詰め物をしたガラス管に空気をとおし、外気にさらした。するとニトロセルロースは傷み、発酵した液体内にいるのと同じ微生物が沈殿物に見つかった。これは空気中に関連する生物がいる証だった。[25]

その後の実験で、パスツールはこうした微生物を熱で殺せることを示した。そしてさらに数年をかけて、別々の場所に別々の形のフラスコを置いて行う実験を終わらせると、1878年2月には、フランス医学アカデミーで病原菌説を断固として証明する準備を整え、のちには微生物が病気の原因になると主張する論文を出版した。[26] こうして細菌学という科学が誕生した。

このパスツールの成功を直接のきっかけとして、今度はジョゼフ・リスターが、手術中の患者の傷口から微生物が侵入するのを防ぐべく、殺菌の研究を発展させた。[27] リスターは、1870年代になっても抵抗に遭い、誤解されていたパスツールの発想を、早くから受け入れた研究者だった。[28] 実際、ジェームズ・ガーフィールド米大統領が

1871年に凶弾に倒れ、数カ月後に死亡したとき、多くの人は体内に銃弾が残ったことが原因だと感じたが、実際には当時の著名な医師数人が汚れた手と器具で傷口を診察したからだった。襲撃者が裁判で、大統領が死んだのは撃たれたからではなく、医療ミスがあったからだと自己弁護を行ったほどだった。[29]

1880年代に、細菌学をさらに一歩前へ進めたのが、ロベルト・コッホが研究所で行っていた研究だった。細菌の存在に懐疑的な人間は、事あるごとに「そんな小さなやつがどこにいるんだ」と言って、目に見えないものが実在することを受け入れなかったが、コッホは、自身の顕微鏡による研究を通じてその疑問への答えを見つけ出し、病原菌説の物理的な土台を確立するだけでなく、いくつかの病気の原因となる微生物も特定した。[31]そこから細菌学の「黄金期」（1879〜1900）が始まった。「主な病気の原因となる微生物が、1年あたり一つの病気という驚異的な割合で見つかっていった[32]」。

こうした成功譚《たん》を聞いて、疑問に思う人もいるかもしれない。細菌学の黄金期なるものがあり、医学における入念な経験的研究と実験のパワーが驚くべき形で示されたのなら、なぜ患者の治療にもっと直接的な影響が表れなかったのか。もちろん、すぐに効果が出たもの（パスツールの狂犬病と炭疽《たんそ》病の研究など）もあったが、それでも優れた科学とその医療への影響とのあいだにはギャップがあったように感じられる。黄金期に医学研究で経験的根拠が尊重され始めたのだとしたら、それが臨床科学として結実するまでに、大きなタイムラグがあったのはなぜなのだろうか。

19世紀後半の医療に、きちんとした効果のあるものはほとんどなく、わずかに水銀を使った梅毒や白癬《はくせん》の治療に、ジギタリスを使った心不全治療、亜硝酸アミルを使った狭心症治療、マラリアの特効薬だったキニーネ、痛風に効くイヌサフランなどがあるくらいだった。瀉血や発汗、瀉下《しゃか》、嘔吐などを通じて悪い体液を排出するという発想が、医師のそうした手法への信頼を映すかのように、依然として幅を利かせていた。瀉血は徐々に主流ではなくなっていったが、より優れた方法がかわりに使われたわけではなかった。[33]

おそらくその理由の一つが、この時期には実験と臨床を別の人間が行うことが多かったからだろう。医学界のなかに分断があり、研究者は診療せず、臨床家は研究をしないという暗黙のルールが敷かれていたのだ。バイナムは『*The Western Medical Tradition*（西洋医学の伝統）』でこう述べている。

広い医学界の異なる派閥のなかで、「科学」はそれぞれ別の意味をもっていた。……「臨床科学」と「実験医学」はときにお互いにほとんど影響を与えなかった。……どちらも別々の専門家集団によって進められるようになった。……知識を生み出す者は必ずしもそれを使う者ではなかった。[34]

そのため、他分野（物理学と化学、天文学）では200年も前に科学革命が起こり、理論と実践との適切な関係や方法論に関する議論が進むなかで、医学に革命の恩恵はあまり届かなかった。[35]「細菌学革命」が起こり、医学の土台となる知識が増え始めてからも、知識が臨床に応用されるまでにはとてつもない時間差があった。

自然哲学（科学）の方法論に関する議論で、医学は申し訳程度に触れられるだけだった。医学は依然として独自の正典に頼り、独自の手順と、病床と解剖劇場という独自の場所を用いて知識を探求していた。ほとんどの医師は、自らの指先に宿る暗黙の知識を絶対的に信頼していた。(36)

そのため大きな前進は見られながらも、医学はまだ科学ではなかった。苦労して得た新たな理解を追究したい人が利用できるようにはなったが、まだ大きな問題が残っていた。それは、知識と現場の医療との溝にどう橋をかけるか、そして新たな知識を将来医師になる学生たちにどう伝えるか、だった。(37)

当時の医学は組織についての問題を抱えていて、新たな知識を生み出すだけでなく、伝えることもうまくいかずにいた。当時の医学界は科学的飛躍を、それを最も効果的に使える人の手に渡せるよく油の差した機械ではなく、むしろ「ライバルだらけの競技場」という趣《おもむき》だった。(38) 一部の先駆的な医師は科学的態度を尊重していたが、全体としてはまだ革命を待っている状態だった。

ゆっくりと進んだ臨床医療への応用

イデオロギー的な抵抗や無知、教育不足、専門的基準の欠如、実験家と臨床家のあいだの距離など、さまざまな理由から、科学的な医学が現場の医療で使われるには、長い時間を要した。実際、20世紀初頭になっても、テストされていない19世紀の恐ろしい治療法や薬のいくつかはまだ生き残っていた。アメリカでは劣悪な医学教育が続いていて、専門的な基準もないままだったから、いかさまも含めた医療がいまだにはびこっていた。

20世紀の幕開けのこの時期、医師はほとんどの病気の特定には長けていく一方、その治療法はまだ確立できずにいた。病原菌説が受け入れられたことで、以前に比べ、内科医や外科医の誤った介入で患者が命を落とすケースは減っただろうが、１８６０年代や70年代の科学的革新が、患者の治療に直接影響することはまだ少なかった。ルイス・トマスはこう記している。

説明こそが医学の仕事だった。患者とその家族が何より知りたがったのは病気の名前であり、次に可能であれば原因、そして最後に最も重要なのが、病状がこれからおそらくどうなるかだった。……高度な知識が必要な職業という看板とは裏腹に、実践では医師という職業は無知に囲まれていた。……診断をしたことで病状に何かしら変化があったかもしれない患者を、私は3、4人しか知らない。1937年のボストン市立病院ではさまざまな感染症を扱っていたが、そのほとんどについて、病院はベッドで休ませ、献身的に看病するくらいしかできなかった。[39]

ジェームズ・グリックも、当時の医療について同じような暗い描写をしている。

医学は20世紀になっても、物理学が17世紀に入手し始めた科学的土台を、なかなか見つけられずにいた。人類の歴史を通じて、医師は病気の治療に携わる人間だけがもてる権力を振るい、専門用語をしゃべり、職能学校や職能団体という名の外套《がいとう》をまとってきた。ところが彼らの知識は、民間の知恵や科学とは呼べない気まぐれの寄せ集めでしかなかった。統計的な対照実験の初歩を理解している研究者はほとんどいなかった。あれこれの治療法に対して医学の権威者は、神学者が自らの理論に対して行うのとだいたい同じ仕方で、つまり個人的な経験と抽象的推論、美的判断を組み合わせながら、賛成や反対をしていた。(40)

それでも変化は起こっていった。その大部分は社会的な変化だった。麻酔と消毒の技術が進歩し、さらにパスツールとコッホが細菌学上の発見をしたことで、20世紀初頭には、医療はそれまでの無知な方式から抜け出せる状況になっていた。細菌学の発見に関する知らせが広まるなかで、さまざまな治療法や医療行為が、突如として恥ずべきものとみなされるようになった。もちろんクーンが言うように、こうしたパラダイムシフトが起こる重要な要因の一つは、古い人間たちが古い考え方を抱えたまま死に、若手が新しい発想を受け入れることだ。当時の医学界にも確かにそうした状況はあった（センメルヴェイスの産褥熱に関する理論と麻酔の両方に、最も強く抵抗した人の一人であるチャールズ・メイグズは、１８６９年にこの世を去った）が、影響が大きかったのはおそらく社会的な要因のほうだった。

現代医学は単に科学というだけでなく、社会的な制度でもある。重要なのは、真に科学的になる以前から、医学の世界では、社会的な力が医学に対する見方や医療の実践に影響していたこと、そしてその力が、医学を現在のような科学へ生まれ変わらせるのにも一役買ったことである。医学の社会史については、それだけをテーマにした本が何冊も出ているので、ここでは一部を紹介するにとどめたい。

社会学者のポール・スターは、著書『*The Social Transformation of American Medicine*（アメリカ医学の社会的転換）』で、「医学知識はある意味特別で、医療は一部の選ばれた人間が行うべきだ」という考え方は、建国初期アメリカの民主主義の原則と衝突するものだったと述べている。[41] 当時、「入植地ではありとあらゆる人たちが医学を志し、医師の肩書きを使用した[42]」そうだ。やがて医学校が開設されるようになり、正式な医学研修を積んだ医師たちが「やぶ医者」と距離を置くため、医師会を創設し、免許の必要性を訴えた。ところがこの動きは、より優れた医療を受けたいはずの庶民に歓迎されなかった。アメリカ医学の専門職化を目指す動きは、権力や権威を得るためのものだと広くみなされ、民間療法や素人による治療が人気を保っていた。スターは言う。

専門医学に対する大衆からの抵抗は、ときに科学と近代的なものへの敵対行為として描かれてきた。しかし今の私たちは、19世紀初頭の医療が客観的に無力だったことを知っているし、それを考えれば、当時の人々が医学に懐疑的だったのも無理はない。しかも19世紀までのアメリカでは、科学も民主的でなければならないという極端な合理主義が広まり、人々の考え方にも影響していた。[43]

実際、医師免許取得の基準を確立させようという動きは初期のアメリカにもあったのだが、１８３０年代のアンドリュー・ジャクソン政権の時点ですでに「免許という名の寡占だ」として、そうした運動を解散させようとする組織的な圧力を受けていた。[44]驚くべきことに、そのせいでアメリカではそのあと50年間、医師免許の取得基準は放棄されたままだった。[45]

科学としての医学を大事にする、またこうしたことが患者の治療に与える影響を気にかける人にとって、これは残念な話だ。もちろん、当時の医療がいいかげんだったことを考えると、「専門」の医師が素人医者よりも優れた訓練を積み、治療について知識があるのかどうかという疑いが、市民に根強かったのは理解できる。[46] それでも、科学的知識は「民主的」であるべきだという考えは、おそらく医療が発展する妨げになった。何しろ当時のアメリカは、ヨーロッパの科学的な医学の発見が、現場に浸透するのを待っている段階だったのだ。そのためヨーロッパで基礎的な医学知識の革命が起こる19世紀末まで、アメリカの医学教育と医療は恥ずべき状態を抜け出せずにいた。

アメリカでは、地元の医者が営利のために運営し、しかし実際には基礎科学について何も学べず、現場での研修もできない「学位商法」が横行していた。[47] それが、１８７０年代と80年代になって免許制が復活し、専門職としての責任が少し増すと、学位さえあれば医療を行ってもいいという考え方には厳しい目が向けられるようになった。最終的には要件も厳しくなった。

一つの大きな節目は、１８７７年にイリノイ州で成立した法案で、これによって州医療審査委員会は、怪しげな学校の学位を否定できるようになった。この法律の下では、医師は登録が義務づけられ、認可済みの学校の学位をもつ者に免許が与えられ、それ以外は審査の対象になった。結果、１８７７年にイリノイで医療を行っていた学位をもたない医師３６００人のうち、１４００人が1年以内に州を離れたとされる。10年以内では、３０００人が医師の仕事を失ったといわれている。[48]

欧州では、もっと高水準の医学教育が行われていて、とりわけドイツの医学校では、大学の付属組織として研修を施していた（これはアメリカではほとんど例のないことだった）。それでもやがて、アメリカでもそうした厳格な医学教育のモデルに倣おうという機運が高まり、１８８９年にはジョンズ・ホプキンス病院が、4年後には付属の医学校が創設され、インターンから研修医まで、あらゆるレベルの人への指導が行われるようになった。[49] ハーバード大学やジョンズ・ホプキンス大学、ペンシルベニア大学、ミシガン大学、シカゴ大学などの大学付属の医学校は、広く高い評価を得た。[50] それでもこれは、19世紀末アメリカの医学教育の全体像で見た場合、ほんの一部の話だった。

1908年、医学的には素人のエイブラハム・フレクスナーという学者が、カーネギー財団と米国医師会・医学教育評議会の後ろ楯のもと、全米を行脚《あんぎゃ》して、当時残っていた148の医学校を視察してまわった。結果はぞっとするものだった。

大々的に宣伝されていたはずの研究所はどこにも見当たらないか、葉巻の箱に放り込んだ試験管が2、3本あるだけかのどちらかで、解剖室は殺菌していないせいで死体が悪臭を放っていた。図書館に本はなく、教員とされる者たちは開業医としての仕事に忙殺されていた。入学要件とされるものも、所定の料金を支払えば免除された。[51]

特にわかりやすかったのが、アイオワ州デモインの医学校だった。学長がせわしなく案内した先には、「解剖学」や「生理学」と書いた部屋はあったものの、どこも施錠されたままで、学長は鍵をもっていないと言った。視察のあとでフレクスナーが学校へ引き返し、用務員に金を握らせて部屋を開けさせると、なかはどの部屋もほぼ同じつくりで、机と椅子、小さな黒板があるだけだった[52]。

1910年に発表された有名なフレクスナー報告書は、アメリカの大半の医学教育に対する一種の告発状だった。ジョンズ・ホプキンスは絶対的な基準とみなされ、ほかに評価の高いいくつかの学校でさえ、それに倣うよう求められ、そのほかほぼすべての民営学校は不十分とされた。フレクスナーはほかの改革案とともに、医学校は自然科学教育を土台にしなければならず、また名門医学校は大学の傘下に入る必要があると訴えた。医学校はまた十分な科学施設を備える必要があった。さらに学生は医学のトレーニングを受ける前に少なくとも大学で2年間は勉強し、教員はフルタイムで医学教育に従事し、学校の数も減らすべきだという提案もあった[53]。

報告書の影響はすぐさま強烈に表れた。

1915年までには、医学校の数は131校から95校へ、卒業生の数も5440人から3536人へ減った。……5年後には、少なくとも1年間の大学教育を受けていることを求める医学校は35校から83校へ、大学教育を求める医師資格審査委員会は8から18へ増えた。1912年には、その多くが集まって州政府医療委員会連盟(FSMB)という有志の協会を設立し、米国医師会(AMA)による医学校の格付けを信頼できるものとして受け入れるようになった。AMA評議会による不認可の判断を受け入れる州が増えると、評議会は実質的に医学校の全国的な承認機関となった。1922年までには、医学校は81校に、卒業生は2529人に減った。州政府医療委員会連盟やAMA医学教育評議会は、どちらも議会の承認を得て設立された機関ではなかったが、判断は法的拘束力をもつようになった。これは医師という職業の組織化に向けたとてつもない成果だった。(54)

資格取得の要件を定める各州の医療委員会は、医学教育の監督という点だけでなく、すでに仕事をしている医者への制裁という点でも、大きな権力をもつようになった。FSMBが創設されたことで、根拠をベースにした医学の訓練を若い医師たちに積ませるだけでなく、既存の医者による、ときにずさんな医療行為の責任を問う仕組みも備わった。1921年にアメリカ外科学会が治療の最低限の基準を発表すると、病院には認可を受ける必要性が出てきた。[55]（１８７７年段階でのイリノイ州のように）すべての州で、手腕の疑わしい医師を排除する法的根拠がいきなり手に入ったわけではなかったが、少なくとも明らかに怪しい医療行為（と医者）は、厳しく監視されるようになった。患者を治療するためにできることは依然として多くはなかったが、有害な治療を行うと医療界から排除される可能性は出てきた。いくつかの州では、専用の掲示板でひどい医者の名前が報告された。

フレクスナー報告書からほんの数年で、ヨーロッパで１８６０年代に起こったような医学革命が、アメリカでもようやく始まった。変化の大半は医師の職務にまつわる社会的なもので、方法論や経験に関するものではなかったが、それでも全体には、訓練の足りない医師は排除され、受け入れがたい医療行為はなくなった。もともと自らの利益や医師の地位を守るために始まったものではあったが、社会変化を通じて、科学的態度があることの証明である**個々の行為を集団が監視する体制**が強化された。

もちろん、先のルイス・トマスの言葉にもあったように、それでも１９２０年代時点では、ボストン市立病院のような国内最高の施設でさえ、医師が患者に対してできるのはホメオパシー薬（つまり偽薬）を出すか、手術をするかくらいで、あとは病気が自然に進行して治るのを待つしかなかった。治療の名のもとに行われる瀉血や瀉下、吸い玉療法、発疱《はっぽう》療法（そして殺害）、あるいは汚い手や器具での診察はもうなくなったかもしれないが、患者を治すために医学が直接できることはほとんどなかった。それでも、科学的医学の黎明《れいめい》期としては大きな前進だった。

医学はついに、個々の行為を専門的に監督する体制をとるようになり、科学として前進するのに必要なものを手に入れた。医学知識は経験的根拠を土台とするようになり、治療の基準が導入されたことで、少なくともその基準を満たそうとする（少なくとも基準をないがしろにはしない）誠実な臨床科学が約束されるようになった。医学はもはや、単なる勘や言い伝えを土台にしたものではなくなり、悪しき医療や効果のない治療は、厳しい目を向けられて消えていった。専門家としての基準を高くすることで、医学はようやく「科学である」という自画像に見合った分野となった。

これが医学における科学的態度の始まりだ。経験的根拠を土台にする姿勢や、それを踏まえた理論構築の精神は、センメルヴェイスや、場合によってはガレノスの時代に端を発するものだと主張する人もいるだろう。[56]パスツールのおかげだとするほうが、説得力があるかもしれない。どんな分野でもそうであるように、医学にもまた、分野の歴史の初期には経験的根拠から学ぶ偉人たちがいた。それでもコミュニティにおける気風の重要性は揺らがない。もしある分野全体が科学になったのなら、偉大な数人だけでなく、多くの人間が科学的態度を尊重しなければならないからだ。医学史の初期に登場した科学的態度を備える数人を例に出すのは自由だが、医学が真の意味で科学になったといえるのは、医学界全体に科学的態度を体現する一定の価値観が広まったあとで、そしてその理由は、少なくともある部分では、医師という職業に社会的な変化が起こったからだった。

科学になったことの成果

20世紀初頭に職業としての改革が行われると、医学は本来の力を発揮するようになっていった。１９２８年にペニシリンが発見され、医師たちはついに、科学的研究の成果

をもとに現場の医療を改善できるようになった。(57)

それから1937年に、スルファニルアミドについての衝撃的なニュースが入り、本当の意味での医学革命が始まった。私たちは、スルファニルアミドの別の分子変異について産業界が研究中だと知り、ペニシリンを始めとする抗生物質の可能性についても耳にした。私たちは一夜にして、これならなんでもできてしまうと確信した。(58)

第一次世界大戦終結直後のロンドンに、アレクサンダー・フレミングというスコットランド出身の細菌学者がいた。戦時中、患者の傷口と感染への抵抗力を研究していたフレミングは、ある晩たまたまブドウ球菌を入れたペトリ皿を置き忘れたまま休暇に入った。戻ってみると皿にはカビが生えていて、どうやらその周りの菌は殺されているようだった。(59) フレミングはそれから何回か実験を行った。その結果は臨床的に有望とは思われなかったが、それでも彼は結果をまとめた論文を発表した。そして10年後、この結果を再発見したハワード・フローリーとエルンスト・ボリス・チェーンという二人の科学者が、フレミングの論文を見つけ、マウスを使った決定実験でペニシリンの抽出に成功した。そして１９４１年、ペニシリンが初めて実際の患者に使われた[60]。

元医師で作家のジェームズ・レファニュは、著書『*The Rise and Fall of Modern Medicine*（現代医学の盛衰）』で、そのあとに起こった医学的発見と革新の数々を列挙している。コルチゾン（１９４９年）、ストレプトマイシン（１９５０年）、心臓手術（１９５５年）、ポリオワクチン（同じく１９５５年）、腎移植（１９６３年）などなど[61]。さらに化学療法（１９７１年）と体外受精術（１９７８年）、血管形成術（１９７９年）が開発され、現代医学は、医師が病気に対して何もできず、一番の仕事は診断して患者に寄り添うことだったルイス・トマスの時代から、飛躍的な進歩を遂げた。臨床医学は、ついに基礎科学の恩恵を得られるようになった。

それでは、ここで少し意地悪な問いを考察してみよう。こうした臨床的発見に、科学的態度はもちろんのこと、科学はどのくらい貢献していたのか。レファニュはこの挑発的な疑問をもち出し、20世紀医学史の「決定的」瞬間の多くに共通点がほとんどないことを指摘した。レファニュによれば、「ペニシリンの発見は科学的推論の産物ではなく、単なる偶然だった」という。[62] しかし仮にそうでも、ほかの発見についても科学研究は直接関わっていなかったといわれるのは釈然としない。

レファニュは「科学的発見へ至る道のりは非常に多岐にわたり、また幸運や思わぬ発見をする能力に頼る部分も大きいため、一般化すると必ず疑わしく見える」と述べている。[63] ここで彼は、20世紀医学の飛躍は科学的研究の直接的な成果ではなく、「自然の贈り物」と捉えるべきかもしれないという（従来からある）考え方を掘り下げている。ストレプトマイシンの発見でノーベル生理学医学賞を受賞した（また、抗生物質という呼び名を考えた[64]）セルマン・ワクスマンが受賞後に述べた、抗生物質は「純粋に幸運な現象」だったという言葉は、単なる謙遜ではないだろう。しかしルファニュが指摘するように、こうした見方はかなり異端で、多くの人は間違いだと信じている。[65]

現代医学が飛躍的に発展したのは、「優れた科学」のおかげではなく「優れた運」のおかげだという発想は、正しいのだろうか。こうした見方はそう簡単には信じられないし、いずれにせよ間違った科学観に基づいている。科学は方法論的な取り組みで、一定のステップを一定の手順でこなせば、科学的発見が得られるという見方をしている人は、このような臨床医学の発見の数々が、科学のおかげかどうかは疑わしいと思うかもしれない。少なくともフレミングは、はっきりとした方法に従っていたわけではなかった。それでも、私がこの本で述べてきた科学のあり方を土台にすれば、19世紀終盤の飛躍的発展と20世紀初頭の臨床科学としての成果は、間違いなく科学的態度の賜《たまもの》だといえるはずだ。

まず、ペニシリンの発見は偶然だったという意見は単純に安直すぎる。確かにいくつもの偶然が重なった（夏のロンドンで涼しい日が9日間続いたことや、フレミングの研究室が菌を研究している別の研究者の部屋のすぐ上にあったこと、フレミングがペトリ皿を置き忘れて休みに入ったこと）末の発見ではあったが、それでもフレミングが皿を見て得た気づきは、誰でも得られるものではない。フレミングが特別な天才だったから得られた発見だと考える必要はないが、同時にこれを偶然の発見とみなす必要もない。ルイ・パスツールほどの医学界の偉人でさえ、「幸運は準備をしている者に微笑む」と言っている。

研究室でたまたま何かが起こったとしても、それを受け止める正しい心構えをもち、改めて深く調べることをしなければ、偶然はなんの利益ももたらさない。科学的態度をもつ人は、科学的な好奇心をもって（それが偶然出てきたものだったとしても）経験的根拠から学び、得た情報に基づいて、**もとの見解を変える**ことができる。成果という「果実」をもたらしたのが自然でも、それを認識して理解できるのは、科学的態度を備えているからだ。

外からの胞子に汚染されたために、ペトリ皿のある部分でブドウ球菌が増殖していないのを見て、フレミングは皿をごみ箱に捨てず、最初から実験をやり直した。臨床に応用しようとは思わなかった（ブドウ球菌を殺せるほどの力をもったものなら、患者も殺してしまうと考えた）が、それでも発見について論文を書いたことが、フローリーとチェーンの発見と、この現象の生化学的なメカニズムの特定につながった。[66] 個々の発想を集団として吟味したことが、発見につながったのである。

最終的に、チェーンとフローリーは古典的な実験を行って、ペニシリンがマウスの感染症治療に使えることを示した。レンサ球菌に感染したマウス10匹を二つのグループに分け、片方にペニシリン、片方に偽薬を与えたところ、「偽薬」側のマウスは死に、「ペニシリン」側は生き残った。[67]

ペニシリンの発見は偶然だったと言って学生を惹《ひ》きつけるのは簡単だが、この発見をきっかけに、無数の命を救える強力な薬が開発されたのは**偶然などではない**。それを可能にしたのは、粘り強さと柔軟な思考をもった何百人もの研究者が、適切な疑問を投げかけ、自分の説をテストできる実験を行ったからだ。というより「治療法の効果は**すべて**二重盲検無作為化臨床試験を通じてテストすべきだ」という現在の考え方は、医学研究者が科学的態度を備えるようになったことの特に大きな具体的な成果だとみなす人もいるかもしれない。科学的発見が得られるのは、単に現象をたまたま観察したからだけではない。起こったこと自体は偶然でも、それが再現性のある現象かをテストするから得られるのだ。

パスツールからペニシリンまでの80年（1860〜1940年）で、医学の世界の何が変わったのか。ポーターは、この時期に「医学界の積年の夢が実現した。主要な病気の原因について信頼できる知識が手に入り、それを土台に予防法と治療法が開発された」と述べている。[68] それができたのは、単に医学研究に科学革命が起こったからではない。

すでに見てきたとおり、パスツールとコッホ、リスターの画期的発見は、どれもあまりにも長く抵抗に遭い、誤解され、不当な扱いを受け、無視されたままだった。だから「知識があれば現場の医師はそれを見つけられるはずだ」と確信することはできない。ここで必要なのは、知識を実際の医療行為へ変換させる社会的な力だ。そしてその変換は、医学教育と医療行為の集団レベルでの実践に対する態度の変化に支えられていなくてはならない。

そして医師が自分たちを、個々の医療者の集まりではなく、医師という職業に就く専門家だと考えるようになったとき、さまざまなことが起こった。たとえば彼らは、お互いの研究に目をとおし、診療の仕方を吟味するようになった。革新的な知識や発見が抵抗に遭うことは依然としてあったが、このたびは抵抗する側が、同僚や自分が尽くすべき市民から、医師にふさわしくないとみなされるようになった。科学的態度を尊重する現場の医師が増え、個々の発想が厳しく吟味されるようになり、それによって科学的医学が誕生した。

この章のまとめ

医学の世界に目を向けると、根拠に対して経験的な態度をもち、さらにこの基準を受け入れた集団が、基準を使ってお互いの研究を批判するようになると、それまで迷信やイデオロギーに囚われていた分野が、現代科学へ生まれ変わっていく過程が見えてくる。科学として前進していきたいと思っている社会科学を始めとする他分野にとって、医学はよいお手本になる。科学的態度は過去の物理学と天文学（と医学）だけに通用したものではなく、今も通用している。科学的態度を用いるだけで、それまで科学ではなかった分野にも現代的な科学革命を起こせるのである。

それでも、科学的態度を真っ向から否定する人間がいるという問題は残っている。インテリジェント・デザインのようなイデオロギーに基づく信念は科学ではない、ということを理解していないらしい者たちや、科学の仕組みを根本的に誤解しているせいで、地球温暖化のように十分に論拠のある理論を、否定してばかりいる者たちだ。しかし、この問題は8章で取りあげることにして、まずは底辺にある問題に向き合わなくてはならない。この章では、科学的態度の最高の部分について見てきた。だから次の7章では、最低の部分を考えていこう。

第7章
科学が道を誤るとき
——研究不正などの過ち

科学的態度を大切にしている人にとって、研究不正行為は結論が見えすぎていてあまり興味の湧かない話題かもしれない。不正に手を染めるのはペテン師やうそつきで、科学的価値観を尊重していないのは明らかなのだから、それ以上に掘り下げる必要はないという見方だ。

それでも、私はこれはもっと慎重に検討するべきテーマだと思っている。不正とは何かをよく考えれば、逆に優れた科学的態度について理解できるだけでなく、不正とまではいかないが疑わしい研究についてもわかるからだ。不正とは何かを安直に捉えてしまうと、大事なポイントを見逃しかねない。それは、不正を行う人間のほとんどは、意図的に記録を改ざんしている自覚がなく、データによる裏づけはいずれ得られるのだから近道をしても構わないと感じているだけだという点だ。その発想自体もさまざまなレベルでまずいのだが、ここで大事なのは、不正が、方法の問題なのか、それとも態度の問題なのかという部分だ。

手順をいくつか省いても構わないと思うのは、のちの不正につながるきっかけなのか、それともこの思考がすでに不正なのか。不正を考えるうえでは、行動だけでなく意図が重要になる。最初は改ざんの意図はなかったのに、結局は実験に必要なデータをでっちあげることになった人間は、どの時点で道を外れたといえるのか。５章で解説した（P値ハッキングやデータの意図的な選別のような）ずさんな研究の進め方と、不正としか言いようがないデータ改ざんや捏造《ねつぞう》とのあいだには、何か関係があるのか。一種の規範である科学的態度は、この問題を解決する糸口になる。

しかしまずは、最悪の問題に向き合おう。研究不正とは、科学的記録の意図的な捏造や改ざんを指す(1)。単なる手違いは、欺こうという意図のないミスであり、研究者の科学に対する姿勢は問われない。しかし意図的に過ちを犯す不正では、当然ながら科学的態度を守ろうとしていたかが問われる。科学のようにオープンかつ相互依存的な活動では、こうした行為は許されない。科学者たるもの、広い視野で経験から誠実に学ぶ姿勢をもたなければならないが、不正は、それよりも自分自身や自分の都合を優先させる行為だ。イデオロギーや金銭、自尊心、自己利益などは、根拠より優先してはならないとされる。

「科学的なアイデアがひらめく経緯はさまざまなのだから、科学に異端はない」という考えもあるが、不正は本当の意味での科学の異端にあたる。それは**理論**が違うからではなく、その理論が捏造されたデータに基づいているからだ。不正が単なる過失よりもずっと悪質とされるのは、不正は意図的な行為で、科学的態度への裏切りにほかならないためだ。

単なる誤りなら、科学を大きく脅かすことはない。経験的根拠から学ぶ正しい態度を備えている限り、科学は誤りに十分対応できる。科学の歴史はミスの連続だ。もっとも私は、「我々がもつ科学的見解は、長期的には必ず誤りだとわかるものだ」という悲観的帰納法に話をもっていきたいわけではない。[2] 科学には、何世紀も分野の前進を阻んだ誤りや行き止まりが無数にあったという話だ。フロギストン説にカロリック説、エーテル理論。それでも、こうした誤りは決して不正ではない。むしろ、そのうちいくつかは、科学理論の刷新に重要な役割を果たした。フロギストン説がなければ酸素は見つからなかったかもしれないし、カロリック説がなければ熱力学の理解も進まなかったかもしれない。

科学は研究者が誤りから学ぶ分野で、科学的態度を尊重して根拠を追っていれば、誤りはいずれなくなる。不正についても同じように、科学に自浄作用が備わっているなら、必ず発覚して修正されるはずだと考える人もいるだろう。しかし、**意図的な**過ちの結果を追いかけるのは、途方もない時間とエネルギーの無駄でしかないから、ほとんどの科学者は、そこは区別して考えている。不正が**軽蔑**されるのは、その結果がまずいだけでなく、科学的な価値観への違反としても問題だからだ。自然自体が繊細である以上、科学者による欺きからもたらされる、余計な問題に構っている暇はない。

とはいえ、誤りが発生する理由がもう一つあることは理解しておかなくてはならない。不正と誠実な誤りとのあいだには、動機の判断がしにくい微妙なゾーンがある。5章で話したように、不正だけでなくずさんな研究手法や認知バイアス、意図的な無知や怠惰も誤りの原因になる。科学的態度が、その影響を緩和する確実なツールになることはわかってもらえていると思うが、それでも、不正は科学的態度への最大の侮辱だという話を始めた今のタイミングで、この問題を再び取りあげてみよう。意図的な動機とそうでない動機という観点から、これらの誤りをどう分けたらいいのか。

カギになるのが、不正の定義の中身を明らかにすることだ。不正の定義を科学的データの**意図的な**捏造や改ざんとした場合、そこには二つの読み方がある。

（1）不正をはたらいた人間は、意図的にデータの捏造や改ざんを行った。

（2）意図的にデータの捏造や改ざんを行った人間は、不正をはたらいたことになる。

すでにわかっていると思うが、一方の文から他方の文が論理的に導き出されるわけではなく、ゆえに片方は正しいがもう一方は間違っているケースもありえる。しかし、今回は両方が真と私は考える。不正は必ず意図的な行為を指す。（この章の注1で述べた）「不適切な研究行為」を広い意味で捉えた場合、「誠実なミス」や「意見の違い」を原因とした誤りは、不正にはあたらない。不正は、必ずだます意図をもったものでなければならない。そのうえで、意図的な捏造や改ざんが**不正と呼ぶに足る**かを考える必要がある。答えはイエスだ。意図的な捏造や改ざんは単なる誤りではなく、定義から言っても偶然に生じるものではありえない。だから手を染めた瞬間、その行為は自動的に不正とみなせる。そう考えると、不正の定義は（1）と（2）を組み合わせた「不正をはたらいたことになるのは、意図的にデータの捏造や改ざんを行ったとき、かつそのときに限る」という双条件《そうじょうけん》的なものにするべきかもしれない[3]。それでもまだ、「意図的」という言葉をどう定義するかという、重要な疑問が残っている。不正の特徴づけをもっとはっきりさせてこの点を明らかにする方法はないものだろうか。

　そこで次は、科学的態度が、研究不正の概念を理解する助けになるかどうかを見ていこう。この本を通じて私は、科学的態度は科学を特徴づけるものだと、そして科学的態度こそが、科学の特別さや科学的見解が特別な論拠をもつ理由を理解する材料になると主張してきた。そして、不正は科学に対する最悪の罪だと言った以上、不正は科学的態度の完全否定だというように見えるだろう。しかし、この主張にも以下の二つの解釈がある。

（３）不正をはたらいた人間は、科学的態度を備えていない。
（４）科学的態度を備えていない人間は、不正をはたらいたことがある。

ここには明らかな問題があり、（3）は正しいと思うが、（4）は正しくない。具体的に見ていこう。（3）については、不正をはたらく人間が科学的態度を備えていないのは明らかに思える。データの捏造や改ざんは、経験的根拠を大切にし、それを土台に見解を変えることをいとわない姿勢と真正面からぶつかる。では（4）はなぜ誤りなのか。このケースは微妙で、（4）が正しい可能性のある場面もあるが、大事なのは、すべての事例で必ず正しいとはいえないということである[4]。

「科学的態度を備えていない人間は、不正をはたらいたことがある」というためには大きな仮定が必要になる。第一の仮定として、これが成り立つには研究対象が経験的分野である必要がある。たとえば文学者が科学的態度をもっていなくても何も問題はない。次に、経験的研究を行う人間が間違った態度をとっていたら、その人の行動は絶対にそうした態度に基づいているという仮定が必要だが、こちらも、現実の人間の振る舞いを見れば、常に当てはまるとは限らないことがわかる。そして最後に、意図の問題がある。先ほどの（2）では、意図的な過ちを犯す人間は不正をはたらいているとみなせるが、科学的態度をとらないことに意図がどのくらい入るかは人によってさまざまで、理由も多岐にわたる。

５章でも見たように、研究者が無意識の認知バイアスに影響されている場合もある。単純にずさんで怠惰な人間の場合もある。だからといって、そうした人間の研究が不正になるとは限らない。当人にはよくわかっていないさまざまな心理的理由があって、科学的態度をもたないことが、その人の落ち度とはならない場合がありうる。科学的態度への違反は、意図的とは限らない。

しかし、重要なのは以下の問いだ。ずさんな研究を**意図的に**行ったり、（５章で批判したような）Ｐ値ハッキングやデータの意図的な選別のような、公明正大とはいえないやり方を採っているからといって、その人物が不正をはたらいていると即座にみなすことはできない。それはなぜか。それは不正を判断する際に、意図的かどうかだけでなく、捏造や改ざんが行われているかどうかも確認しなければならないからだ。我々がここで用いる不正の定義は、科学的データの意図的な捏造や改ざんだ（双条件的な関係なのも忘れてはならない）。Ｐ値ハッキングが通常は不正とみなされないのは、初めから不正をしようとしてハッキングを行ったわけではないからだ。Ｐ値ハッキングはどんなに悪質な誤りに見えようとも、データの捏造や改ざんではない。科学者仲間を**誤った方向へ誘導しようとしている**かもしれないとしても、根拠をでっちあげてはいない。公表できる結果が出るまでデータ収集を続ける行為も、改ざんとまではいえない[5]。

うそをつくという行為と比較するとわかりやすいかもしれない。うそとは、間違っていると知りながら間違っていることを言う行為だが、人にはうそは言っていないが、すべての真実を正確に伝えているわけではない場合がある。不誠実極まりないとしても、うそとは少し違う。これとまったく同じことが、好ましくない研究行為と不正の違いにもいえる。P値ハッキングや選別したデータの報告などが、一般的な定義によると「好ましくない研究行為」とみなされても不正とはみなされないのは、データの捏造や改ざんではないからだ。これらは完全に誠実な行動ではなく[6]、意図的にだまそうとしているが、不正とまではいかない。科学的態度に対する罪かもしれないが、まったくの重罪というわけではないのである。

もしそうした行為が意図的に行われたとしたら、やがては明るみに出て、ほかの研究者のそうした行動を抑える抑止力となることを期待したいし、（不正がなぜきわめて悪質かを教える）科学的態度は、そのためのツールになるかもしれないが、だからといってそうした行為と不正とを混同していいわけではない。

科学的態度は一定の範囲をもつもので、一方の端には完璧に高潔な研究が、逆の端には研究不正があると考えるべきかもしれない。不正の判断基準は、データの意図的な捏造や改ざんがあったかどうかだ。ミスが意図的でなかったり、間違った方向に誘導してはいるが捏造や改ざんとまではいえない場合は、基準を満たさない。科学研究の「自由度」に対する「軽罪」の数々は後者に分類しよう。[7] 科学的態度は度合いのあるもので、０か１００かではない。

不正とは、研究者が科学的態度に違反し、さらに、その振る舞いが捏造や改ざんのレベルに達しているときに起こるものといえるかもしれない。それでも、科学的態度に問題のある研究者が、不正に手を染めるところまではいかないケースはありえる（つまり、科学的態度への裏切りは不正の必要条件ではあるが、十分条件ではないようだ）。

しかし線引きが大切とはいっても、不正にならなければ「なんでも構わない」というわけではない。科学の特別さの証明である科学的態度は、ずさんな研究と研究不正の両方の場合に使えるものでなくてはならない。

この章では科学的態度を使って、不正の何がそんなに悪質なのかをいっそう理解し、また不正とその他の科学的態度の不順守との境界線を管理することを目指す。また科学的態度の理解には多くのメリットがあり、不正とまではいかないがずさんな研究を見つけ出し、止める力になることも示せればと思っている。5章でも話したように、科学的態度はあらゆる種類の誤りを見つけ出し、それらと戦う力になる。しかしそれには、それぞれの誤りの本質を理解しなくてはならない。科学においては、完全な誠実さに至らない行為はすべて許せないと感じる人もいるだろう。そうした科学的態度への肩入れは称賛すべきだが、それでも科学は、科学者が(理由はどうあれ)、ときに誤った行動をとるなかでも生き残っていかなくてはならない。

不正が起こるわけ

データを無からでっちあげるという、科学不正行為のステレオタイプは必ずしも正しくない。もちろんそういう輩《やから》もいて、そうした不正は特に悪質だが、種類はこれだけではないし、最も一般的というわけでもない。同じように罪深いのが、経験的な問いに対して自分がすでに答えを知っていると思い込み、さまざまなプレッシャーに負け、時間をかけてきちんとデータをとる手間を怠る人間だ。

物理学者のデイヴィッド・グッドスティーンは、名著『*On Fact and Fraud*（事実と不正について）』で、不正の調査に長年携わってきた人間による実例分析を数多く紹介している。[8] グッドスティーンはまず、科学には自浄作用が備わっているから、科学というプロセスに（意図的か、無意識かにかかわらず）侵入してきた虚偽は必ず発覚するという、従来どおりの見解を述べる。[9] そのうえで以下のような、相当に挑発的な主張をする。[10] 彼の実体験では、不正に手を染めるのは、科学のなかに意図的に**虚偽**を紛れ込ませようとする人間というよりは、正しいとみなされると「わかっている」**真理**への近道をとることで、「科学の前進を助け」ようとしているつもりの人間なのだそうだ。[11] これは、不正に対するステレオタイプな見方を再考するきっかけになる意見だ。[12] もちろん、科学にわざとうそを紛れ込ませようという不正もあるが、右のような「手助け」はどう扱えばいいのか。おそらく彼らはうそつき（意図的に虚偽の主張を行う人間）というより、近道を使ってほかの人を出し抜けると考える、尊大でせっかちなエゴイストに近い。そう考えると、研究不正とは単に動機の悪質さの問題ではなく、「自分は近道を使って科学を行ってもよい」と考える傲慢さの問題といえる。

知識の探求を行う際の傲慢さの危険性については、驚いたことに、科学が生まれる以前から指摘していた人物がいる。プラトンは（ソクラテスを通じて）、真理を探求するうえでは、単なる誤りよりも間違った思い込みのほうが脅威になると主張している。[13] ソクラテスは、メノンやエウテュプロンなど自分では何かを知っていると思い込む者が、その実、自分が語っている内容について何も知らなかったことを暴いた。この点がなぜ重要なのか。ソクラテスが自分は答えをすべて知っていると感じていたからではない。ソクラテスはしばしば自分の無知を告白している。重要なのは、単純な誤りから学ぶほうが、間違った思い込みから抜け出すよりも簡単だという点だ。誠実なミスなら周囲に修正してもらえる。無知を受け入れれば学んでいける。ところが自分はもう真理を知っていると考える（そう思うから近道をしたくなる）と、真理を見逃すおそれがある。科学的態度は強力な武器だが、傲慢さもあなどれない強敵だ。自分は何も知らないという深い謙虚さと控えめな姿勢こそが、科学的態度の要点になる。それに背いた時点で、その人物はもう不正への道を歩み出している[14]。

では、真理への道を急ぎたいからというだけの理由で不正をはたらいた人間は、少なくとも態度は正しいといえるのだろうか。そんなことはない。正義の名の下に私刑《リンチ》を加える人間が正しくないのと同様に、近道をとって「真理を拙速に明らかにする人間」は、行動だけでなく意図も間違っている。いわゆる善意の不正であっても、意図をもってだましているのに変わりはない。不誠実さは、行動だけでなく心構えにも表れるのだ。不正は根拠の**意図的な**捏造や改ざんで、その目的は、自分が信じさせたいものを他者に信じ込ませることにある。しかし、きわめて厳密な方法で根拠を集めなければ、論拠は得られない。たまたま正しいだけで正当性のないものは知識ではない。ソクラテスが『メノン』で「正しい意見と知識は異なる[15]」と述べているように、知識とは正当性をもった正しい見解だ。だから、科学的手順を省いてでも自分の見解を形にしようとするのは、たとえその見解が正しくても不正にあたる。動機はどうあれ、不正に手を染める人間は、それが科学のあるべき姿ではないと頭ではよくわかっているのに、不正をする。意図が「虚偽を紛れ込ませる」ことか、「真理へ至る手助けをする」ことかは関係ない。「自分が正しいと思う」傲慢さがあるだけで、結果だけでなく過程にも不正をはたらいていることになる。そして科学には偶然の発見や驚きがいっぱいなのだから、間違った思い込みがもたらす危険はそこかしこに潜んでいる。

あいまいな線引き

不正を判断するうえで問題になるのが、不正にまつわるまわりくどい言い回しだ。不正が明らかなときでも、問題視された人物の学者としてのキャリアがかかっていることを承知している大学は、「不正」や「盗用」といった言葉を使いたがらない場合がある。(16) 不正が発覚した(場合によっては疑われるだけでも)人間は科学界から「破門」されたも同然になる。評価は地に落ち、過去の研究成果は(不正であってもなくても)すべて疑問視される。同僚や共著者には疎《うと》まれ、政府の予算を不正に使用したり、法律の厳しい国に住んでいたりした場合は、収監されることとさえある。[17] しかし刑事罰よりも、研究者仲間からの評価のほうが影響は深刻で（少なくともより確実で）、ひとたび着せられた不正の汚名はそそぐのが非常に難しい。[18] 不正が発覚した人間は、科学の世界から去らなくてはならないのが通常だ。

最近の例は、ハーバード大学の元心理学教授で、大学とアメリカ国立衛生研究所の研究公正局（ＯＲＩ）の調査対象になったマーク・ハウザーだろう。大学による内部調査の結果は伏せられたが、ＯＲＩの調査報告はのちに公表され、あるグラフの半分のデータが捏造だったことがわかった。別の論文にも一部のデータの「コーディングに改ざん」があり、また別の論文にも「実験結果のコーディング方法に誤った記述がある」など、問題は次々に見つかった。これが不正でなくて何なのかといえる状況だったが、それでもＯＲＩの調査結果が出る前のハーバード大学は、ハウザーがこう釈明することを許した。研究結果にミスがあったのは、「仕事量が膨大だった」ためであり、「自分が直接に関わっていたか、そうでないかにかかわらず」、責任をとるつもりだと……。当初、彼は休職だけの予定だったが、結局は教授陣の投票によって教壇に立つことを禁止され、ひっそりと辞職した。その後は危機的状況にある若者の更正プログラムに携わった。[19]

不正を含めたよくない行為を幅広く指す言葉として(もしくは不正の遠回しな言い方として)、「不適切な研究行為」というのがよく使われているが、この言葉が、意図的な不正と意図しない不正の境目をあいまいにしている。ずさんで軽率な行為は不適切な研究行為に含まれるのか。データの捏造や改ざんと不適切なデータ保管を、同じ枠に入れていいのか。これは実際的な問題で、大学が規則を考えるとき、不正に関する規則と不適切な行為に関する規則とでは、内容が変わってくる可能性がある。グッドスティーンが著書で示しているように、後者には、学内の研究者にはやらないでもらいたいし場合によっては処分の対象になるかもしれないが不正にはあたらないという、非標準的な研究手法に関する文言が盛り込まれるかもしれない。

グッドスティーンは「科学界には、広く受け入れられているわけではないが、研究不正にはあたらないし、不正とみなすべきでもない研究手法が数多くある」と述べている。[20] では、これがどういう影響を及ぼすのか。どうでもいい話だと思う人もいるだろう。「データ保管・保持の不備」、あるいは「つじつまが合わないデータの未報告」、「データの拡大解釈」などの悪質な研究手法は、どれも科学的態度への違反にあたるという意見だ。それでもすでに述べたように、科学的態度は０か１００かで測れるものではない。「主流から外れた[21]」研究手法は、やめるべき行為に入るのか。仮にそうだとしても、そうした行為と不正とを区別しなければ大きな問題になりかねない。

明確な線引きがなければ、研究者自身でさえ、自分が不正に手を出しかけていることを自覚できないおそれがある。常温核融合の例をもう一度考えてみよう。二人の研究者は、まわりをだまそうとしていたのか、それとも自己欺瞞《ぎまん》に陥っていただけなのか。そして、その二つをはっきり分けることはできるのか。[22] 社会学者のロバート・パークは著書『わたしたちはなぜ科学にだまされるのか——インチキ！ブードゥー・サイエンス』（主婦の友社、２００１年）で、自己欺瞞は知らず知らずのうちに不正へ発展していくと主張する。[23] ほとんどの人は「そんなことはない、不正は意図的なものだ」と言うだろう。グッドスティーンも、自己欺瞞を始めとする人間の弱点は、不正とみなすべきではないと述べている。

自然の振る舞いに対する解釈の誤りは、不適切な科学などではない。これらは自己欺瞞や誤解、非現実的な想定、不備のある実験の実施といった、科学者が道を誤るパターンについて教えてくれる。しかしこれらはどれも、まさに人間的な弱点であって、不正ではない[24]。

おそらく私たちには、別の区分が必要だ。グッドスティーンは、常温核融合は不正ではないとしても、アーヴィング・ラングミュアが言うところの「病的科学」に近いもの、つまり「自分が正しいことをしていると常に思い込んでいる人間による、自己欺瞞をきっかけとした愚行」だと主張している[25]。パークとグッドスティーンはどちらも正しく、自己欺瞞は不正**ではない**が、不正へ続く道の一歩なのだろう。最初は自己欺瞞だったものが、のちに（傲慢さなどに）変化し、不正へつながっていくことがあるという発想は、真剣に受け止める必要がある。問題は、自己欺瞞をずっと放置していると、優れた科学のあるべき姿に対する態度も堕落していくかどうかだ[26]。

また、この章が行っているように、意図的な不正だけを問題視する場合でも、不正へ至るさまざまなパターンを考察するのはいいことかもしれない。自己欺瞞や認知バイアス、ずさんな研究手法、病的科学は、**不正にはあたらない**と考える場合でも、危険であることに変わりはない。野放しにしていると、科学的態度を尊重しようという意思が薄れ、**不正につながりかねない**からだ。だからといって、不正はやはり別次元の悪行だし、大学は**本物の**不正と、単にやってもらいたくないことの区別を、規則で明記すべきだ。私たちは、経験から学ぶことについて申し分のない態度を備えるよう、研究者に求めていい。常道から外れた疑問の残る研究手法を採る人間と、不正をはたらく人間は、分けて考えなくてはならないとしても。

線引きのあいまいさ、そして明らかな場合でも「不正」という言葉を使うのを嫌がる傾向がよくないのは、不正に手を染める人間が、不適切な行為というぼんやりした表現の裏に身を隠し、口では過ちを認めつつ、本当の意味では不正の責任をとらないということがまかりとおるからだ。これはほとんどの誠実な科学者だけでなく、**（明らかな）**

不正はしていない人間のためにならない。完全な不正ではない（データの保管方法の誤りなどの）ただミスを犯しただけの研究者にも、科学界から強い疑いの目が向くようになるからだ[27]。不正を単に不適切な研究の一つと定義したり、「不適切な研究」という言葉を不正の婉曲《えんきょく》表現として使うことは、誰のためにもならない。

科学的態度を我々の基準にするなら、見つけた不正は必ず名指ししてさらすべきだ。それがほかの研究者に対する抑止力と、科学全体の高潔さが守られているシグナルになる。

> 私たちは、そうした悪い行いをする者たちを監視して見つけ暴き出す一方で、同時に非難されてもしかたがない人間以外に批判が及んだり、問いと探究の自由が意図せず制限されたりしないようにしなければならない。その二つは、科学の進歩を長いあいだ特徴づけてきたものだ[28]。

不正の嫌疑が表に出た人間は、即座に確実に処分されることもある（そうあるべきだ）が、まずは隠ぺいに気をつけるべきだ。（大学側の）隠ぺいしたくなるプレッシャーはわかるが、その行為は科学の信用を傷つける。というのは非難されるべき人間がきちんと非難されず、言い逃れや隠ぺいが多発しているように思われると、単に**告発されただけ**の人間が不当な罰を受けるという、意図しない結果を招くおそれがあるからだ。

不正をした者のなかに罰を受けない者が出てくると、告発されただけで有罪だと思われる風潮になりかねない。すでに紹介した再現性と論文撤回をめぐるスキャンダルを見ると、そのことがよくわかる。科学ではときに誤りが発生する。研究のなかには、不正とはなんの関係もない理由で再現できず撤回されるものがある。しかし何が不正で、何がそうでないかを分ける明確な線引きがなく、「不適切な研究」のようなどっちつかずの言葉の裏に隠れる件が出てくると、状況にいらだった人は（論文の撤回のような）外面的な出来事だけを見て、よくない意図があったのだと思い込みやすい。すると一部の本物のペテン師が逃げのび、不正をしたわけではない研究者が、誤って非難されることになる。科学にとってはいいことなしだ。

その点、大学のような組織ではなく科学者自身に管理を任せれば、実際の不正を名指しし、誰を罰するべきかがあいまいになることは、通常はない。実際、科学的態度を用いる一つのメリットが、不正に対して科学者が非常に厳しい視線をもっていることの説明になっている点だろう。科学的態度を科学の欠かせない特徴として挙げる機会が増えるほど、優れた科学とよくない科学との境界を、科学者がパトロールする仕事も楽になっていくはずだ。[29] それを疑問に思う人もいるかもしれない。個人の発想を集団で吟味するという科学のプロセスがそれほど優れているなら、意図的か無意識かを問わず誤りはいずれ必ず発覚するはずだ、と。しかしその見方は、大事なポイントを見逃している。科学における品質管理のほとんどは、まさに自分で自分の仕事を吟味することから成り立っている。科学がまわりを欺こうとする者ばかりが集う(そして査読者の仕事がそれを捕捉する)不誠実な取り組みであったなら、科学は破綻する。だからこそ、不正はそのほかのミスとは区別して認識するべきだ。不正は、科学者をまとめあげる価値観への違反なのだから。

ワクチン接種と自閉症をめぐる大騒動

ここからは、研究上の不正が科学者だけでなく、日々の暮らしのなかで科学を判断材料にしながら生きている多くの人にも影響するものだという事例を見ていこう。１９９８年、アンドリュー・ウェイクフィールドという名の医師が、イギリスの権威ある医学雑誌『ランセット』に12人の共著者と書いた論文を発表した。その論文は、新三種混合ワクチン（ＭＭＲワクチン）と自閉症の発症との関連性を主張するものだった。事実なら自閉症研究を大きく発展させる大発見だ。もっと詳しく教えてほしいという一般市民とメディアの希望で、ウェイクフィールドは数人の共著者とともに記者会見を行った。この時点で、研究の信憑性《しんぴょう》にはすでに疑問の声が出ていた。のちに明らかになるとおり、論文はわずか12人の子どもという、きわめて小さなサンプルを使っていた。対照群もなく、研究対象の子どもは全員ワクチンを打ち、かつ自閉症を発症していた。これは普通の人には両者の因果関係を示すよい根拠に思えるかもしれないが、統計の訓練を積んだ人間ならすぐに疑問を感じる。まず、子どもたちはどんな経緯で研究対象になったのか。この疑問が重要なのは、ウェイクフィールドらの手法が、二重盲検無作為化臨床試験（サンプルの半分だけを無作為に用いて仮説をテストするやり方。調査側も被験者も、誰がその半分に入っているかは知らない）とはかけ離れたもので、「症例対照研究」（問題にしている現象にもともとさらされている対象を、まず調査するやり方[30]）ですらない単純な「症例集積」研究、つまり誕生日がたまたま同じ人を何人か見つけ、彼らのさらなる相関関係をさぐっていくようなやり方だったからだ。当然、最後の手法は特定の傾向をもつ集団だけを選びがちな「選択バイアス」の影響を受けやすい。さらに研究では、ワクチンと自閉症の相関関係の根拠とされるものの大半は、ワクチン接種後に短期間で自閉症が発症したということだったが、データの出どころは両親の記憶だった。

どれも、ほかの研究者が疑問をもつのに十分な問題点だった。そして実際、疑問は出た。それから数年間、世界中の医学研究者が複数回の研究を行い、ウェイクフィールドらが主張したワクチンと自閉症の関連が再現できるかを確認した。推測の大部分は、MMRワクチンに含まれるチメロサールが、水銀中毒を引き起こしているのではないかというものだった。いくつかの国は念のため、研究の結果が出るまでチメロサールの使用を禁止したが、最終的にはどの研究でも両者の関連性は見つからなかった。

フィンランドの疫学者は、200万人以上の子どもの医療記録を調べたが……MMRワクチンが自閉症の原因になるという根拠は見つからなかった。加えていくつかの国では、アメリカに先んじてワクチンの成分からチメロサールを取り除いた。しかし、デンマークやカナダ、スウェーデン、イギリスなどで行われた研究のほぼすべてで、チメロサールを除いたあとの1990年代を通じて、自閉症の診断を受ける子どもの数が増え続けていたという結果が出た。合計では10の別個の研究で、MMRワクチンと自閉症との関連性は見つからず、ほかに六つの研究グループも、チメロサールと自閉症とのつながりは見つけられなかった。(31)

その間そもそものウェイクフィールドの研究についても、衝撃的な事実がいくつか明らかになった。2004年、ウェイクフィールドがある弁護士から支払いを受けていることが発覚したが、その弁護士はMMRワクチンの製造企業を相手に大型訴訟を起こそうとしていたのだ。さらに悪いことに、研究対象の子どものほぼ半数は、その弁護士を通じてウェイクフィールドに紹介されていた。極めつけに、ウェイクフィールドは論文を発表する直前、昔ながらのMMRワクチンと競合するワクチンの特許を申請していた。[32] 単なる選択バイアスといったレベルではない、大規模な利益相反が判明し、ウェイクフィールドの動機にも数々の疑問が投げかけられた。数日とたたず、共著者のうち10人が論文から降りた。

しかし、ときすでに遅しだった。市民は研究のうわさを聞きつけ、ワクチンの接種率は下がり始めていた。アメリカのオレゴン州アシュランドでは、ワクチン接種の拒否率は30％にのぼり、カリフォルニア州マリン郡では、接種拒否の割合が、州のほかの地域の3倍に達した。[33] そうやってワクチンに拒絶反応を示す人が増えるなかで、医師は「集団免疫」が獲得できるかを不安視するようになった。接種率がかなり下がった以上、ほとんどが接種を受けている集団に残った少数の非接種者が得られる「ただ乗り」効果にはもう期待できなくなったからだ。結果は惨憺《さんたん》たるものだった。ほぼ根絶したはずのはしかや百日咳《せき》、ジフテリアなどが復活し始めたのだ。

（はしかは）知られているなかで最も感染力が高いウイルス性の感染症であり、歴史上、ほかのどの病気よりも多く子どもの命を奪ってきた。ところが世界保健機関（ＷＨＯ）がドミニカ共和国とハイチを除く南北アメリカ大陸での実質的な根絶を宣言してから10年後に、ワクチンの接種率が下がったことで、世界各地で感染爆発が起こった。イギリスでは２０００年以降、感染例が１０００倍以上に激増した。アメリカでも、イリノイやニューヨーク、ウィスコンシンといった最も人口の多い州で感染が急拡大した。[34]

この話題を盛り上げようと、多くのメディアがワクチンをめぐる「論争」の「両陣営」の意見を伝えようとしたこともまずかった。[35] その一方で、自閉症の子どもをもつ親の多くは、ウェイクフィールドの研究の異常な点を気にかけなかった。ウェイクフィールドは世界をまわって講演し、英雄視された。『ランセット』誌がようやく論文を（２０１０年に）撤回し、ウェイクフィールドがイギリスで医師免許を剥奪されると、陰謀論が駆けめぐった。なぜ彼の研究が封殺されなければいけないのか。怒った親たちは（ハリウッドのセレブも数多くいた）すでに自らを組織化していて、隠ぺい工作を疑い、憤った。チメロサールが危険じゃなかったなら、なぜ取り除かれたのかというのである。

そして2011年、ウェイクフィールドの研究は不正だったという、決定的な報道が出た。前述の重大な利益相反に加え、ブライアン・ディア（この件を調査した記者で、2004年の暴露記事の多くを担当していた人物）がようやく、ウェイクフィールドの研究対象だった子どもたちの両親にインタビューをし、医療記録を調べる機会を得た。結果は「すべてのケースに誤報告や改変が見られる」というショッキングなものだった。[36]ウェイクフィールドは、医療記録に一つ残らず手を加えていた。

退行性自閉症と報告されている9人のうち3人は、そもそも自閉症の診断を受けていなかった。間違いなく退行性自閉症だったのは、たった一人だった。論文では、12人の子どもが「もともとは普通だった」とされているが、5人は以前から発達についての懸念があると記録されていた。

何人かの子どもについては、MMRワクチンの接種から数日で行動に自閉症の症状が表れたと報告されているが、医療記録では、症状は接種から数カ月後に始まっていた。

論文では、８人の子どもの両親が自閉症はＭＭＲワクチンのせいだと話していると報告されていたが、実際には11家族が病院でそう主張しており、うち３家族は接種から発症の報告までに数カ月の時間があった。その３家族を除外することで、チームはワクチン接種から14日間で自閉症が発症するというつながりがあるように見せかけていた。

調査対象の親たちは、ＭＭＲワクチンの反対運動によって集められ、研究はのちほど訴訟を起こすことを前提として始められ、資金拠出を受けていた(37)。

『ブリティッシュ・メディカル・ジャーナル』誌（おそらくイギリスで『ランセット』に次いで権威ある医学雑誌）は、ディアの調査を不正の決定的な根拠として認めるという異例の判断を下し、査読後に論文として出版した。そして論文に寄せた論説で、「データ改ざんの明らかな根拠が見つかった今、今回の有害なワクチンへの恐怖に終止符を打つべきだ」と結論づけ、ウェイクフィールドの研究を「巧妙な不正」と呼んだ。[38] 雑誌はこう述べている。

今回の不正をはたらいたのはいったい誰なのか。ウェイクフィールドなのは間違いない。「彼は間違っていたが、不誠実だったわけではない」という可能性はあるだろうか。つまりプロジェクトを偏りなく説明できないほど、あるいは12人の子どもの症例を一つも正確に報告できないほど、彼が無能だった可能性はあるだろうか。その可能性はない。論文を書くときに彼は、その思考と労力の多くを、自らが望む結果をもたらすことにつぎ込んだに違いない。論文の記述と実体の食い違いはすべて同じ方向を指している。誤報は甚だしいものだ。[39]

数カ月後、別のコメンテイターはウェイクフィールドの不正を「ここ100年で最も医療に痛手を与えたでっちあげ」と呼んだ。[40] 2015年前半になっても、はしかの感染爆発はアメリカで続いていて、14州にわたって100件以上の事例が確認されていた。[41]

このように科学での不正は醜く、また甚大な影響が出ることがある。[42] それでもこの話で最も興味深いのは、不正と断定される以前に、科学界がウェイクフィールドの研究をこぞって激しく非難していたことだ（対照的に、メディアのせいで一般市民は残念ながら混乱するか、あえて無視するかだった）。なぜか。不正が必ず意図的なのだとしたら、科学界はどうやって、データ操作の証拠が見つかる前に意見の一致に達したのか。その答えは、不正が意図的な不適切行為のなかで最も悪質なものだとはいえ、だましの手口はほかにもあるからだ。ウェイクフィールドが重大な利益相反を隠していたことが明らかになったとたん、彼の意図は疑わしくなった。経済的利害が研究に影響している証拠が見つかっていなくても、煙が激しく立っているのを見て、ほとんどの科学者が、その向こうでは炎が燃えさかっていると考えた。ウェイクフィールドが科学研究の中核となる原則、つまり利益相反の可能性のあるものは事前にすべて示しておかなければならないというルールに違反している以上、多くの研究者がこれを好意的に解釈するわけにはいかないと結論づけた。そして、その考えは正しかった。それでもこの件で残念だったのは、そうした科学界の自浄作用の影響が、一般市民の隅々にまでは届かなかったことだった。[43]

最後は明るいトーンで

最後はもう少し明るく締めくくろう。この章では、おそらく科学の最も醜い面に目を向けた。とはいえ、自分の理論がうまくいかないとわかったとき、科学者はどうすればいいのだろう。特に締め切りやキャリアの大きなプレッシャーにさらされ、それでも理論に反するデータばかりが集まってくるとき、科学者はどうすればいいのだろうか。

アンドリュー・ウェイクフィールドの論文が発表される数年前、アンドリュー・ラインというイギリスの無名の天文学者が、ジョージア州アトランタで行われたアメリカ天文学会で、数百人の仲間の前に立っていた。ラインが会議に招待されたのは、パルサーの周囲を公転する惑星を発見したという、驚きの論文を出したからだった。パルサーは星が超新星爆発を起こしたあとに残る天体で、理論的には軌道の近くにある物体はすべてすでに破壊されているはずである。それにもかかわらず、結果を再チェックしたあとも惑星はそこにあった。そのためラインは論文を、権威ある『ネイチャー』誌に掲載した。ところがそのあとで問題が起こった。アトランタへ向かう数週間前、ラインは地球の公転軌道が真円ではなく楕円である事実を忘れ、致命的な計算ミスを犯していたことに気づいたのだ。物理学科の1年生がやるようなミスで、それを考慮に入れて修正すると、「惑星は消えた」。それでもその日、仲間の前に立ったラインは言い訳をしなかった。そして自分が何を発見し、なぜ間違ったかを話して、スタンディングオベーションを受けた。そのときのラインについて、参加したある天文学者は「自分が見たなかで一番立派だった」と話している。「優れた科学者は自分自身に対して冷酷なほど誠実なのだ。今回はそれを目撃できた[44]」と。

これこそ、真の科学的態度の精神だ。

第8章

裏通りの科学

――否定主義と疑似科学というペテン

この章では、不正の問題を離れて否定主義や疑似科学の問題に目を向ける。不正は科学的基準を受け入れたうえで意図的にそれに違反することだが、否定論者や疑似科学の信奉者とは、科学的根拠という基準を誤解したり、気にかけていなかったりする人間、もしくは自分たちのイデオロギーに影響しないレベルまでしかそれを尊重しない人間である。

多くの科学者にとっては信じられないことに、近年、科学者が出した経験的テーマに対する結論が、直観やイデオロギーだけを頼りにした連中に疑問視されることが増えている。これは不合理かつ危険な状況だ。進化論や気候変動、ワクチン接種に対する否定主義を、科学的発見と矛盾する経済的、宗教的、政治的関心をもった人間たちが広めている。彼らは、その科学的な結論が正しくないことを望むだけではなく、PR活動を使って一般市民に科学を誤解させ、科学不信を煽《あお》っている。この作戦の一部を成すのが「科学に異議を唱える」試みで、これは査読などまずない怪しげな研究に資金を出し、宣伝して、ありもしない科学論争に見せかけたものに関するニュースをあふれさせることである。このやり方は危険なほど成功し、今では科学の信用が失われている。

前の章で見たとおり、科学者も科学的態度を裏切ることがあるが、科学の外側にいる者たちは、それよりもはるかに大きな脅威になる可能性をもっている。意識的、無意識的に科学のプロセスを誤解する者や、自分たちのイデオロギー的な考えに合致しない結果を否定する者、自分たちの好む理論を広めるためだけに科学を実践しているふりをする者、他者の無知をずる賢く利用する者、妄信的になることで自分をもだまそうとする者。しかし重要なのは、こういう過ちを犯すなかには、うそつき（間違った科学に携わったり、間違った視点で科学を否定したりする人間）と、うそを吹き込まれる者（論拠のある見解を構築するスキルを、努力して身につけようとしない者）の両方がいる点だ。意識的な裏切りにせよ、無意識にせよ、今は気候変動の否定論者がフェイスブックやツイッター（現X）を積極的に使ってくだらないイデオロギーを広め、インテリジェント・デザイン論者が進化論の問題点だけを意図的に抜き出してウェブサイトに載せられる時代だ。誰もが科学的成果に頼っているのに、科学的見解が形成される過程をときにひどく誤解している現状は、私たち全員に責任がある。

科学の枠外にあるもののなかで、科学的原則を最も危険な形で裏切っているのが否定主義と疑似科学だ。この二つについて、詳しくはまたあとで論じるつもりだが、ここではまず、否定主義を「十分に論拠をもち、圧倒的な根拠もある科学理論を信じようとしない行為」と定義しよう。(1) 否定する理由として最もよく挙げられるのが、その科学理論が自分たちのイデオロギーと衝突するからで(気候変動はリベラル派のでっちあげだ等)、そのため否定論者はしばしば、都合の悪い根拠からは目を背ける。一方で疑似科学は、「科学のふりをしているが、経験的なテーマに対する異端の理論(インテリジェント・デザイン論など)を広めようとし、反対派が反証を提示したり方法論の問題点を指摘したりしても、考えを変えないこと」を指す。両者の手口には重なる特徴も多く、明確な線引きは難しいが、どちらも、科学的態度に対する冒瀆《ぼうとく》という点で共通する。

科学の正当性の問題はすべての人に関係する。こちらをだまそうと近づいてくる人間に考えを操られていては、科学の信頼性は大幅に揺らぐ。なにしろ人にはみな認知バイアスがもともと備わっていて、油断していると妄信や自己欺瞞《ぎまん》に簡単に陥ってしまうのだから。経験的テーマについて信じたいものを信じたくなる(まだ研究が続いているからにはコンセンサスが得られていないのだと思い込む)ことはあるとはいえ、その状態のまま、50年後に地球がほとんど人の住めない星になったとしたら、それはいったい誰のせいなのか。もちろん、これはきわめて複雑な人間心理を強引にわかりやすくしたもので、自意識やバイアス、意図、動機は私たちの見解へさまざまな影響を与える。ロバート・トリヴァースが、著書『*The Folly of Fools*（愚者の愚かさ）』で巧みに示したように、欺瞞と自己欺瞞の境目はときに非常にあいまいだ。自分自身に惑わされて病的科学に取り組む研究者がいるのと同じように、否定主義や疑似科学に携わる者もまた、自分たちが科学的態度の最高の基準を満たしていると信じているのかもしれない。

しかしそれは幻想だ(2)。またこうした信条を無批判に受け入れ、優れた科学的結果を意図的に無視しようとする者も同様だ。この章では、そうしたうそつきと何でも信じ込む妄信的な人間の両方の問題を探っていく。すでに述べたとおり、科学的結果に簡単にアクセスできる時代では、我々はみな論拠をもった事柄を信じる責任をいくらかはもっている。科学にとっては、どちらのタイプの人間も問題になる。気候変動に対する否定主義を広める人間も、その説に乗っかっているだけの人間も、科学の核となる価値観を否定していることに変わりはない(3)。

前の章では、研究者が科学的態度を裏切ったときにどうなるかを解説した。この章では、動機はどうあれ、科学を実践しない人間が自分たちの信念を社会に広め、十分に論拠のある科学的見解に疑問を投げかけるとどうなるかを見ていこう。

イデオロギーと故意の無知

科学者は本来、科学的態度を全力で守り、その影響を受けながら、経験的根拠に基づく見解を打ち出し、変化させていくものだ。しかし、科学者以外の人間はどうだろう。幸い、多くの人は科学を尊重している。科学に携わらない人も、ほとんどは、厳しい批判をくぐり抜けてきた科学的見解は、特別に信用できる有益なものだと思っている。[4] しかしなんらかのイデオロギーに従うことを第一に考える者もいる。経験的なテーマに対する見解が、根拠ではなく、政治的・宗教的イデオロギーから来る信念に基づいているように見える者たちだ。その二つが衝突し、科学的結論がその者たちにとっての常識である「聖域」的な話題（祈りは傷の治りを早くする、超感覚はある等）を否定するものだったとき、彼らは科学的態度を受け入れないことがある。

信じたいものを信じようとするのは人間のさがで、迷信や故意の無知は古くからの人間の特徴だ。**これまでの時代と違う**のは同じ考えをもつ人間が集まるインターネット上のコミュニティで、陰謀論や疑似科学、否定説といったきわめて不合理な見解を裏づける「根拠」が簡単に見つかるようになっていることだ。社会心理学では60年以上前からよく知られているように、近くに同じ意見をもつ人間がいると、もともとの考えが（間違っていても）いっそう凝り固まることがある。[5] そして最近では、フェイスブックのグループやチャットルーム、個人のニュースフィードはもちろん、ひっきりなしに流れる党派的なケーブル「ニュース」を通じて、同好の士が「情報の殻」に閉じこもり、自分が望む見解と矛盾する事実に、ほとんど向き合わないで生きることがどんどん簡単になっている。「フェイクニュース」の時代には、自分と異なる見方を単に避けるだけでなく、望みの見方に有益な情報を集め、逆の見方の正当性を否定できる、もう一つの現実に暮らすことができる。経験的な事柄を踏みにじる政治的、宗教的なイデオロギーが、それらを軸とした現実を築きたいという強い願望を映すかのように、どんどんと「事実を必要としなく」なっている。

これは、科学にとって、危険という言葉では言い足りないほど危険だ。だからこそ、私はこのテーマだけを取りあげた『*Respecting Truth: Willful Ignorance in the Internet Age*（真実の尊重　インターネット時代における故意の無知）』という本を書き、否定論者や疑似科学の信奉者がめぐらせる策謀によって、真実という概念を尊重する姿勢が失われかけている現状を描き出した。[6] その話をここで繰り返しはしないが、それが科学の特別さという議論に対してもつ意味だけは、説明しておきたい。

重要なのは、集団によるコンセンサスの役割だ。すでに見たとおり、科学的コンセンサスは理論を厳しく評価し、根拠に照らしたあとで、初めて得られるものだ。そこでは集団による監視が、個々の科学者の過ちを見つけて取り除く重要な役割を果たしている。科学では、集団は我々がもともともっている見解を強化するのではなく、批判する機能を果たす。ところがイデオロギーの支持者はそうした姿勢をほとんどもたず、自分の意見に同意してもらうために集団に頼る。[7] これは「確証バイアス」の問題（すでに見たように認知バイアスのなかでも特に悪質で、自分の見解と矛盾する根拠ではなく、支持する根拠ばかりを探そうとする姿勢）に直接つながる。間違った考えを裏づける根拠を探すことが、これほど簡単な時代はほかにない。集団の力を使って過ちをチェックする科学者とは対照的に、ペテン師は集団を使って偏見を強めるのである。

セーガンのマトリックス

科学者のカール・セーガンは、反響を呼んだ著書『悪霊にさいなまれる世界──「知の闇を照らす灯」としての科学』（早川書房、２００９年）[8]で、科学と疑似科学などのまやかしの理論とは、開かれた心と懐疑主義というシンプルな二つの原則を使うことで区別できると主張している。

科学の中心は、一見すると矛盾する二つの姿勢の重要なバランスにある。その二つとは、どんなに奇妙で直観に反するものでも、新しいアイデアに対して心を開く姿勢と、古いか新しいかにかかわらず、あらゆる意見を懐疑的に、厳しい目で容赦なく見ていく姿勢だ。[9]

「新しいアイデア」でセーガンが意味するのは、科学者は自分たちの古い発想に異を唱える力に対して、心を閉ざしてはならないということだ。根拠を土台に見解を形作る科学者は、新たな根拠が見つかって理論が変わる可能性に対して、心を開いている必要がある。しかしセーガンがのちに見るように、オープンになりすぎて新しい意見を無批判に受け入れるのもよくない。何かを簡単には信じるのではなく、「大半のアイデアは単純に間違っている」ことをわかっておかなくてはならない。[10] そのため科学者はこれらの二つの原則を、たとえそれらが張り詰めた関係にあるとしても、同時に尊重しなければならない。「調停機能としての実験」を通じて、優れた科学者は、オープンであると同時に懐疑的になる。理論を洗練させるには、批判が欠かせない。セーガンが言うように「アイデアのなかに優劣があるのは事実」なのである。[11]

セーガンの意見はあまりにも単純だと反論する人もいるかもしれない。確かにそのとおりだが、私としては、科学の成功の裏にある欠かせない発想だと思っている。それでも、セーガンの意見の意義深さを知るには、彼の言葉がオープンではなく、懐疑的でもない研究分野に対して、どんな意味をもっているかを考えるのが一番だろう。そこでここからは、否定主義と疑似科学について掘り下げよう。セーガンは否定主義を取りあげていないが、疑似科学は詳しく扱っているため、おもしろい比較ができる。否定主義と疑似科学にはどんな違いがあるのだろうか。

セーガンは、疑似科学の信奉者はだまされやすい妄信的なタイプの人間だと述べている。ほとんどの科学者もそう思っているはずだ[12]。癒やしの効果をもつパワーストーンや占星術、空中浮揚、超感覚、ダウジング、テレキネシス、手相鑑定、心霊療法といったもの[13]を支持する科学者はほとんどいない。それでも、こうした説のほぼすべてが、裏づけとなる根拠を探すことを通じて、科学的信頼があるふりをしている。

疑似科学で問題なのは、信奉者が「新しいアイデアに対して心を開いている」というより、ある意味で「開きすぎている」ことだ[14]。根拠という基準を常に当てはめることなく何かを信じるのはよくないし、都合のいい事実を少しだけ選び出して残りを無視するのは優れた科学の進め方ではない。この問題に対して、セーガンが好意的に引用するのがサイコップ（CSICOP。超常現象の科学的調査のための委員会。現在は懐疑主義的研究のための委員会（CSI）に団体名を変更）の研究だ。サイコップは、「常識から外れた」見解を懐疑的な視点で研究する専門家の団体だ。科学が本当にオープンなら、疑似科学的な主張にも耳を傾けなければならない[15]。しかし実際には、常識外れの主張を本当の懐疑主義者が吟味すると、主張を裏づける根拠はまず見つからない[16]。これらが疑似科学に分類されるのは、新しいからとか空想的だからとかではなく、十分な根拠がないまま信じられているからだ。

　こうした視点で疑似科学に目を向けると、否定主義との興味深い違いが見えてくる。セーガンは両者を比較していないが、果たして彼は、否定主義の問題は、懐疑的な姿勢が足りない点ではなく、新しい発想に対して十分にオープンではない点だと考えただろうか[17]。新しい発想、特に自分のイデオロギーを脅かしかねない新しい根拠に対して**心を閉ざしている**《クローズドな》人間も、科学的とはいえない。セーガンは「懐疑的なだけでは新しいアイデアを受け入れられず、学びを得られない[18]」と述べている。科学的懐疑主義とはどういうものかの説明は、このあと詳しくするとして、少なくとも彼の考え方は、否定主義の何が問題かを示唆している。科学的態度は根拠を大事にすることを求めるが、それは根拠が我々の考えを変える可能性があるからだ。しかし否定論者は、どれだけ根拠を示されても**絶対**に考えを変えない。科学的態度を備えた科学は、誤りから立ち直るメカニズムをもつが、否定主義にはそれがない。

では、疑似科学と否定主義は似ているのか、それとも異なるのか。私としては、いくつか類似点がある（だからこそ、否定論者で同時に疑似科学の信奉者という者が、間違いなく一定数いる）と思っているが、両者の違いを追究することは有益だ。その点はあとでまた掘り下げるとして、ひとまずここでは出発点として２×２のマトリックスを示し、セーガン流にこの問題へ切り込もう[19]（３４６ページ表８・１参照）。

表の右下に一つ、陰謀論の項目をつけ加えたことに注目してほしい。陰謀論者は、心を閉ざしているうえに妄信的なタイプになるが、そんなことが可能なのだろうか。例として、アメリカ航空宇宙局（ＮＡＳＡ）の月面着陸は捏造《ねつぞう》だと主張する者たちを考えてみよう。まず、彼らの心は閉じているように思える。月の石や映像などは、疑り深い彼

表 8.1

	懐疑的	妄信的
心を開いている	科学	疑似科学
心を閉ざしている	否定主義	陰謀論

らにとっては納得のいく根拠ではない。しかし彼らは真の懐疑主義を備えているわけではなく、自分の見解に合致する根拠にだけ目を向けようとしているにすぎない。もとからもっている見解に関係する根拠だけを大切にしようとしているわけだ。では、妄信的なタイプという部分についてはどうか。彼らは「懐疑的」の基準にはまったく当てはまらない。アメリカ政府が偽の月面着陸のような、大きな出来事を隠ぺいできると考えている時点で、非常に妄信的なタイプか、もしくは最近の出来事を考えるともてないような、全幅の信頼を米政府の能力に置いているかだろう。ここでは、そうした見解が十分に厳しく吟味されていないことが問題になる。そうした人にとっては、ある考えがもとからもっている信念と合致するなら、それを吟味することはないのである。

そのため陰謀論は、心は閉ざしているが、何でも信じ込む妄信的な人間がもつものだという奇妙な組み合わせが成り立つ。陰謀論の信者は、自分のイデオロギーに合致する発想をそっくり受け入れつつ、別の発想は頭から否定する。陰謀論が差し出す根拠は、一般にまともな科学者からの批判を切り抜けるには不十分だが、陰謀論者のほうでは、どんな根拠を出されても、自分の好きな説を放棄するには十分ではないと考える。いろいろな意味で、科学の対極に位置する最低の大うそだ。

しかし、こうしたわかりやすい区別を行うのは常に楽しいが、個人的には、このマトリックスには間違い、少なくとも足りない部分があると思っている。現実には、否定論者はそれほど懐疑的ではないし、疑似科学の信奉者もそれほどオープンではないからだ。どちらも真の開かれた心とも懐疑主義ともいえない、かたくななイデオロギーに導かれているように見えるし、むしろ陰謀論との共通性が高いように思える。セーガンの意見は思考を触発するが、隠れ蓑《みの》にも使えてしまう。否定主義と疑似科学の本当の問題は、科学的態度を備えていない点にある。

否定主義——懐疑主義とは似て非なるもの

否定論者は、おそらく最も対応が難しいタイプの詐欺師だ。なぜなら彼らの多くは、自分が科学的な厳密さの最高の基準を尊重しているという妄想にふけりつつ、それでいて根拠という科学的基準を拒絶しているからだ。人間の影響による気候変動や、HIVウイルスがAIDSを引き起こす、あるいはワクチンが自閉症の原因になる[20]といった話題に対して、ほとんどの否定論者は科学的見解を提示できないのに、我々が得た科学的見解には嫌悪感を示す[21]。否定論者はどこまでいっても自分の信じたいものだけを信じ、都合のいい根拠が見つかるのを待ち続ける。兄弟分である「バーサー」(バラク・オバマ元大統領がアメリカ国籍であることを受け入れない者たち)や「トゥルーサー」(ジョージ・W・ブッシュ元大統領が同時多発テロの共謀者だと考える者たち)と同じように、否定論者は何かしら理屈を見つけ、明らかで(そしておそらく)合理的なコンセンサスよりも、自分たちの論拠に乏しい見解のほうが事実に合致していることをアピールする。従来どおりの意味では経験的根拠を大切にしていない(どんな根拠を示されても自分の見解を変えない）ようなのに、それでいてどんなに薄っぺらな根拠でも無理やりにでも活用し、自分が望む見解を裏づけようとしている様子なのだ。[22] 否定論者は、科学における論拠の役割を根本的に誤解し、使い方を誤っている。

すでに述べたとおり、科学的見解には証明や確実性が必ずしも必要なわけではないが、その見解に反する根拠や、同僚からの厳しい批判的な目からは生き残れないとどうしようもない。しかし、問題はまさにそこにある。否定論者の仮説は、おそらく事実ではなく直観に基づいている。そうした経験的根拠に**基づいていない**見解を、経験的根拠に基づいて**修正する**よう説得するのは、不可能ではないだろうか。否定論者は自分の信条に基づいた主張をしているようだから。

もちろん、否定論者自身は自分が否定論者だとは思っておらず、この呼び方に憤慨する。「懐疑派」を好んで自称し、自分たちが最高の科学的基準を守っていると考え、根拠がすべて見つかる前に科学的結論を慌てて出そうとする人間が、科学的基準を汚していると考えている。彼らは気候変動を「決着のついた科学」ではないと言う。世界中のリベラル派の気候学者が、自分たちにまわってくる仕事や研究助成金を増やしたいがために、データを誇張し、別の仮説を検討することを拒否していると言うのである。手に入る最高の根拠は、隠ぺいを試みる人間に汚されているか捏造されたものであるというのが否定論者の決まり文句だ。これが連中の何より腹立たしいところで、否定論者は自分をイデオロギーの唱道者だとは思わず、他人の幼稚な科学的推論にだまされたりしない、用心深い人間だと考えている。ところが実際には、どう考えてもありえない陰謀論にころっと参って、根拠がまだ足りないとか、自分の見解は（根拠がないのに）論拠を備えているとか思い込んでしまう。だからこそ、自分の見解を変えることを断固拒否してもいいと信じている。これを、優れた懐疑主義のあるべき姿だと思う人もいるかもしれないが、そんなはずがない。

懐疑主義は、科学の世界で重要な役割を果たしている。「懐疑主義」という言葉を聞いた人は、すぐに次のような哲学者の主張を思い浮かべるだろう。「本当の意味で何かを知ることは絶対にできない。知識には確実性が必要であり、その確実性を欠く以上、あらゆる見解をもつのを差し控えなくてはならない」。この考え方を**哲学的懐疑主義**と呼ぶ。経験的ではない見解について考える場合、たとえばデカルトが『省察』（筑摩書房、２００６年、ほか）でやっているように、理性的（思弁的）な見解と感覚から来る見解の**両方**を検討している場合、双方を含めた広い範囲の見解に確実性を付与するために、可謬《かびゅう》主義が認識論的に適切なやり方か否かについて、活発な議論を交わすことができるだろう。しかし、科学でそこまでする必要はない。考える必要があるのは、経験的見解が論拠を備えるまでのプロセスで疑うことが果たす役割だからだ。

科学者は懐疑的なのか。ほとんどはそうだろうが、それは科学者が知識を得ることは不可能だと考えているという意味ではなく、データに照らして検討する前の予備テストとして自説に疑いを投げかけているという意味だ。これを**科学的懐疑主義**と呼ぶ。[23] 自らの見解を批判し、ほかの人に見せる前に修正するのは、科学では大切なツールになる。すでに見てきたとおり、科学者が提示した理論があたたかく歓迎されることは絶対にない。科学者は通常、自説を支持するデータだけを集めようとすることはない。誰もそんなことをしないからだ。カール・ポパーも言うように、理論に光る部分があるかを知りたいなら、できる限り厳しい批判にさらして**理論が破綻しないか**どうかを確認するのが一番だ。

科学研究のなかには懐疑主義が息づいているが、理性に縛られず、経験的根拠に照らして理論をテストできる点で、科学者は哲学者と異なる。(24) 懐疑主義を受け入れた科学者は、テスト前の理論を信じることをいったん保留し、自らの手法に間違いがあるかもしれないと予測しようとする。確かに、経験的研究に携わる人間は懐疑的なだけではいけないし、新しい発想を受け入れるオープンさも必要だ。それでも、まずは疑うことから始まる。疑うからこそ、新しい発想がまず同僚に批判される流れが生まれる。

懐疑的すぎて、広く支持された理論を証拠もなしに受け入れない科学者はどうだろうか。たとえば、かわりとなりそうな(なってほしい)仮説があることなどを理由に、定説が間違っていると主張する人、あるいは自身の仮説が正しいことを裏づける経験的根拠がないのに、そうした理論を拒絶する人だ。こうした人物は重要な意味で科学者であることをやめている。科学理論の正しさや蓋然《がいぜん》性の評価は、その理論が合っていそうに「見えるか」とかイデオロギー的な先入観や直観に合致するかとかだけを基準に行うことはできない。真理であってほしいという願いは、科学では受け入れられない。理論は必ずテストされなければならない。(25)

だからこそ、言葉の本来の意味を考えた場合、否定論者には自分たちを懐疑派だと呼ぶ資格はない。哲学的懐疑主義では我々はすべてを疑う。その源が信仰や理性、感覚的な根拠、直観のどれにあろうとも、それが正しいと確信をもつことができないからだ。科学的懐疑主義では経験的テーマについての見解を保留するが、それはその見解に根拠が足りないため、長年設けられてきた基準をまだ満たせず、正当とみなせないからだ。しかし否定主義では、真実であってほしくないからという理由で何かを否定し、説得力があると広くみなされた根拠を示しても聞く耳をもたない。否定論者は、疑念を都合よく利用する。彼らは何が真実であってほしいかを自分でよく承知していて、それを信じられる理由を探しさえする。否定している最中の本人には、それが懐疑主義によく似たものに思える。周囲の人間を「まだデータがすべて集まっていないのに、気候変動が『真実』だと思い込むなんて、どこまでも信じやすい連中だ」とみなすこともあるかもしれない。しかしある見解について自分が絶対に正しいと思い込み、根拠に対する一貫した基準を維持するという科学の特徴より、自分の考えのほうが尊いと考えるのは危険な兆候だ。

ダニエル・カーネマンが著書『ファスト&スロー』(早川書房、2012年)で雄弁に語っているように、人間の思考にはさまざまな認知バイアスがつきもので、人は自分が信じたいと思うものを理屈をつけて正しいと思い込もうとする傾向がある。[26] そうした無意識のバイアスが、圧倒的な根拠を示されても絶対に認めない否定主義の土台なのだろう。このバイアスの存在を裏づける優れた経験的根拠も見つかっている。[27] そのうえ「ニュースの殻」という、問題をさらに悪化させかねない現象も見過ごせない。すでに紹介したが、この殻に閉じこもった否定論者には、自分たちのとんでもない考えが周囲の支持を得ているように感じられる。この状態が、本来の懐疑的思考とは正反対の妄信的な考え方を呼び込む。

実際、否定主義は懐疑主義よりも陰謀論との共通点がずっと多いように思える。過去に何度もあったように、陰謀論者は「まだ十分な根拠が集まっていない以上、よくいわれる事実(たとえばワクチンが自閉症を引き起こすことはないこと)でも信じるわけにはいかない」と言った直後、関連がまったくなさそうなもの(たとえば「アメリカ疾病予防管理センター（CDC）は米国医学研究所（現全米医学アカデミー）を金で買収し、チメロサールに関するデータを隠している」）を、真実だと主張するという妄信ぶりを露呈する。このように、自分が信じたくないことに対してはありえないほど高い基準を設定して、自分のイデオロギーに合致する考えにはとてつもなく低い基準を設定するのは、まさに否定主義のお決まりのパターンだ。なぜそんなことになるのか。それは懐疑主義と違い、否定論者にはそもそも根拠を尊重する姿勢がなく、科学的態度を備えていないからだ。彼らは目的にかなうからという理由で根拠に関するダブルスタンダードを許し、自説を守ることしか考えていない。だからこそ、経験的なテーマを議論しているときでさえ、根拠という科学的基準に対する不正をあらゆる形ではたらける。

つまり、セーガンの研究をもとに考えた先ほどのマトリックスは、否定主義に関しては三つの大きな点で間違っているようだ。(28) まず、否定論者を懐疑的と分類している点。否定論者は根拠を都合よく使い、他者の理論のほんの小さな穴を突くことがあるが、それは彼らが厳密だからではなく、根拠ではなくイデオロギーを基準として用いるからだ。バイアスのかかった視点で都合のいいものだけを選ぶのは、懐疑主義ではない。というより、否定論者が科学のかわりにどういう見解を好むかを見ると、彼らはきわめて妄信的な人間といわざるをえない[29]。次に、否定論者は新しい発想に対して心を閉ざしているという点も疑わしい。のちに登場する気候変動の例からもわかるように、否定論者は自分たちの信じる見解を裏づける場合、新しい発想や経験的根拠に対して遠慮なくオープンになる。そして最後に、セーガンが提示した懐疑主義と開かれた心の対比も間違っている。セーガンは、科学的推論を行う際は二つの要素のバランスが肝心だと述べる。つまり、その二つはいくらか対立するということだ。しかし本当にそうだろうか。マッシモ・ピリウーチは著書『*Nonsense on Stilts*（竹馬のナンセンス）』でこう述べている。

> 懐疑的というのは、ある主張に対する判断を妥当な範囲で保留するという意味だ。……心を決める前に、さらなる根拠を求めるという意味でもある。最も重要なのは、オープンな態度を保ち、手元の根拠に照らして見解を調節するという点だ[30]。

これこそ、科学的懐疑主義の性質を正確に表した言葉だろう。新しい発想を拒絶しながら、同時に自説への判断を保留できるレベルのオープンさを保つのは不可能だ。懐疑主義とは心を閉ざしていることではなく、真実に見えるものが実は真実ではない可能性に対して心を開いていることだ。科学は容赦なく批判を行うが、これは科学の世界では、どんなに優れた根拠が見つかっていても、さらに優れた理論が地平線の向こうで待っている可能性があるからなのである。

否定主義の実際──気候変動

科学的否定主義の実例として、最近で最もわかりやすいのが気候変動の否定論者だろう。人間が化石燃料を使うことで温室効果ガスが排出され、それによって地球の気温が徐々に上がっているという理論は、科学的な根拠による十分な裏づけが得られている。[31]にもかかわらず、これに対する市民の反対や混乱が続いている。これは、さまざまな金銭的・政治的関心やメディアが、話をどちらの党派を信じるかという議論にすり替えているからだ。化石燃料から利益を得ている者たちが、何もないはずのところに「疑念を作り出し」て人間の推論の穴を突き、科学的な厳密さが必要なところに、PR活動を置き換えるという浅ましいやり方。これは科学の脆弱《ぜいじゃく》性についてのぞっとする話だ。このテーマで最も優れた作品が、ナオミ・オレスケスとエリック・コンウェイが書いた『世界を騙《だま》しつづける科学者たち』(楽工社、2011年)だ。[32] 私も『*Respecting Truth*(真実の尊重)』では、地球温暖化が事実かだけでなく、大半の**科学者**が温暖化を信じているかどうかを、一般市民が判断しきれなかった(もちろん実際には信じていた)ことの認識論的な影響を取りあげた。[33]

とりわけ無責任なレトリックを使ったのが一部の政治家で、彼らは気候変動をでっちあげと呼び、この問題に携わる科学者の評価をおとしめようとした。[34] 本当にでっちあげだと信じていたのか、恐ろしいほど多くの市民がでっちあげを信じる環境で、当選を狙うために「ばかの真似」をしていたのかはわからないが、いずれにせよ恥ずべき自己利益のサイクルだ。うそをつく政治家の数が増えるほど、そのうそが世論に反映される度合いも強まる。

特に最悪だったのが、アメリカの上院議員のテッド・クルーズだ。選挙戦の最中の２０１５年８月、資産家や実業家として有名なコーク兄弟の後援を受けるクルーズはこう述べた。

過去18年の衛星データを見れば、温暖化の記録はゼロだ。地球温暖化に警鐘を鳴らす者たちの理論には問題がある。彼らのコンピュータモデルでは、大規模な温暖化が起こっているそうだが、衛星はそんなことは言っていない。連邦政府の機関であるアメリカ海洋大気庁（ＮＯＡＡ）が記録に手を加えていることがわかったのだ。[35]

この言葉のどこがまずいのか。まず、正しくない。この手の「地球温暖化は止まっている」説はしばらく前からあるが、ＮＯＡＡ傘下の国立環境情報センターのトーマス・カール長官が、２０１５年６月の『サイエンス』誌に掲載された論文で間違いを証明している。[36]少しクルーズの肩をもつなら、先ほどの発言の時点ではカールの論文のことを知らなかったのだろう。それでもクルーズは、論文がよく知られるようになったあとも、謝罪して発言を撤回したりはしなかった。実際、彼は12月にはナショナル・パブリック・ラジオ（NPR）で驚くような発言をした。否定主義的な発想が非常によく表れているインタビューなので、少し長くなるが引用しよう。

スティーヴ・インスキープ（司会）：人類が原因となった気候変動が生じているというのが、広く科学的なコンセンサスだと思いますが、これについてどうお考えですか？

テッド・クルーズ：私も公共政策は科学とデータに従うべきだと信じている。私の両親はどちらも数学者でコンピュータプログラマーで科学者だった。しかし地球温暖化に関する議論では、あまりにも多くの政治家、さらには政府から多額の助成金を受け取っている科学者の多くが、科学とデータを軽視して政治的なイデオロギーを押し出している。君も私も、30年、40年前を覚えている年寄りだが、当時のリベラル派の政治家と一部の科学者は、問題は地球が寒冷化していることだと言っていた。

インスキープ：そういうことを言う人がいた時期もありましたね。

クルーズ：氷河期の脅威が迫っているという話だった。そして解決策は、政府が経済界やエネルギー業界および暮らしのあらゆる側面を、大幅にコントロールすることだといわれた。しかし察しのとおり、そのことを裏づけるデータはなかった。すると同じリベラル派の政治家と、寒冷化を口にしていた科学者の多くは、地球温暖化へ理論を切り替えた。

インスキープ：つまり、陰謀論だったとおっしゃりたいわけですね。

クルーズ：そうではない。リベラルな政治家が経済界やエネルギー業界、暮らしのあらゆる側面を支配できるような力を、政府に与えたいと思っているという話だ。

インスキープ：そして、世界のほとんどの国がそのアプローチを採っていると？

クルーズ：君の意見を聞きたい。地球温暖化は起こっているのか？　イエスかノーか。

インスキープ：科学者の話では、もちろん起こっています。

クルーズ：君に訊いている。

インスキープ：そう思います。

クルーズ：そうか、しかしその考えは実際には間違いだ。地球温暖化を裏づける科学的根拠はない。過去18年、我々は衛星を使って大気をモニタリングし、データを集めてきた。実際に気温を測定している衛星のデータが、大幅な温暖化など起こっていないことを示している。

インスキープ：確かＮＡＳＡが同じデータを別の形に分析していたと思いますが、話を続けましょう。

クルーズ：いや違う。そんなことはない。自分でデータを見てみればわかる。それに、ヒアリングで多くの科学者がデータについて証言しているんだ。カギはここだよ。気候変動は大きな政府を支持し、さらなる権力を求める政治家にとって最適な疑似科学理論なのだ。反証しようのない理論だからね。

インスキープ：ほかの広く受け入れられている科学についても疑問をおもちなのでしょうか。たとえば進化論は？

クルーズ：優れた科学者はみな、あらゆる科学に疑問をもつものだ。科学に疑問をもつことをやめた人間は、もう科学者ではない。それにだ。なぜこんなことになったかを教えよう。地球温暖化の業界を見てみるといい。連中はどんな言葉を使っている？　連中は科学に疑問をもつ人間を、衛星のデータを指摘している人間も含め、『否定派』と呼んでいる。しかし、否定派とは科学者の使う言葉ではない。宗教家の言葉だ。否定派は異端で、冒涜者だ。気候変動は神学扱いされている。しかしそれもカネと権力を得るためだ。結局のところ、これは複雑な問題などではない。リベラルな政治家は政府の力をほしいだけだ。

インスキープ：カネと権力を欲しているのはあなたのほうだという批判があるのはご存知かと思いますが、今は深く触れないでおきましょう。ですがお訊きしたいことがあります。事実についてお尋ねしたい。

クルーズ：ちょっと待ってくれ、誰が権力を──いや、やめておこう。つまり君は……。

インスキープ：テキサスのエネルギー産業、石油産業のことです。

クルーズ：私に個人攻撃を加えようというのかね。(37)

これは、ほとんど教科書どおりといえるほどくだらない論理展開で、問題点は数限りなくある。根拠に対するダブルスタンダードに、陰謀論を指摘されかけたときの巧妙な話題のすり替え、科学の「オープンさ」に対する意図的な曲解、「ばかと言うほうがばかなんだよ」という小学生レベルのレトリック……。しかしここでは、クルーズが繰り返している「地球温暖化は18年にわたって止まっているようだ」という経験的主張に的を絞って話を進めよう。ご覧のとおり気候変動に関する政府の統計データは、クルーズが望むものを示している限りは、彼にとってまったく問題ないのである。具体的には、クルーズが挙げているのはＩＰＣＣの２０１３年の評価報告書だが、実はこの評価には誤りがあり、そのためのちに修正された[38]。誤りがあってのちに修正の必要が生じるのは科学ではよくあることで、陰謀などではない[39]。つまりクルーズは古くて間違った、信頼できないグラフを使っている。別の問題もある。18年というのはおかしな数字で、クルーズは「過去20年」でも、「17年」や「19年」でもなく18年と言っている。なぜそこまで具体的なのか。２０１５年のちょうど18年前に起こった現象があるのだが、覚えているだろうか。そう、大規模なエルニーニョ現象だ。

これぞまさに、根拠を都合よく抜き出して使う、否定論者の手口だ。過去15年のうち14年間は過去１００年で最高の気温を記録している事実があるなかで、１９９８年はそれと比較しても突出して気温が高かった。その年だけ、地球の気温は驚くほど高くなっていたのである。そうしたデータを使ったグラフを思い浮かべると、そうした高気温の年を基準とすれば２０１５年が割合に涼しく思えると想像できる。そして文脈を無視して１９９８年と２０１５年の気温を比較すると、気温の変化は横ばいに見えるだろう。しかし実情は異なる。カールの研究を見ればわかるとおり、気温のデータは一部間違っていたし、それに科学者であれば**グラフは全体**、つまり１９９８年と２０１５年のあいだの年も見なくてはならないと言うだろう。そしてそれを確認すれば、１９９８年は例外的に高気温で、気温は過去数十年にわたって上がり続けているのがわかる。[40] 古い間違ったグラフを使っていたとしても、クルーズの推論には無理がある。

データの意図的な選別は科学的態度に対する根本的な違反だが、否定論者がよく使う手ではある。こんな誤りを犯す科学者はほとんどいない。科学では、仮説はずっと受け入れられてきた基準をもとに、現実に照らして厳しくテストされ、データを好きなように選ぶことはできない。ところがテッド・クルーズのようなイデオロギーの唱道者（まだ現状からわかっているように、このような間違った推論を避ける訓練を積んでいない多くの人たち）は、それを完全に自然なことと感じる。その理由は、認知心理学者や行動経済学者が行ってきた、確証バイアスや動機づけられた推論に関する研究を見ればわかる。すでに見たとおり、確証バイアスは自分に合っている理由を探しているときにはたらく。対して動機づけられた推論が生じるのは、感情に影響されてそうした理由を、自分がもともともっていた意見に何が何でも有利なように解釈してしまうときだ。どちらも完全に自然な現象で、すべての人の心に組み込まれた認知バイアスであり、訓練を受けた人でも影響を完全に防ぐのは難しい。科学者は統計を学んだ人間で、科学は他人の推論の誤りを見つけようと手ぐすねを引いて待ち構えている集団が、証明の過程を透明性をもってチェックする公的な取り組みだから、こうしたタイプの過ちは犯しにくい。論理学の訓練を積んだ人物、たとえば哲学者やほかの懐疑主義を真剣に受け止める人物も、こうしたバイアスに気づき、優れた推論がいつの間にかゆがんでいかないように対策をとることができる。しかし、ほとんどの否定論者は違う。彼らがそうしたバイアスを気にかける理由はどこにもない。

もちろん、この意見にそのとおりだなどという否定論者はいないだろう。なにしろ彼らは、自分たちが否定論者だということを否定している。彼らの言うところの「懐疑主義」を堅持していれば、発言が本来よりずっと厳密で公正に聞こえる。だからこそ、最近はこの言葉を乱発するのだろう。[41] 実際、（クルーズを見ればわかるように）否定論者のなかには、気候変動の議論で真に科学的なのは自分たちだと豪語する者も珍しくない。彼らの主張はおなじみのものだ。問題の科学は「まだ決着のついていない」ものであり、知らなければならないことは「もっとたくさん」あるのだから、気候変動は「一つの理論」にすぎないではないか――。

しかし問題は、これが本物の懐疑主義に忠実な姿勢に基づいたものではない点にある。かわりに土台にあるのは、科学の仕組みに対するひどい誤解と、認知バイアスの大好物である強い動機だ。気候変動の科学が**完全に**決着していないのは確かだが、すでに見てきたように、完全に決着のついた科学理論など**一つもない**。2章で紹介したとおり、科学のあり方からすると、科学では実験やテストの種が尽きることはない。しかしある見解が論拠を得るには完全な確証や証明が必要というのは迷信だ（自説へのダブルスタンダードを許している否定論者に、それを否定する資格はない）。

気候変動は「一つの理論」にすぎず、別の理論が「正しい可能性がある」という意見にも、あまり説得力はない。すでに指摘したとおり、重力理論もただの一理論なら、病原菌説もそうだ。科学理論のなかには飛び抜けて手堅いものはあるが、科学的な見解は論拠を備える必要があるというのは、間違いだと証明されるまでは何をしてもいいという意味**ではない**。反証が見つかるまでは、どんな理論も形のうえでは正しい**可能性がある**のは確かだが、それでその理論が正当性を得られるわけではないし、とんでもない仮説のすべてを科学者がわざわざ反証する必要もない。科学は開かれた系で、理論はテストする必要があるのだから、おかしな人間が無理やり議論に割って入って、自らの見解を推せるなどと思ってはならない。科学が一部の人間や理論のための分野なのは、それなりに理由がある。そして科学かどうかは、根拠に基づいた論拠があるかで決まる。

正しい推測をしたり、少数のデータを集めたりしただけでは、科学的説明はできない。地球平面説を考えてみよう。もし本当に地球が平らなら、その根拠はどこにあるのか。根拠がないのだから、平らだと信じないのは科学的に正当である。地球平面論者[42]は、地動説を裏づける根拠の問題点については通常言葉を濁し、ただ「証明」されるまでは自分たちの理論が正しい**可能性がある**と言うだけである。しかし、この推論は間違っている。誰かの推測がのちに正しいとわかったとしても、それは科学ではない。科学では推測を支える理論、つまり根拠に合致し、それに照らしてテストされてきたものが必要なのである。

科学的なコンセンサスが得られるまでの過程も、否定論者は誤解している。こちらも、分野が前進するために１００％の同意が必要なわけではない。世界中の科学者全員の完全な同意を得てから気候変動への対応を始めようとしたら、間違いなく手遅れになる。最新の統計によれば、世界の気候変動学者の96・２％以上が、気候変動は起こっていて、その原因は人間にあると信じているそうだ[43]。一方で自然選択による進化論に対する同様の調査では、この理論が生物学の根本原則であるにもかかわらず、信じている科学者は97％しかいなかった[44]。ダーウィンがこの説を提唱してから１５０年以上がたっているが、進化論でさえ１００％の合意は得られていない。しかしその必要はないし、科学におけるコンセンサスはそういうものではない。科学という分野では、主張は集団によって厳しく監視、批判され、異論は常に残るとしても、分野は全体として判断を下す。[45]疑う余地があるなら「懐疑派」が正しい可能性もあるのではないかと思う人もいるかもしれない（実際に正しいこともある）が、気候変動に関しては、否定論者にそれほど希望はない。まず、まっとうな異議を唱えたい人間は、異論の経験的根拠を示す必要がある。根拠を示さずに異議を唱える人間は、科学者であるかさえ疑わしい。否定論者は、根拠は**実際にある**し、**自分たちも**コミュニティの一員だと言うかもしれないが、彼らの言葉はただの苦情でしかない。すでに見たとおり、同意を求めてコミュニティを形成するのと、批判的な厳しい目を求めるのとではまったく別だ。事実にまつわるテーマでは、どれだけ多くの仲間が同意し、多数派として意見が形成されていようと、根拠より優先されることはない。[46]

それでも、科学者は間違うことがある。科学史をひも解けばわかるように、**どんな**科学理論（アイザック・ニュートンの重力理論さえ）も間違っている可能性がある。それでも、優れた裏づけのある科学的結論を頭から否定するのは、優れた懐疑主義とはいえない。気温の上昇とその原因がほぼ間違いなく人間であることを示す、無数の科学的データを拒絶するのは、優れた推論ではない。**たとえ50年後に異端の仮説が現れて、なぜ地球温暖化説が間違っていたかを示されたとしても、だ。**

懐疑主義と、科学的態度の推進とは完璧に調和する。科学的態度を備えた人間は、根拠に合致しているかどうかを基準に自分の見解を形作り、もっといい根拠が見つかればそれを変えるが、それで自分の見解が真だと保証されるわけではない。科学がもたらすのは、根拠に基づいた正当性で、それだけで強力なパワーをもっている。逆に否定主義では、自分のイデオロギーをもとに何が真実であってほしいかを先に決め、それから仮説を裏づけそうかを基準に、情報を意図的にふるいにかける。それでは論拠は得られない。科学もときには間違うが、これまで収めてきた成功を考えれば、世界に関する経験的事実を発見する力で科学を上回るものはないだろう。

だからこそ、ガリレオ・ガリレイのような人物は否定論者ではない。彼を否定論者と呼ぶのは、どんな人間だろう。テッド・クルーズは2015年3月、ニュースサイト

「テキサス・トリビューン」によるインタビューでこう述べている。

地球温暖化に警鐘を鳴らす人間は、現代の地球平面論者だ。かつて、地球は平らだというのは広く受け入れられた科学的知識で、ガリレオという名の異端者は否定派の烙印《らくいん》を押されたのだ。[47]

この意見は簡単に処理できる。ガリレオが地動説を信じていたのは、イデオロギーのせいではなく、**根拠があった**からだ。ガリレオは望遠鏡を使って金星の満ち欠けと月のクレーター、木星の衛星を観察し、プトレマイオスの天動説は間違いだと信じるに足る理由を数多く見つけた。自分を疑う人間を説得できるはずの根拠だったが、天動説が覆されるとまずいというイデオロギーをもつカトリック教会が邪魔したせいで、ガリレオの根拠は受け入れられなかった。それでも、ガリレオが否定派ではないのはまったく確実だ。**ある理論が間違っていることを示す根拠があるときに、**その理論を否定することは、否定主義ではなく科学だ。

このように、異論を唱えるたった一人の人間が、定説を覆す根拠を実際にもっていたらどうなるのか。その人物が、確立された科学的コンセンサスに疑問符をつけ、間違いだと示したらどうなるのか。そうなった場合、個々の研究を集団で吟味するプロセスが科学に特権的な地位をもたらしているという発想が脅かされる。誰かが科学者のコミュニティ、つまり理論が正当で論拠もあると判断する最終権限をもつ集団に、反旗を翻《ひるがえ》して勝利したときも、科学的態度は無傷で生き残ることはできるだろうか。

「変人」が正しいとき

Ｊ・ハーレン・ブレッツは20世紀初頭の一匹狼の地質学者で、シカゴ大学に長く勤めたが、実地調査の対象にしていたのはワシントン州の荒れ地だった。ブレッツが「チャネルド・スキャブランド」と名づけた一帯は、地表が「火星のような」見た目をした驚くべき土地で、何本もの浸食された川の筋を高い絶壁が囲み（海抜数百メートルの場所で砂利や「迷子石」が見つかる）、U字型の渓谷には干上がった滝の跡が刻まれ、広大な滝つぼにはほんの小さな滝だけが流れ込んでいる。簡単に言えば、どうしてこの姿になったのだろう、というような地形だ。

ブレッツ以前にこの場所を調査した地質学者はほとんどいなかったが、当時の学者たちはある仮説をもっていた。ほとんどの地質学者は、水の力で削られてできた地形だという点には同意していたが、当時信じられていた「斉一説《せいいつ》」に合わせ、グランドキャニオンのように少量の水が長い時間をかけて流れることで、このような地形ができあがったと考えていた。斉一説は「地質学的な記録は、既知《きち》の自然作用が何百万年もかけてはたらくことで説明できる」という考えのことであり、少なくともチャールズ・ライエルによる影響力のある教科書（これはダーウィンの進化論にも影響を与えた）が発表されてからの、地質学の主流となるパラダイムだった。[48] これはライエル以前の学者が唱えていた、天変地異説に対抗するものとして提唱された。天変地異説とは、地形や化石、生物などの記録は（おそらく神が起こした）短期間の大規模な出来事が生み出したという考えだ。自然の力か奇蹟《きせき》か、浸食か大災害かという対立軸と考えていい。大半の科学者がどちらを支持したかは想像にかたくない。

ブレッツ自身も斉一説を信じていた（無神論者でもあった）。しかし１９２１年、巨大な爪で削ったかのような不毛の大地を初めて目にしたブレッツは、従来の理論は間違っていると考えるようになった。そして謎を解明する探偵のように、その地形が徐々に浸食されてできたものではないと思える手がかりを、数多く見つけていった。では、ほかにどんな原因が考えられるのか。大洪水だ。あるとき、最大幅約20kmものとてつもない洪水が発生し、大量の水の力でスネーク川が１８０度向きを変え、コロンビア川峡谷ほどの南部でも、Ｖ字型ではなくＵ字型の水の通り道ができたのだろう。そして高さ８００m近い崖の上に砂利が押し上げられて「杭の上のカメ」のようになり、巨大な滝つぼと、不釣り合いなほど小さな滝という組み合わせができたのかもしれない。では、それだけの大量の水はいったいどこから来たのか。当時のブレッツにはそれがわからず、仮説も立てられなかった。謎を残したままブレッツはただ根拠を追った。そして実地調査を再開するべく現地へ戻ったとき、こう確信していた。

今やブレッツは、こうした地質学的特徴を作れたのは想像もつかないほどの大きな洪水、ひょっとすると歴史上最大の洪水でしかないと信じていた。しかもそれは、突拍子《とっぴょうし》もない想像などではなかった。その場所に関する数々の事実や特徴が、彼の理論がチャネルド・スキャブランド形成についての唯一の妥当な答えであることを、ブレッツに示していた。[49]

ブレッツの研究譚《たん》は魅力的で、科学史と科学哲学においてもっと注目されてしかるべきだ。ジョン・ロバート・セニクセンの『*Bretz's Flood*（ブレッツの洪水）』（２００９年）がこのテーマを扱った数少ない作品だが、幸いにもすばらしい内容だ。ブレッツの苦闘ぶりがよく描かれているだけでなく、当時のコンテキストを、地質学的実証主義や斉一説と天変地異説のあいだの対立、地質学が科学になるまでの苦難、科学的説明に影響する社会的要因を絡めて解説されている。しかしここでは、ブレッツの逸話が科学的態度に対してもつ意味、つまり根拠をもつ正しい個人と集団のコンセンサスが対立した場合にテーマを絞ろう。この話は、科学的態度は集団レベルの慣習に具体化され、科学がうまくいくのは、何といっても科学者のコミュニティが個人の誤りを修正するからだという発想に反するものなのだろうか。個人的には、ブレッツの逸話はそうではないことを物語るだけでなく、むしろ科学的態度のパワーを驚くような形で表したものだと思っている。

ブレッツの研究が、個人のレベルで科学的態度を支持するものなのは明らかだ。ブレッツは自身の仮説を裏づける根拠を大量に集め、自分で批判を行いながら理論を構築していった。理論はある意味で先祖返りだったから、激しく攻撃されるのもわかっていた。(50) ブレッツは、超自然的な力で地質学上の記録を説明しようとはせず、かといって斉一説のように、今もはたらいている力が長い時間をかけて作用した結果だという説明もしなかった。彼の提案は、未知の源泉から来た水によって、大規模かつ天変地異的な出来事が短期間で起こったというものだった。聖書の記述のようにも聞こえるこの説は、すさまじい批判を浴びた。

ほかの科学と同様、地質学もまた友情、そしてデータやアイデア、施設の共有を特徴とする一種の朋友会だ。ある人物の研究が別の人物の研究のきっかけとなり、全員の協力を通じて生まれたばかりの理論が広がり、花開いて、完全に成熟した見方として分野全体に共有される。ところが地質学もほかの朋友会と同じで、言い争いも起こるし、基本ルールに従わない家族の一員が口頭で叱られたり、悪くすると完全に無視されたりすることもある。[51]

ブレッツの説は異端とみなされた。ブレッツのために言っておくと、本人は気にしていないようだった。根拠があり、正しいと自分でわかっていたからだ。まわりもいずれ認めざるをえなくなると思っていた。この点で、ブレッツは近代のガリレオといえる。[52]彼を攻撃する人間は、実地調査をせず、現地の地形を自分の目で確かめていなかった。[53]ブレッツはかたくなに、自分の目で行った観察から導き出されるものを信じ、現在の理論にそぐわないのなら、その理論が間違っているに違いないと考えた。これはブレッツが科学的態度に従っていたことの十分な証明だが、それでも行く手には困難が待ち受けていた。

一つの問題が、大洪水の原因を突き止められていないことだった。チャネルド・スキャブランドの地形を作り出すには、とてつもない量の水が必要になる。つまりブレッツは原因がわからないまま因果関係を語っていたわけで、これが理論を受け入れるための大きな障害になるのはわかっていた。それでも地質学上の記録を見る限り、大量の水が流れたのは間違いなかった。この点で、ブレッツはダーウィン的な研究者でもあった。ダーウィンは、進化論という自説の背後にあるメカニズムがわかるずっと前から、自説を裏づける根拠を集めていた。ブレッツはニュートン的でもあった。ニュートンも重力の正体に関する「仮説を作らない」まま、その振る舞いを説明する等式に取り組んだ。

一息ついて、これが科学的態度に対してどんな意味をもつか考えてみよう。すると、原因の究明は科学的説明に必須ではないことがわかる。原因の解説は科学理論を完成させるための重要な要素で、「奇蹟が起きたから」ではかかわりの説明には到底ならない。しかし最も重要なのは、仮説に論拠をもたらす根拠があることで、原因はあとから推察できる。原因からの説明はどうでもいいと言っているのではない。原因がわかるのはたいてい科学的説明を構築する最後の段階で、ほかの根拠がすべて集まりぴったりはまったあとにくるものだという話だ。

ブレッツのケースでも、もちろん原因はわかっていたほうがよかったが、最初は単純に特定できなかった。だから、まずは記録から集めた根拠に集中した。注目すべきは、ブレッツが自分にとても厳しい人間で、研究の過程で自説を数え切れないほど修正変更していたことだ。[54] それでも、彼がほかの科学者から受けた批判は、それとは比べものにならないほど激しかった。

1927年、ブレッツはワシントンD.C.のコスモスクラブという紳士クラブへ向かい、全米から集まったとりわけ著名な地質学者たちに向かって、自身の集めた根拠を示した。集まったなかでも、特にアメリカ地質調査所（USGS）の会員6人は、この分野の幹部とも呼べる面々だった。ブレッツは6年間の実地調査をもとに、決定的な結論を長い時間をかけて発表した。その後、聞き手側のしゃべる番がやってくると、「地獄の釜のふたが開いた」。

一人また一人と、発表中、机についていた者たちが立ち上がって反論と批判を行い、初めてスキャブランドに対する自らの解釈を述べた。すぐにわかったのは、そうした攻撃が計画的なものだということだった。まずはブレッツに自分の視点を示す時間を与え、それから当時の著名な地質学者のほぼ全員がよってたかって非難する作戦だった。……斉一説から外れた理論は一切認めないというのが、この影響力のある団体による公式見解のようだった。(55)

もちろん、これは科学のあるべき姿ではない。今から振り返れば、博識な科学者たちがブレッツの理論を攻撃したのは、ほとんどイデオロギーに近いほど斉一説を支持していたことに基づく、動機づけられた推論のせいだろう。根拠に合致しない点を理由に理論を攻撃するのはよいだろう。しかし、宗教的視点から距離を置き科学的とみなされる努力を続けることで成し遂げた分野の前進が台無しになるからという理由で、理論を攻撃するのは、まったく意味が違う。

この本で私は、科学的態度は個々の科学者の価値観だけでなく、学者の集団にも宿ると主張してきた。では、「異端」の側が、批判する側よりも科学的に振る舞うケースはどう解釈すればいいのだろうか。分野の専門家のコンセンサスが間違っている場合でも、科学的態度の重要性は示せるのだろうか。これは微妙な問題だ。個々の科学者が集団よりも先を行くことはあるし、実際、画期的な考えはそうやって広まり、科学者の理解を変えていくことが多い。それでも、個人が、数十年来の科学的コンセンサスに面と向かって反対し、のちに正しいとわかるケースは珍しい。科学史ではガリレオやセンメルヴェイス、大陸移動説を提唱したアルフレート・ヴェーゲナーらが偉大な先例といえるだろう。

しかしそうした出来事が起こった場合、科学が道を誤らないための道しるべとして、いったい何を頼りにすればいいのか。それは根拠をおいてほかにない。ブレッツの話で重要なのは、彼がいきなり大胆な主張をしたことではなく、自説を裏づける根拠をもっていたことだ。科学の常識から外れて見える人に、ときにコミュニティが抵抗するのは仕方がない。それでも、最終的には衝突は、経験的根拠の確認という、科学にできる唯一の方法を使って解消しなくてはならない。

ブレッツのチャネルド・スキャブランドに関する理論でも、そのとおりの展開になった。散々な目に遭《あ》ったコスモスクラブでの発表のあと、ブレッツはかつてのライバルの一人の助力を得て、大洪水を起こすほどの大量の水が発生した原因は、氷河湖が自然に決壊したこと以外にないと悟った。そしてのちに、その説は正解だとわかった。今では、ミズーラ湖の巨大な氷のダムが決壊したことで、約２兆klもの水が流れ出し、オレゴン州ポートランドから１６０km南の地点まで達したと考えられている。[56]それでも、否定論は根強かった。

地質学界は粛々と自分たちの研究をこなし、この新進の地質学者が、大洪水で、西部の広大な地形が、地質学的には一瞬にあたる時間で変わったなどというナンセンスな言葉を無視しようとした。[57]

ブレッツはひどく落ち込んだ。しかしやがて、彼を批判していた学者がこの世を去りだすと、残りの面々は意見を変え、さらにブレッツの理論に肯定的な新世代の研究者も育ってきた[58]。そして数十年後、ようやくブレッツの正しさが認められた。批判していた学者の一人は、後年ようやく自分でスキャブランドを訪れ、「なぜみんなあんなに間違っていたのか」とこぼしたという[59]。１９６５年には地質学者の一団が公式にスキャブランドを視察し、ブレッツに「我々は今やみな、天変地異論者となった」と電報を送った。なんと美しい瞬間だろうか[60]。

このストーリーのエピローグとしては奇妙な話だが、彼の遺産は無数の創造論者を活気づかせ、創造論者はブレッツを、聖書にあるような洪水の発生をほとんど一人で証明した庶民の英雄とみなしている。もちろん実情は異なるが、創造論者のウェブサイトでは、科学者の集団というゴリアテに挑み、勝利したダビデだと称えられている[61]。これをどう捉えるべきか。

またブレッツは、テッド・クルーズのような人間が第二のガリレオかもしれないことの例証なのだろうか。そんなわけはない。ブレッツの話で参考にするべきは、ある科学者が根拠にこだわり、イデオロギー論を避けた点だ。科学を否定する人間が、気候変動はでっちあげだと主張するなら、その根拠はどこにあるのか。根拠のない意見は臆測以下でしかない。疑いの念や頑固さをもった時点で、もう科学ではなくなると言いたいわけではない。新しい理論を受け入れるための基準は高く保たなくてはならないのだ。しかし根拠を捨ててイデオロギーを重視し始めてしまったら、科学は科学でなくなる。

でたらめとされる理論に、実際に根拠があった場合はどうするべきか。そのときはテストを行い、それでも理論が崩れなかったなら、科学的コンセンサスを変える必要がある。科学的態度は個人だけでなく、集団の行動の指針にもならなくてはいけない。科学には個人と集団の両方のレベルで自浄作用が備わっているべきだ。根拠に合致しない異端の理論を唱える科学者が、残りの科学者から理論を否定され、それでも自説にこだわるなら、ある意味でその人物は科学者という職業を離れている。同じことが分野全体にもいえる。基本的には常温核融合のように、集団が個人の間違いを正すパターンが多いが、個人が集団を正すケースもときにはある。

ヴェーゲナーの大陸移動説を受け入れず、地質学が一時的に道を外れたときと同じように、ブレッツのチャネルド・スキャブランドに関する理論でも、この分野は同じ運命を受け入れることになった。地質学が一時でも「科学的でなかった」と考えるのはつらいが、それでも説得力のある根拠を前にして理論を変えることを拒んでいたら、そうなるのは当たり前だ。カトリック教会がガリレオの天界についての新しい理論を認めず、なじみ深いが間違ったイデオロギーにしがみついたときと同じように、地質学もまた、経験的根拠よりも、厳密な斉一説のほうを受け入れることをしばらくのあいだ選んだ。[62] それでも科学が特別なのは、そういった場合でも、軌道修正を図れる点だ。[63] 実際、地質学界は(科学として)のちにブレッツのデータがもつ力を認め、科学的態度に立ち返った(一方でカトリック教会はそれをせず、地動説をめぐる議論に敗れてから350年もあとに、ガリレオに謝罪するという屈辱を強いられた)。

さてそろそろ、科学的態度は科学の決定的な特徴かという問いに対して、ブレッツの話がもつ意味を正面から考えよう。科学的態度では、集団が常に正しいと考えるわけではない。それはガリレオやセンメルヴェイス、ヴェーゲナー、ブレッツらが証明している。科学では、ときに個人のほうが時代をはるかに先取りすることがある。前に紹介したサンスティーンの研究にもあったように、個人よりも集団のほうが真理にたどり着きやすいことが多いのは確かだ。しかし常にそうとは限らず、個人のほうが優れた理論を備えている場合もある。それは科学ではまったく問題ない話で、科学的態度を守るために重要なのは、どんな対立でも根拠を使って解決することだ。そのためには、ときに個々の理論だけでなく、分野全体のコンセンサスの修正が必要になる。

ブレッツに話を戻せば、当時なぜ斉一説が地質学でそれほど強い影響をもっていたかを考えてみるのは重要だ。個人的にこれは、ある科学分野全体がイデオロギーの影響下にあった珍しいケースだと考えている。斉一説がそれだけ好まれた理由は、創造論者に対する防波堤とみなされたからだ。斉一説は、「自然界は神の介入が想定されるようななんらかの天変地異ではなく、自然な過程のゆっくりとした作用で説明できる」という発想の正しさを示す手段だった。それでも、自然現象は突然に短期間で発生することもあるという考え方のなかには矛盾はまったくないし、その考えは神の存在を示唆しているとは限らない(64)。もう一つ、ブレッツが天変地異説という結論に焦って跳びついたわけではない点も忘れてはならない。ブレッツ自身、もともとは斉一説を指針にしていたが、**根拠が見つかったことで、別の理論へ向かったのである。**論文や発表を見ればわかるように、ブレッツは自説がもつ意味を軽く捉えていたわけでない。批判を予想してそれに応えようとし、それでも信じ続けたのは、彼が目にしたものを説明できる方法がほかになかったからだ。対照的に一部の地質学者は、スキャブランドの根拠を見てもいないのに、ブレッツの意見を封殺しようとした。その意味で、彼らはイデオロギーに影響されていた。科学者のはずの彼らがなぜ、根拠を追うよりも斉一説を守ることにこだわったのかも、説明が必要だろう。

私としては、イデオロギーはその信奉者だけでなく、それと戦う人間にも悪影響を及ぼすのではないかと考えている。科学者であるＵＳＧＳのメンバーは、本来ならブレッツが示した根拠が、全体的な理論と調和するかどうかを気にするべきではなかった。しかし気にしてしまった。それは、彼ら自身がキリスト教原理主義者との戦いで手いっぱいで、ブレッツの理論が敵に塩を送ることになるのを避けたかったからだ。

このように、イデオロギーは「正しい」側かそうでないかに関係なく、科学的過程をむしばむことがある。**科学的でない**者たちと戦うなかでは、科学の側がやり方を変えると、それだけで痛手をこうむる場合があるのだ。理論を提唱したのが一匹狼の個人なのか、それとも科学者のグループなのかは問題ではないし、その主張が漸進的変化を支持したのか、それとも突然の介入を支持したのかも関係ない。重要なのはブレッツの理論がデータに合致したことである。ところが根拠の検討という過程を省き、経験とは無関係なことを基準に理論について判断しようとすると、問題になりかねない。一番多いのは、宗教的、政治的なイデオロギーをもった人間が、神の介入や人間の自由、平等、生まれと育ちといった正解のわからないテーマに対する持論にそぐわないからという理由で、根拠から学ぶ過程を妨害するパターンだ。しかし実は個人や集団がそうしたイデオロギーに対抗しようとするときにも同じ問題が起こるのだ。真理があると思われる（あってほしいと思う）方向へ無理やりにでも進みたいという誘惑は強烈なことがある。しかしそうした行動は予想もしなかった逆の効果（場合によっては不正）を招き、市民の科学への信頼が揺らぐという形で裏目に出る場合がある。

しばらく前、イギリスで「クライメイトゲート」と呼ばれるメール流出騒動があった。メールのなかで何人かの科学者は、否定論者に都合よく利用され、気候変動はうそだと言われるのがいやだから、根拠を隠ぺいして、情報自由法に基づいた情報開示の要請に応じないと言及した。もちろんこれは冗談で、彼らは自分たちが科学の「正しい側」にいると思っていたが、気候科学がこうむった痛手は甚大だった。複数回の公式調査が実施され、科学者たちが何も悪いことはしておらず、研究の価値も損なわれないとわかったあとでも、彼らの発言は一部の人間が唱えてきた「地球温暖化はリベラル派の科学者が作り出したでっちあげだ」という陰謀論に火を注ぐことになった。自分が「正義の側」ではたらいていると思っていても、基準をないがしろにすれば、科学が被害をこうむる結果になりかねない[65]。

イデオロギーの唱道者に科学が攻撃されるのは実に不愉快だ。彼らは科学のどこが尊いかを気にしようともせず、好みの仮説を支持するデータだけを探そうとする。しかし科学的な自由には、無限のオープンさという代償が伴う。とんでも理論も許容すべきだなどというつもりはない。根拠をもたず、理論に論拠がないなら、貴重なリソースを割いて正しいかどうかをチェックする必要はどこにもない。それでも、根拠が実際に今までと異なることを示しているなら、セーガンの言うように、意見に耳を傾ける必要があるだろう。この章の最後ではまさにそのことをやってみるつもりだ。そこではプリンストン変則工学研究所（ＰＥＡＲ）で30年近く行われた超感覚研究について議論する。しかしその前にまず、疑似科学の話題を扱おう。

疑似科学──見せかけの開かれた心

疑似科学の信奉者でやっかいなのは、彼らが携わっているのが科学ではないにもかかわらず、本人たちが自分は科学者だと主張している点だ。科学者のふりをしているだけだと自分でわかっている者もいれば、自分の研究が不当におとしめられていると信じている者もいるだろう。しかし、経験的テーマについて説明を提起する際にまず重要なのは、根拠に合致しているかどうかだ。[66]では、疑似科学の信奉者のほとんどに、理論が間違っているどころか科学ですらないと認めさせるのがこれほど難しいのはなぜなのか。理由は否定論者のときと似ていて、彼らが希望的観測に基づいて理論を信じているからだろう。

希望的観測は、明らかに科学的態度と相容れないものだ。何が真理であってほしいかをイデオロギーを基準に先に決め、それを裏づける根拠をあとから追いかけるやり方は許されない。科学者は根拠を指針にするべきで、根拠によって自分の見解を形作るべきだ。すでに話したとおり、科学的仮説はどんなきっかけで生まれるかわからない。直観や希望的観測、願い、頑固さ、大胆な推測などは、どれも尊重される科学理論につながってきた実績がある。それでもカギとなるのは、理論が根拠からの支持を得なくてはならないのと同時に、ほかの科学者たちからの評価も受けなくてはならないということだ。

セーガンのマトリックスを思い出してみよう。疑似科学的な仮説は、実際には新しい発想に対してオープンとはいえない。たしかに占星術師やダウジングをする人間、パワーストーン療法家、インテリジェント・デザイン論者などは（セーガンの言うように）きわめて妄信的ではある。しかし彼らは、自分の理論を否定する新しい根拠を受け入れることには通常、極端なまでに閉鎖的である。反証を認めず、対照実験を行うこともまれで、データの意図的な選別を平気で行う。否定論者と同様に、ほとんどの疑似科学の信奉者は都合の悪い根拠から目を逸らす印象を与えつつ、同時にほかの科学者が自分たちの説に見向きもしないと不満をこぼしさえする。

なかには自分のやっていることを自覚したうえで、こうしたいたちごっこから利益を得ている者もいる。他人を誤った方向へ導こうとする者がいて、それにだまされる者がいる。占星術は、世界中に支持者をもつ10億ドル（約１３００億円）規模の産業だし、[67] NBCニュースによれば、アメリカ人は年に総額30億ドル（約４０００億円）をホメオパシーにつぎ込むという。[68] ほかには、もちろん真っ正直に自分のイデオロギーを信じ、お金のためではなく、自分たちが正しいと思うから関わっている者もいる。そしてもちろん、意図的な無視があり、だまされる人間がいる。どれも優れた科学にとっての脅威だ。うそを本気で信じていようが、信じているふりをしているだけだろうが、それは科学への敵対行為で、根拠についての原則を尊重しながら経験的な見解を打ち出すことへの否定だ。疑似科学の信奉者は、否定論者と同じように、科学的態度を避けている（少なくとも裏切っている）。事実よりも直観を評価し、「懐疑主義」を自分の都合に合わせて使い、さまざまなものを妄信する。根拠へのダブルスタンダードを用い、反対派の研究には陰謀論のレッテルを貼る。疑似科学の信奉者と否定論者のなかには、市民を混乱させることで利益を得ている者と、盲目的に従っている者とがいる[69]。

疑似科学の信奉者には、こう尋ねることが重要だ。そちらの理論が正しいなら、根拠はどこにあるのか。科学の主流派から迫害されているとか、ないがしろにされていると主張するのは自由だが、正解を手にしているなら、なぜひどい扱いを受けるのか。ハーレン・ブレッツの例でも見たように、根拠があれば、**いずれは**、その分野の残りの面々も興味を示すようになる。もちろん苦難の道が待っている。ブレッツのような優れた科学者でさえ、激しく、ときに不条理に批判されたのだから、疑似科学の信奉者がそれよりもやさしい扱いを受けられるはずがない。根拠をもっていてもブレッツが激しく戦わなくてはならなかった事実は、科学の実践にオープンさが備わっていることのよい証明ではないかもしれない。しかし、変わり者は追い込まれる運命にあることの証明にはなっているだろう。科学者は簡単には他説の論拠を認めない。だとすれば根拠を（あるいはあいまいな根拠しか）示せない疑似科学の信奉者が、真剣に受け止めてもらえるはずがない。正しい「かもしれない」からといって、理論に正当性があるとは限らないことは、すでに述べたとおりだ。

反証可能な予測をする占星術師はいないし、二重盲検対照実験を行う心霊治療家もいない。タイムトラベルは可能だという人間が、時間をさかのぼって株式市場で大もうけしたという話も聞かない。[70] 普通とは「別の」見解をもつ人間が、その見方を真剣に受け止めてもらいたいなら、厳しく吟味・批判される覚悟が必要だ。そしてすでに見たとおり、実際にそうなった場合、たいていは残念な結果が待っている。[71] だから疑似科学の信奉者はかわりに、自分で選り分けた根拠だけを発表しようとする。しかしそれは、科学を装っただけのものにすぎない。

疑似科学の実際──創造論とインテリジェント・デザイン論

進化論否定派の卑しい歴史は長く、さまざまなところで詳しく語られている。[72] 最初はテネシー州で１９２５年にあったスコープス裁判で、ダーウィンの自然選択による進化論に抵抗する者たちは、まず公立校の生物学の授業から進化論を締め出そうとした。このやり方はしばらく大きな成功を収めたが、1967年になるとその合憲性が疑問視されるようになった。[73] すると1章でも見たように、現代の創造論者は作戦を変更し、進化論を授業から締め出すのではなく、創造論も一緒に教えろと訴えるようになった。これが実現したのが、アーカンソー州で1981年に成立した州法第590条で、これにより州の教師は、生物学の授業で創造論と進化論を並行して教え、「バランスのとれた扱い」をすることが求められるようになった。しかしその後のマクリーン対アーカンソー州裁判で、この訴えの合憲性が疑問視された。ウィリアム・オヴァートン判事は、ダーウィンの進化論が「世俗の宗教」だという主張はばかげたものだと述べ、「創造科学」は少なくとも以下の点に照らすと科学ではないと判断した。すなわち「科学理論とは暫定的なものであり、また理論を反証するかそれに合致しない事実に照らして、常に修正あるいは放棄される可能性をもたなくてはならない」というのである。[74] こうして、創造論は疑似科学以外の何ものでもないことが明らかになった。

ところがのちに、創造論者は進化論の科学的代案と称するインテリジェント・デザイン（ＩＤ）論の旗の下に再結集する。これを考案したのは1990年にワシントン州シアトルで創設されたディスカバリー・インスティチュートと名乗る「シンクタンク」で、進化論を攻撃してこの理論を広めるのが目的だった。この機関はその後、数年にわたってイデオロギーに基づく進化論の批判に資金援助し、批判を広める活動を繰り広げ、広報活動を通じて、進化論に対する疑念を煽る大量の誤った情報をマスコミに流した。そして２００４年、ペンシルベニア州で「キッツミラー対ドーバー学区」という新たな法廷闘争が始まった。この裁判の経緯も別の場所で語られているが[75]、何より注目すべきは、創造論者が作戦を切り替えたことだった。彼らはもはや創造論や創造科学を授業で扱ってほしいとは言わず、古生物学者のレナード・クリシュタルカが「安物のタキシードを着せた創造論[76]」と呼んだＩＤ論を、まったく別の科学理論だと主張した。しかしこのときも、彼らは衝撃的な敗北を喫した。アーカンソー州についての判決と同様、ジョン・Ｅ・ジョーンズ判事は、インテリジェント・デザイン論は科学ではなく、その進化論批判は科学界によって間違いだとされているとした。しかも、ＩＤ論には査読つきの研究や、主張を裏づける根拠もなかった。判事は「息を呑むほどの愚かさ」と、税金を無駄遣いしたかどで学校関係者を叱責した。そして、損害賠償として原告へ１００万ドル（約1億3千万円）を支払うよう彼らに命じた。

このあと、創造論者はさらに作戦を変えた。法廷闘争にもち込むのはあまりにも危険だと気づき、法そのものに影響を及ぼすことにしたのだ。２００８年、ディスカバリー・インスティチュートは、「生物学的、化学的進化に対する幅広い科学的視点」を教えられない圧力を感じている教師たちの「教育の自由」を守るという名目で、法律案のモデルを起草した。(77) そしてドーバー学区の判決で「混乱」が生じたと指摘し、今回の法案は当然「なんらかの宗教教義を広めようとするもの」と解釈すべきではないと述べた。しかしこの言葉は詭弁《きべん》でしかなく、法案が、全国の科学の授業に創造論を忍び込ませようという試みの焼き直しなのは明らかだった。

試みは、最初は失敗に終わった。２００８年のフロリダ州では、民主党議員が法案の文言のあいまいさをついて（共和党の嫌う）避妊と中絶、性教育を扱う教師の自由もまた守られるべきだと主張して、法案は下院で否決された。ところが同じ年にルイジアナ州で、「教育の自由」法案が初めて議会を通過した。ディスカバリー・インスティチュートの文言をそのまま採用したものではなかったが、このことは反科学勢力の勝利とみなされた。議会は慎重にも、「議論の余地のある」理論の例として進化論（と地球温暖化）に言及した箇所を、もともとの法案からすべて削除し、ルイジアナ州科学教育法に名前を変更した。ボビー・ジンダル州知事が署名したこの法律は、米国における教育の自由についての、たった二つの州法の一つとして今も残っている。

同じような法制化の試みは、ミズーリ州、アラバマ州、ミシガン州、サウスカロライナ州、ニューメキシコ州、オクラホマ州、アイオワ州、テキサス州、ケンタッキー州で頓挫し、２０１２年、テネシー州で二つ目の「教育の自由」法が成立した。こちらは「進化論と気候変動の『科学的強みと弱み』を探究する教師」を守るためのものとされた。[78] 直後の２０１３年初旬には、コロラド、ミズーリ、モンタナ、オクラホマの４州がこれに続いた。特に過去5年にわたって上院が開かれるたびに法案が再提出されたオクラホマは、「教育の自由」法の広告塔のような立ち位置だ。法律の中身は大差なく、[79] ２０１６年の同州上院に提出された法案では、次の点を目指した。

公立校の学区内に、生徒が科学的疑問を探究し、科学的根拠について学び、批判的思考の技術を身につけ、議論を招く話題に対する意見の相違に適切かつ敬意をもって対応できるようになる環境を作り出す。[80]

この理念には一つだけ問題がある。それは、科学的な対立は意見ではなく、根拠を基準に解決されているし、そうすべきだということだ。下院の法案では次のように述べている。

州議会はさらに、生物学や化学、気象学、生命倫理学、物理学を含む（ただしそれに限られない）分野の科学的概念について教えることは、議論を招く場合があり、さらに一部の教師が、生物の進化や生命の化学的起源、地球温暖化、ヒトクローニングを含む（ただしそれに限られない）話題について、情報をどう示せばいいか確信がもてずにいる可能性があることもわかった。[81]

うれしいことに、これらの法案、さらにはミシシッピ州とサウスダコタ州で2016

年に議論されていた同様の法案は、どれも議会を通過しなかった。最近では、アリゾナ州とインディアナ州、テキサス州、ヴァージニア州で同種の法案がどれも否決されている。こうした反科学法案の現状と今後に興味のある人は、アメリカ国立科学教育センターのウェブサイト(82)に全体の経緯が時系列順に示されているので、確認してみてほしい。

しかし残念ながら、法案が提出されるところまでいった事実そのものが、一般市民に科学がきちんと理解されていないことを示している。（ダーウィンの番犬と呼ばれた）トマス・ヘンリー・ハクスリーは、「人生はあまりにも短く、一度葬ったものを再び葬ることにかまけているわけにはいかない」と言った。しかし何度でもよみがえる疑似科学との戦いに臨むなら、この姿勢はまずい。すでに見たとおり、戦術と戦略は変わったが、戦いはずっと続いていくのだ。

私自身も、ディスカバリー・インスティチュートとの小競り合いを繰り広げたことがある。２０１５年に『クロニクル・オブ・ハイアー・エデュケーション』紙に寄稿した「真理への攻撃」と題する記事で、私はこの機関について「進化論の『欠点』に対するバランスを取るため『インテリジェント・デザイン論』を公立校で教えることを支持するシアトルの団体」と書いた。[83] するとこの表現が気に障ったらしく、彼らはブログ記事を2本立て続けに投稿し、自分たちが「インテリジェント・デザイン教育の公立校での義務化には一貫して反対していた」点を、把握していないようだと私を攻撃した。[84] くだらない反論だが、これもまた、キッツミラー裁判からの悪影響を消そうとする新たな作戦の一環なのだろう。[85] 友人の助言に従って、この記事には反応せずにおいたが、反論するのであれば、「義務化」と「支持」は異なる点を指摘し、公立校でＩＤ論を教えることを本当に支持していないのなら、なぜキッツミラー裁判で、被告側代理で法廷助言者として活動したのかを問いただしたはずだ。

ここから描き出されるのは、おなじみの結論だ。つまり、疑似科学の信奉者は科学のなんたるかをまったく理解も尊重もしていない。しかも今回の創造論とインテリジェント・デザイン論に関しては、疑似科学というだけでなく、否定主義とも呼べるのではないかと思えてくる。根拠を土台にした見方をそもそもせず、根拠を検討する前から心を決めているからだ。これではＩＤ論が科学と認められるはずがない。ＩＤ論は、科学の弱みを突くことを一つの作戦にしている。セーガンの基準では、科学は新しい発想に対して心を開いていなければならず、そしてID論者は、進化論者が不当に自分たちの見方を締め出し、公平に耳を貸そうとしないと訴える（自分たちも、ID論と矛盾する根拠を認めようとしないにもかかわらずだ）。

「論争を教える」が彼らの常套句《じょうとうく》だ。アイデアがどこからやってくるかわからない以上、科学では、すべてのテーマを公平に吟味しなくてはいけない。ID論者は、もしそうならID論がもつ「科学的」主張をなぜ生物学の授業で教えてはならないのかと訴える。理由は、そんな主張は存在しないからだ。ここで多くのページを費やし、ID論の「科学的」根拠を一つひとつ否定することもできるが、それはすでにほかの研究者が見事に、詳しくやってくれているから[86]、納得したい人はそちらを参考にしてほしい。ここではキッツミラー裁判でジョーンズ判事が下した、ID論は「科学ではない」という明快な結論に従おう[87]。

自然な流れとして、ID論者は一歩後退し、今度は眼の進化やミッシングリンクにまつわる長年の議論に加われないかと考えている(残念ながら、どちらも進化論者がすでに説明をつけているが(88))。しかし、ID論者が根拠という科学的基準を受け入れてさえいないなかで、そもそも彼らと議論する意味があるのだろうか。疑似科学の信奉者であるID論者は、自分たちの見解を否定から守ろうとする。彼らは科学的推論の裏にある基本原則、すなわち経験的根拠を土台に自分の見解を形作り、新たな根拠が見つかるのに合わせて、それを修正する意思をもたなくてはならないという点を誤解している。

科学についての誤解はほかにもある。まずID論の支持者はよく、授業で教えられるという資格を得るには、進化論は根拠を通じて完璧に証明されていなければならないかのように話すが、この本で見てきたとおり、科学とはそういうものではない。2章で解説したように、どんなに強力な根拠が見つかっていても、100%確実な科学的結論が出ることはないのだ。ID論者は「だからこそ、別の理論を検討する必要があるのでは?」と反論するかもしれないが、答えはノーだ。なぜならどんな理論も、十分な根拠に基づいた論拠という原則からは逃れられず、そしてID論はなんの根拠も示せないからだ。また進化論に「欠点」があるからといって、それだけで別の理論が正しいことが証明されたわけではない。欠点となる事象に対して、より優れた説明ができなければならないのである。

結論を言おう。ＩＤ論は、科学を装った創造論者のイデオロギーにすぎない。進化論を「決着していない科学」だと言って否定し、それを理由にＩＤ論を少なくとも検討すべきだと主張するのはナンセンスだ。科学のカリキュラム内での居場所は、つかみとるべきものだ。もちろん、いかなる真に科学的な理論と同様、理論上は進化論が間違っている可能性はある。しかし微生物学から遺伝学までを含めた無数の根拠による裏づけがある以上、間違っている可能性は圧倒的に低い。科学では、単に「そちらの理論は間違っている可能性がある」とか「こちらが正しいかもしれない」と言うだけでは不十分だ。研究者は根拠を示し、理論には論拠が備わっている必要がある。だから、進化論が理論上は正しくない可能性があるとしても、それでＩＤ論の正当性が高まるわけではない。空飛ぶスパゲッティ・モンスター教（キッツミラー裁判の最中、ある物理学科の卒業生が、ＩＤ論が科学として破綻していることを示すために見事な皮肉として考え出した宗教[89]）を「科学」理論とはいえないのと同じだ。というより、科学は不確実なものなのだからすべての代替理論を受け入れなければならないというなら、天文学者は地球平面説を教えなければならないのか。カロリック説やフロギストン説にも立ち戻らなければならないのか。科学では確実さは手に入らないかもしれないが、それでも根拠は必要だ。[90]

ほかにＩＤ論者がしそうな反論としては、進化論も「単なる一理論にすぎない」というものがある。しかしこの迷信については2章で議論した。進化論が一理論だからといって、軽視していいわけではない。科学理論は、根拠による支持という強力な土台を手にし、根拠を使って予測と説明の両方を裏づけ、さらに広く信じられているほかの理論と統合されることで、難攻不落になる。ＩＤ論が太刀打ちできないのも当然だ。

それでもここで、挑発的な問いかけをしてみよう。つまり、太刀打ちできたらどうなるのか。ＩＤ論の予測を裏づける根拠が**実際に**あったらどうなるのか。テストする必要があるのか。私はあると思う。すでに述べたとおり、どんなにとっぴな主張でも、真剣に捉えなくてはならないケースはある（すぐさま科学の授業で扱う必要があるという意味ではない）。それができて初めて、科学は新しい発想に対してオープンだといえる。

自分の研究が疑似科学だと一蹴されてきたことに憤る異端の研究者は、その仕組みを通じて正式に異議を申し立てればいい。代替理論の側に示すべき根拠があるのなら、科学の側も、根拠**以外**を理由に否定してはならない。しかし「疑似科学的」理論を真剣に受け止めてもらいたいのなら、誰でも手に入る根拠を示し、その理論に同意していない科学者たちがテストすることを認めなくてはならない。そして理論が基準をクリアーしたなら、科学者はさらに探求すればいい。

そういうことが、実際にこれまでにもあった。

プリンストン変則工学研究所（PEAR）

1979年、プリンストン大学・工学応用科学部のロバート・ジャン学部長が、「人間の意識と、現代工学でよく使われる物理的な感応デバイス、システム、プロセスとの相互作用を厳密かつ科学的に研究する」ための研究所を開いた。[91] 要するに、ジャンがやりたかったのは超心理学の研究だった。プリンストン変則工学研究所（PEAR）と呼ばれたその場所で、ジャンたちはそこから28年をかけてさまざまな効果を研究した。なかでも有名なのがサイコキネシス、つまり人間の心がもつとされる物理的な現象に影響を及ぼす力だった。

懐疑的な人ならすぐ、そんなものは疑似科学だという結論に跳びつきそうだが、ジャンらの目的はこの仮説を科学的に研究することだった。PEARのチームは乱数生成装置を用意し、装置を操作する被験者に、思考を使って数値に影響を及ぼすように言った。その結果、0・00025という、ごくわずかだが統計的に有意な効果が**実際に**見られた。マッシモ・ピリウーチいわく、わずかではあるが、「もし本当なら、物質とエネルギーの基本的な振る舞いに対する考え方に革命を起こす」ものだった。[92]

これをどう解釈するべきか。まず、統計とは何かを思い出す必要がある。

効果量とは、偶然による結果との差の大きさを指す。たとえば、表と裏が出る確率がそれぞれ正確に2分の1である「公正なコイン」を1万回弾《はじ》き、表が5000回出たとする。そして次にコインを赤く塗って表が5500回出た場合、差の500回が効果量になる。

標本量（サンプルサイズ）は、この例の場合、何回コインを弾いたかを指す。色を塗ったコインを20回弾いただけなら、表が11回出たとしても驚くには値しない。たまたまかもしれないからだ。しかし1万回弾いて表が5500回出るのは、かなり驚くべき結果といえる。

P値は、効果が偶然の産物である確率を指す。5章でも話したとおり、P値は効果量と同じではない。P値は効果量の**影響を受ける**が、**標本量にも影響**される。コインをかなりの回数弾いて、それでも異常な結果が出た場合、偶然である確率は低いため、P値は小さくなる。しかしP値は効果量にも影響を受ける。コインを1万回弾いて表が5500回というのはかなり大きな効果だ。これだけ大きな効果が偶然の産物である可能性は低いため、この場合もP値は下がる。

PEARの調査結果を見る前に、このコインの例から二つの結論を出しておこう。まず、P値は効果の原因を示したものではなく、帰無仮説が真だったときに実験結果が得られる確率でしかない。だから赤く塗ったことで魔法が起こったのか、それとも重さのバランスが崩れて表が出やすくなっただけなのかはわからない。しかし効果量には、試行回数を増やすほど、ごく小さな効果も増幅される特徴がある。色の塗られていないコインを考えよう。これは見かけはほかのコインと同じだが、鋳造過程でほんの少しバイアスが生まれたとする。その状態でコインを100万回弾いた場合、その小さなバイアスは増幅されてP値に反映される。効果量は小さいままなのに、試行回数が多いことでP値が下がるのだ。したがってこれは公正なコインではなかったという結論になる。また効果量が大きい場合、試行回数が少なくてもP値に劇的な影響を与えることがある。公正なコインを赤く塗って、表が10回連続で出た場合、その結果が偶然である可能性は低い。もしかしたら塗料に鉛が使ってあったのかもしれない。

では、PEARは何をしたのか。彼らはこのコイン弾きに相当することを28年間やり続けた。効果量はきわめて小さかったが、試行回数が多いため、P値も非常に低かった。ではそこから、効果は偶然の産物ではないといえるだろうか。答えはノーだ。

研究員たちは正しい心持ちで実験をしていただろうし、彼らが不正をはたらいたとか、よくない意図をもっていたとさえ言いたくない。しかし彼らの出した結果は、一種の無意識の大規模なＰ値ハッキングによるものの可能性がある。ＰＥＡＲの研究を扱ったピリウーチの著書『*Nonsense on Stilts*（竹馬のナンセンス）』を読むと、ＰＥＡＲの研究結果は、彼らの乱数生成器が本当にランダムだったのかという部分に決定的に左右されることがわかる[93]。

ランダムではないと考える根拠はなんなのかという問いは、この件に関しては間違っている結果から原因を推察することはできないとしても、思考が物理現象に影響するといった大胆な仮説を受け入れるには、まず影響しうる別の要素「交絡因子」をすべて排除しなくてはならない[94]。赤く塗ったコインで生じた効果が「魔法」によるものか、重さのバランスの変化によるものかはわからない。しかしオッカムの剃刀《かみそり》*に従い無駄な仮説をそぎ落とす懐疑的な科学者が、どちらを受け入れるかは一目瞭然だ。同じことがＰＥＡＲの実験結果にもいえる。要因はサイコキネシスなのか、それとも乱数生成器の欠陥

＊「ある事柄を説明するのに必要以上の事柄を仮定してはならない」という考え方。

なのか。そして後者の可能性が排除できるまで、研究所が乱数生成器を何年使って研究したところでそれが示すのは「完全に無作為な乱数の生成は物理的に不可能だ」ということであって「サイコキネシスは可能だ」ということではない可能性があるのである。ロバート・パークは著書『わたしたちはなぜ科学にだまされるのか』でこう述べている。「基本的に、真にランダムな機械は存在しないとされている。だからこそ、ランダムさがないことは多くの試行を重ねたあとで初めて表れるのかもしれない[95]」。

これらの仮説をどう選り分ければいいのか。**なぜ**完全に無作為な機械は存在しないのか。これはまだ答えのない疑問で、「サイコキネシス研究を続ける価値はあるのか（もしくは、実際にどうやってテストするのか）」という問いの根幹に関わる部分だ。しかしさしあたっては、ほかの方法論的な問題点を見ていこう。まず、PEARの研究員の名誉のために言っておくと、彼らはほかの研究所に再現実験を行ってほしいと依頼した。依頼は断られたが、少なくともこれは、彼らが優れた科学的態度を備えていたことを示唆する[96]。査読については話が複雑で、所長はこう言っている。「我々は非常に優れた学術誌に査読してもらおうと、データを提出したが、誰も担当してくれなかった。

我々はデータについて常にオープンにしているが、同僚がいない状況で、同僚による査読をしてもらうにはどうすればいいのか」[97]。対照実験についてはどうやら実施したらしいのだが、反対派が求めるような制限条件を満たすには不十分だったようだ。

ＰＥＡＲの件でおそらく最も困惑するのが、本来は考慮すべき反対派の提案が、通常無視されていたことだ。たとえば物理学者のボブ・パークは、主な批判をかわすことにつながる2種類の実験を提案したという。なぜ二重盲検実験をやらないのかとパークは尋ねた。被験者がどういうタスクをするかを2台目の乱数生成器に決めさせて、それを記録者に知らせないでおけば、実験を監督する者がもつバイアスについての疑惑を排除できた可能性もあった[98]。

ＰＥＡＲの研究は不正だと主張する者はいなかったが、少なくとも疑わしい点はあった。効果量の実に半分は一人の被験者が28年にわたって示したもので、しかもその被験者はＰＥＡＲの職員らしかったのだ。その人物がほかの被験者よりも優れた超能力をもっていただけという可能性もあるが、PEARは2007年に閉鎖されたため、答えは永久にわからないかもしれない。ジャンは言う。

今こそ新時代へ進むときだ。そこでは我々の調査結果が人間の文化や将来の研究に対してどんな意味をもつか、また結果が正しかった場合、我々の基本的な科学的態度がどう評価されるかは、別の誰かが明らかにしてくれるだろう。(99)

PEARの実験結果を疑わしく思う気持ちを拭いきれない人もいるだろうが、個人的に励みになるのは、そもそもこうした研究が行われ、そして真剣に批判された点だ。研究所はプリンストン大学の恥だと言う人もいるが、私は必ずしもそうは思わない。科学的態度を尊重するには、研究者が厳密さを備えると同時に、科学界の側も科学的に生み出されたデータを開かれた心で検討しなくてはならない。PEARの実験結果は、私には疑似科学とまでは呼べない。PEARの研究員が科学者のふりをしていただけとは思えないし、その点では常温核融合やひも理論の研究者と同じだ。彼らの方法論には問題があった可能性はある。実際この研究を通じて真に無作為な乱数生成器などないとわかったのだとすれば、それは彼らの功績と考えるべきかもしれない。もちろん、基本的なレベルの対照実験を行えばよかっただろう。つまり28年間（可能なら別の部屋で）乱数生成器をいかなる影響も排除しつつ稼働させて、それと被験者を使った実験結果とを比較するということである。もし対照用の機械からの結果が50％で、実験用が50・00025だったなら、私ももっと結果を真剣に受け止めていたはずだ（サイコキネシスはありえることを示唆している点でも、真に無作為な乱数生成器は作れると示唆している点でもだ）。

この章のまとめ

ある人物が科学的態度をもっていると自分では思いながら本当の意味ではもっていないということはありえるだろうか。態度とは奇妙なものだ。私が経験的根拠を用いることをどう**感じて**いるかを知ることができるのはおそらく私だけだし、私が自分の理論を本気でテストしているか、それともその理論をかばおうとしているだけなのかは、私自身の胸に聞かなければわからない。自意識には無数のレベルがあり、しかも自己欺瞞という現象がそれを複雑なものにしていることを忘れてはならない。

しかし、科学的態度は行動から測ることもできる。仮に私が自分は科学的態度を備えていると宣言しつつ、別の根拠の検討や反証可能な予測をすることを拒否すれば、激しい批判が出るだろう。それは私が自分の意図を純粋なものと感じているかとは関係ない。否定主義や疑似科学と科学とを分けるのは、科学者個人や、科学界を構成する科学者集団の心持ちだけではない。両者の違いは一人ひとりの科学者や同じ仕事に従事するメンバー、つまり科学とは経験的根拠を心から大切にする学問であるという発想を実践する面々の行動にも表れる。人生のあらゆる部分がそうであるように、態度は思考だけでなく、振る舞いからも測ることができるのだ。

第9章

社会科学の前進のために

7章と8章では、科学的態度に倣えなかったものの例を見てきた。不正をはたらく人間も、否定論者や疑似科学の信奉者も、多くが根拠を大切にすると言いながら、経験的探究に必要な最高の基準を満たせずにいる。ここで考えなくてはならないのが動機だ。こうした間違いが起こるのは、(おそらく科学的品位よりもイデオロギーや自尊心、お金を大事にしているために)科学的であることを本気で目指しておらず、近道をして科学的な栄誉を手に入れたいだけだからだろう。

では、もっと科学的でありたいと**本気で**思い、そのための努力をいとわない一方で、科学的態度の役割を十分に理解できていないせいで、科学の領域に到達できない分野の研究者についてはどうだろう。6章では、科学的態度のパワーがそれまで科学ではなかった医学を科学に変えていく過程を紹介した。社会科学は同じ道をたどれるのだろうか。これまで多くの人が、社会科学(経済学、心理学、社会学、人類学、歴史学、政治学)も自然科学の「科学的方法」を真似れば、もっと科学的になれると主張してきた。しかしこの単純な意見にはいくつかの問題がある。

人間の振る舞いを科学として扱う際の課題

社会を研究する方法はいくつもある。社会心理学者は対照実験が便利だと知った（行動経済学者も追随し始めたところだ）が、ほかの分野ではデータを2回とるのは単純に不可能だ。[1]社会学にはケーススタディが、人類学にはフィールドワークがある。新古典派の経済学者は最近まで、想定を単純化しすぎると、実際の人間の行動を映した理論モデルを実際の人間の行動に適用できないという発想を鼻で笑ってきた。もちろんこの点で、社会科学と自然科学は少し似ている。ニュートン物理学だけをモデルにしていては、自然科学には多彩な研究方法があることを見落としやすい。地質学者は対照実験を行えないし、生物学者もたいていは正確な予測ができない。それでも、論理実証主義者（とカール・ポパー）が「科学の特別さは方法にある」と主張して以来、多くの人が、自然科学の研究の仕方を手本にすれば、社会科学も分野として前進できると考えてきた。

しかし最近、社会科学者と社会科学の哲学者の両方から、この論調に対する異論が出ている。社会科学の研究を自然科学と同じやり方で進めることはできないという意見だ。まず、扱う対象が違いすぎる。人間の行動について我々が理解したいことは、しばしば人間の行動を因果的要因に還元するやり方とは対立する。だから科学を実践する唯一の方法が(「科学的方法」そのものではないにせよ)自然科学特有の方法論に従うことであるならば、社会科学ももっと科学的になれるという希望を捨てる人が出てくるのも、もっともである。

人間の行動を科学として扱うには、乗り越えられない壁があるという意見もある。扱うテーマがあまりに複雑あるいはオープンで、社会的な対照実験を行うのが不可能で、さらに、主観性と自由意志という、社会的探究に特有の問題があると考える者もいる。[2]しかし私は、こうした主張の問題を指摘することに骨を折ってきたし、今も自分の意見が妥当だと信じている。その大きな理由は、自然科学の研究も複雑かつオープンで、ほかに壁として挙げられたものも、実際の社会研究の出来にそこまで影響しないからだ。こうした問題は誇張されてもいる。もし本当にそれらが壁であるなら、それは自然科学の研究を阻む障害にもなっているはずだ。しかしさしあたっては、人間の振る舞いを科学として扱うことを可能にする、より見込みのある方法に焦点を当てたい。社会科学にこれまで足りなかったのは、適切な方法ではなく、経験的根拠に対する正しい態度だとわかっているからだ[3]。

ポパーと同じように、私も科学的方法などというものはないと思っているが、その一方で、方法論こそが科学を特別なものにしているとも考えてきた[4]。ポパーは、よく知られているとおり、社会科学は反証可能ではないため、科学たりえないと言った[5]。しかし私はこの意見に反対してきたし、自然科学と社会科学の研究手法にそれほど差はないと考えている。しかし、そこにこだわっていては重要なポイントを見落としてしまう。社会科学を含めた科学の特別な部分は、研究の方法だけでなく、研究を行う際の態度にもあるからだ。

社会科学の研究には、恥ずかしいほど厳密でないものがあまりにも多い。方法に問題がある場合もあるが、それよりもよくないのが、その背後にある経験を軽視する態度だ。移民や銃規制、死刑といった重要な社会的テーマを取りあげた、科学的だと主張する研究の多くが、研究者の政治観やイデオロギーの悪影響を受けている。だから、ある一つのテーマについて、リベラルな政治観に沿った結果を出す研究者がいる一方、それとは正反対の保守的な結果を出す研究者がいることも想像にかたくない。

わかりやすいのが、移民はアメリカ経済に「なんとか貢献している」か、それとも経済の「足手まとい」かというテーマだろう。わたしはこれは完全に経験的な疑問だと思っているが、そうであるなら起こらないことが社会科学では起こっている。つまり、移民はアメリカ経済にとって差し引きプラスだと示した研究を五つ引用し、同時に逆のことを示す別の研究を五つ引用して、さらにそれぞれの研究をどこの研究所の誰が行ったかと推理できてしまうのである。[6] 不正だとか疑似科学だと非難したいわけではない。評価の高い研究者らが行った、厳密な社会科学的研究とされるもののなかに、**同じ事実を扱っているにもかかわらず**、正反対の結果を示したものがあることが問題なのだ。物理学で許されないことが、社会学で許されていいはずがない。これでは政治家が、社会科学的研究に基づいた政策を打ち出すのをいやがり、自身のイデオロギーを裏づける、好みの研究ばかりを土台にするのも無理はない。

しかし本当は、こうしたテーマで経験的な研究を行う方法は**ある**のだし、社会科学を科学的に実践することは**できる**のだ。人間の行動に対する疑問にも、正解と間違いはある。べき論ではなく経験的な問い（例えばイラクに大量破壊兵器はあったのか、ジョージ・W・ブッシュ大統領は幹細胞研究の全面禁止を提起したのか）に対して自分の意見と異なる根拠が示されたとき、人は「バックファイア効果[*1]」を経験するのか。暗黙のバイアスなるものがあるのか、それがあるならどう測定すればいいのか。こうしたテーマを科学的に研究することは可能だし、実際に研究されてきた[(7)]。社会科学者はこうした問いに対して意見を異にするかもしれない（そして実際、現在進行形の研究ではそれが健全である）。しかし、こうした問いをどうやって研究すべきかで意見の不一致が見られるのは構わないが、答えが政治的に受け入れられるかで意見が分かれるのはまずい。根拠に対する科学的態度は、自然を研究する際と同じように、人間の振る舞いを研究する際にも必要になる。

とはいえ、現在の社会科学研究に無数の問題があるのは確かだ。

＊1　自分の信念とは相反する証拠を示されたときに、かえってもともとの信念にこだわるようになること。

（1）**理論が多すぎる。**社会科学研究のなかには、根拠に照らしたテストを行わずに答えを示しているものが多い。典型例が新古典派の経済学で、そこでは完全合理性や完全情報など、単純化した想定の数々を土台に美しい定量モデルを構築しているが、そうしたモデルは実際の人間の行動とほとんど関係ない。

（2）**実験とデータを欠く。**社会心理学と新興の行動経済学を除けば、社会科学では実験を行える場合でも、いまだに実験に頼らないことが多い。たとえば、性犯罪者の名前を公共のデータベースに載せることの正当性について、再犯率が下がるという主張がある。それなら性犯罪者登録局（SORB）が**なかった場合**と比較した再犯率を測定する必要があるが、SORBがない場合の犯罪率を実際に測定するのは難しく、答えも多岐にわたる。[8] これが（1）の問題を悪化させ、実験的根拠に照らしたテストをしていないのに、好みの理論的説明を受け入れる人が現れる要因になっている。

（3）**概念があいまいである。**社会科学研究のなかには、測定したいものに対する「代用品」となる概念を使っているせいで、結果に疑問が残るものがある。詳しくは次の項目で紹介するが、最近の例では「信頼性」のかわりに「あたたかみ」を測定しているせいで、誤解を招く結論を出している研究がある。

（４）**イデオロギーの影響を受けている。**この問題は社会科学全般に広まっていて、政治的な話題では特に多い。最近の例は、犯罪を減らすのに死刑の抑止効果を期待するべきか、それとも銃規制の効果に期待すべきかをテーマにした経験的研究の劣化がある。どちらの結果がほしいかを事前に決めている人間は、望みの結果にばかり目がいきやすい[9]。

（５）**意図的な選別がある。**すでに見たとおり、科学者が統計で使える「自由度」には幅があり、非常に悪用されやすい。たとえば、移民についての研究からの結論に違いがあるのは、移民を受け入れる「コスト」の算出方法がばらばらだからだ。これはもちろん右の（４）とも関係し、あらかじめほしい答えが決まっていれば、それを裏づけるデータを得られるかもしれない。

（６）**データの共有を行わない。**トリヴァースも報告するように、心理学研究では、ＡＰＡ後援の学術雑誌がデータ共有を掲載の要件として定めているのに、それをしない研究が非常に多い(10)。あとから分析すると、研究者の仮説に有利な方向の誤りが最も多いことがわかる。

(7)**再現性に欠けている**。すでに述べてきたとおり、心理学は再現性の危機に直面している。心理学研究の3分の2近くが再現不能だという最初期の報告は大げさだったが(ギルバートらの2016年の論文を参照)、それでも、ほとんどの研究が**再現を試みられてさえいない**ことには驚いてしまう。その結果、誤りが忍び込みやすくなっている。

(8)**因果関係が疑わしい**。統計学的な研究では「相関関係と因果関係はイコールではない」というのが当たり前の認識だが、社会科学研究には、目を引きはするが、その価値には疑問の残るような結果を強調し続けているものがある。たとえば最近発表されたある社会学の研究では子女の難関大学への合格と、その親が美術館を訪れるかどうかのあいだに相関があることを見いだした。しかしその研究は、**この相関が両親の収入からくる疑似相関であろうという点は明示しなかった**(11)。

これらはどれも、自然科学の研究でもある程度は見受けられるものだ。また社会科学にも、ここまで見てきたような（P値ハッキングや査読など）別の問題もある。それでもこの八つを取りあげたのは、社会科学に特有の難しさだからというより、社会科学に**特に多い**問題だからだ。自然科学でも起こるが、それでも問題の規模は社会科学のほうが圧倒的に大きい。

社会科学の最大の問題は、推奨された手法に従えないことや、一定の科学的手順を尊重しないことではない。むしろ、研究の進め方の多くが集団のレベルでまだ慣例化しておらず、そのため分野全体で科学的態度を守ろうという姿勢が見られない点だろう。概念のあいまいさや疑わしい因果関係の推定からくる過ちは、同僚がそれを見つけてくれると信頼できるなら大きな問題にはならない。しかしデータが共有されず、再現実験が当たり前ではない現状では、多くの場合、膨大な誤りが紛れ込んでしまう。

だから社会科学でも、自然科学とまったく同じように、根拠に対する科学的態度を尊重し、経験的なテーマにまつわる対立を解消する方法は経験的根拠しかないと理解する必要がある。そして、意見や直観、理論、イデオロギーがあまりにも多いのを恥じるべきだ。現代人が、素手で手術をしていた時代を恥ずかしく思うのと同じように、いつか社会科学でも「なぜあのころは誰もあの仮説をテストしなかったのか」と疑問に思う日がくるだろうか。誠実さを保つには、公の場で研究を吟味することが一番だ。社会科学でも、もっとデータ共有と再現を行わなければならないし、ましな査読や本当の科学的対照実験を浸透させなくてはならない。そして、最近まで多くの社会科学が実験を行おうともしていなかったのは恥ずかしいことだと認識すべきだ。新しい行動経済学のモデルは、古くさい新古典派のモデルと比べると新鮮に映る。それもすべて、科学的態度を尊重したからできたことだ。

社会科学者が個人と集団の両方のレベルで、根拠をいっそう重視し、根拠を活用する手順を改善できれば、社会科学は前進していけるだろう。そのなかで、医学と同じ道をたどることもできるはずだ。行うのが臨床試験にせよ、フィールドワークにせよ、社会の研究では適切な態度をもたなくてはならない。前にも一部紹介したように、エミール・デュルケームも「社会的な世界へ跳び込む人間は、自分を驚かし、悩ませる発見があることを覚悟しなければならない」と述べている。[12] 自分は人間なのだから、人間の行動原理はだいたい理解できているという思い込みは捨て、可能であれば先入観に反するような実験を行う必要がある。そうすれば、数学モデルや高尚な理論が教える「こうあるはず」という姿ではなく、実際の行動原理に即した人間を理解できる。

さらにこうした態度はどれも、定量的研究だけでなく定性《ていせい》的（質的）研究にも適用できる。社会科学では、定量的指標に還元できないような定性的な根拠が示されることは確かにある（クリフォード・ギアーツが著書『文化の解釈学』（岩波書店、１９８７年）で述べている「厚みのある記述」も参照）が、それでもそれをどう測定するかを考える必要がある。実際、定性的研究では特に傲慢さとバイアスへの対策が必要になる。現代人が人間の性質に対して抱く直観は、おそらく18世紀の外科医が感染症に対してもっていた直観と大差ない。[13] データは私たちを驚かせることがあるし、そうあるべきだ。「合っていると感じる」結果だからといって、正確とは限らない。認知バイアスを始めとする優れた自然科学研究への脅威は、人間行動の研究にとっても脅威そのものだ。社会科学では方法論よりも態度に革命を起こすべきかもしれないが、だからといって研究の進め方の隅々にまで気を配らなくていいわけではない。

多くの人がもう長いあいだ、社会科学はもっと「客観的」になることで成長できると考えてきた。論理実証主義者は特に事実と価値の違いにこだわり、科学者は結果だけに関わり、結果がどう使われるかは考える必要がないとしてきた。しかし、それは違う。確かに希望や願い、信念、「価値観」が人間行動についての「事実」の研究に影響してはならないが、だからといって価値が重要ではないわけではない。というより、科学的態度を遵守することは、科学的研究を行うための欠かせない価値だとわかっている。社会科学がもっと厳密な分野になるためのカギは、科学的方法ではなく、科学的態度にある。

前進の道のり――医学を真似る

センメルヴェイスの時代の医学を思い出すと、社会科学の現状とかなり似ているように思える。当時の医学では、民間の知恵や直観、習慣に基づいた知識や手順を用いていた。実験はほとんど行わず、理論に関しても、経験的な根拠の裏づけがなくても「筋がとおっている」ように思えれば十分だと考えられていた。というより、根拠を集めて理論をテストするという発想そのものが、医師は病気の原因を**すでに知っている**という思い込みと矛盾するものだった。医学史のほとんどの時期で、医師はショッキングなほど無知で、医療も進歩しなかったが、それにもかかわらず理論はあふれていて、そうした理論を疑問視し、テストしようという人はほとんどいなかった。だからこそ、センメルヴェイスは革新的だったのだ。彼は、自分の発想を実践でテストして通用するかを知りたがり、根拠に合致しない間違った仮説を取り除くことで、知識が積み重ねられていくものだと理解していた。ところが彼のアプローチは、同時代の医者のほぼ全員から全面的に否定された。

当時の医学は科学的態度を備えていなかった。現在の社会科学はどうだろう。ものによっては備えているが、問題はそうした優れた研究についてでさえ、科学的態度を無視しても構わないと考えている人が多いことだ。現代アメリカでは、警察や検察が目撃証言に頼り、一度にすべての人の写真を並べる面通しをさせているが、このやり方では誤認逮捕が恐ろしいほど多い。これもまた、実践が理論に追いついていない例なのではないだろうか。(14) 犯罪や死刑、移民、銃規制に関する政策は、ほとんどが実際の経験的研究に基づいていない。ただし問題の少なくとも一部は、基準が一定しないという、社会科学の研究をずっと悩ませてきた事柄からきている。これでは分野の評価が低くなるのも当たり前だし、優れた研究が多くの人の目に留まるのも難しい。前に見たように多くの研究で再現ができない、あるいは同じ事実からいくつもの異なる結論を導き出しているようでは、社会科学の研究に対する社会の信頼が深まるはずもない。ずさんな方法論だったり、イデオロギーの悪影響だったりと課題はいろいろだが、人間行動に関する多くのテーマについて、ほとんどの社会科学の研究者が正解と不正解を(あるとしても)見つけられる状況にない。社会科学に厳密な研究がまったくないわけではないが、政策立案者は(ときにはほかの研究者でさえも)結果が信頼できるか確信できず、そのせいで分野全体の地位が下がっている。

かつては医学も同じように評判が悪かったが、個々の医師による革新が集団レベルの行為基準となったこと、また何を根拠とみなすべきかがある程度は定まったことで、以前の「暗黒時代」から脱却した。しかし社会科学では今に至るまで、根拠をベースにするという革命が完了していない。科学的態度を用いて一定の成功を収めている社会研究もあるにはあるが、人間行動を研究する際は、これまでの経験と観察結果に照らして厳しくテストされてきた理論と説明を土台にする必要があるという発想を、分野全体で受け入れるところまではいっていない。科学的になる以前の医学と同じように、今の社会科学ではイデオロギーと予感、直観に頼るものがあまりにも多い。

次の項目では、科学的態度を完全に受け入れた社会科学の例を紹介するが、その前にまず多くの人が、人間の振る舞いを科学として追究することにおいて障壁となると感じている問題について考えることが重要だ。社会科学においては、人間が人間を研究するという行為特有の難しさがあり、研究者の価値観が、「客観的」で経験的な研究を妨げるのは避けられないという意見がある。これが**主観性バイアス**の問題だが、実はこれも、医学が解決して科学として前進してきた課題だ。

扱う対象という点で、医学は社会科学に似ている面が多くある。人間には「死ぬよりも生きていたい」「病気になるよりも健康でいたい」という根本的な価値観が備わっていて、それが医学研究を導いてきた。医学研究者が「自分の問いに対する正解さえ見つかればあとはどうでもいい」というような「無関心性」のポーズを取るとしたら、それはまったく受け入れられない。そこに命がかかっているのだから、医学研究者はみな、うまくいく理論がどこかにあることを切に願っている。では医学研究者が主観性の問題をどう乗り越えたかというと、彼らは両手を挙げて負けを認めたのではなく、二重盲検無作為化臨床試験や査読、利益相反があった場合の情報の開示など、優れた科学的慣習に頼ったのである。プラセボ（偽薬《ぎやく》）効果は、患者だけでなく医師にも実際に影響する。医者が薬が効いてほしいと願うなら、その願望は、患者が効くと思うかに多少なりとも影響するかもしれないのだ。しかしこれは誰のためにもならない。だから事実を扱う医学研究者は、自らの期待を通じて結果が変わることは、結果をでっちあげるのとほとんど同じくらいまずいことだと自覚している。そして方法論的な対策を制定することで、答えをすでに知っているという傲慢な思い込みに備えている。バイアスの危険性を認識することで、大切なものを守っているのである。

単に価値観を抱いていたり、研究対象のことを気にかけていたりするだけで、科学でなくなるわけではない。ある薬が効果を発揮してほしいとか、理論が正しいものであってほしいと心から願っていたとしても、それが優れた科学の実践を邪魔しない限り、投薬や治療の結果といった経験から学ぶことはできる。ほかの価値観を脇にもっていたとしても、科学的態度を備えることは可能だ。というより、医学研究者や医師は、自分がバイアスをもっているかもしれないと自覚しているからこそ、科学的態度に沿ったやり方を打ち立ててきた。彼らは人間の命を大切に思うのをやめようというのではなく、単に、もっと優れた科学を行うことで、病気を広めるよりも健康を増進したいと思っている。何より、人間の体に表れる結果を本気で大切に思うなら、経験から学んだほうがいいのは、医学の歴史を見ても明らかだ。客観性は必要ないとか、客観的になるのは不可能だというふりをするのではなく、客観性を保つ努力をして初めて、より優れた科学が実践できる。

医学と同じで社会科学も主観的だ。価値観が影響する分野でもある。研究者は物事の仕組みを知ることだけでなく、その知識を使って、物事を思いどおりに動かすことに関心がある。投票行動を研究するのは民主主義の価値観を保ちたいからだし、インフレと失業率の関係を研究するのは、次の不景気の影響を小さくしたいからだ。しかし医学とは違って、社会科学者はこれまでのところ、「こうすべきだ」という思いから実証的な研究を守る方法を見つけられておらず、客観的な知識を手に入れるよりも、確証バイアスや希望的観測に甘えがちになっている。それこそが、社会科学の前進を阻む本当の壁だ。ツールの非効率さや、対象の扱いにくさだけが問題なのではない。ある部分で、**自分の意見を絶えずデータと比較する行為を通じて自分の無知を認めて、誠実さを保つということが、まだできていない**点が問題なのだ。

社会科学の課題は、価値観を保持しつつ、それが経験的研究に影響しない方法を見つけ出すことにある。世界を変えることができるようになる前に、我々は世界を理解する必要がある。医学では、答えは対照実験にあった。社会科学ではどうだろうか。

よくない社会科学と優れた社会科学の実例

社会科学者は「研究」を行うときでさえ実験的でない場合が多い。だから社会科学的な「根拠」として通用しているものの多くは、別の研究者が別の目的で行った調査やデータから導き出したものを土台にしている。それが、因果関係と相関関係を混同しやすい、あいまいな概念を使いがちなど、先に取りあげたさまざまな問題を招いている。「よくない」社会科学の特徴について、理論がすべてで根拠がない、イデオロギーに毒されている、実験に十分に依拠していない、再現できない等を挙げてみせることはできる。しかしここではそれを、実例においても見てみよう。

お粗末な社会科学研究の実例として取りあげるのは、２０１３年に発表されたスーザン・フィスクとシドニー・デュプリーの論文「Gaining Trust as Well as Respect in Communicating to Motivated Audiences about Science Topics（科学の話題についてコミュニケーションを通じて動機づけられた聞き手から信頼と敬意を勝ち取る）」で、これは『米国科学アカデミー紀要』の「視点」欄に掲載された。[15] 二人の著者はこの論文で、科学を守るうえで非常に重要なテーマ、つまり「科学者に信用がないといわれる状況は、気候変動など事実に関する話題に対する科学者の意見の説得力を落としている可能性があるか」を探究する。科学者が信用ならないと思われているのは驚きではないか。フィスクとデュプリーは、この見方には経験的な根拠があると主張する。

二人はアメリカの成人を対象にオンライン調査を行い、アメリカ人が就く典型的な職業を挙げるよう求め、そのなかで最もよく挙がった職業を42個選び出した。そこには科学者、研究者、大学教授、教師が含まれていた[16]。次に別の人たちに対して、そうした職業に就く人の「あたたかさ」と「能力」の度合いを尋ねた。すると、科学者はその専門能力を高く評価されている(能力がある)一方、あたたかみ(信頼性)の度合いが比較的低いことがわかった。しかし、あたたかみと信頼性にいったいどんな関係があるのだろう。二人の仮説では、信頼性は、あたたかみや親しみやすさと正の相関関係にあるとされている。簡単に言えば、「味方」とみなされた人間は信用されやすいという発想だ。しかし、人は自分に「似ている」と思う相手を信用しやすいという経験的な研究がある[17]のは確かだが、「あたたかみ」と「信頼性」がいつでも取り替え可能だと考えるのはやりすぎである。

これはなぜか。まず、次のような考え方は論理の飛躍だということに注意しなくてはならない。

（1）「A氏が味方だった場合、A氏の信用度は高まる」
であるならば
（2）「A氏が味方**ではなかった**場合、A氏の信用度は**低くなる**」

これは論理の基本で、（1）が（2）を導き出すわけではない。逆の場合もそうだ。（1）から（2）への飛躍は、前件否定という古典的な論理的誤謬《ごびゅう》にあたる。（1）が正しいことが経験的根拠で裏づけられているとしても、（2）が正しいかはわからない。ところがフィスクとデュプリーの論文では、（2）を裏づける根拠がどこにも示されていないにもかかわらず、「味方であること」と「信用できること」が相互に論理的に導出《どうしゅつ》できることが、「信頼性」の代用指標として「あたたかみ」を使うのは方法論的に問題ないという結論を出すときの要になっている。[18] しかし、あたたかみがないとされる科学者のなかにも、信用できるとみなせる人物はいるのではないだろうか。というより二人は、単純にさまざまな職業の信用度に点数をつけるよう依頼したほうが早かったのではないだろうか。

結果がどうなるかは気になるところだが、いずれにせよ二人はそうした方法は使わず、さまざまなあたたかみの測り方で無駄に前後した末、信頼性について次のような結論を出した。

［科学者は］敬意を得られても信用は得られていない。能力はあるが冷たいとみなされることは問題ではないように見えるかもしれない。しかしコミュニケーションに従事する人が信用を得るには、地位と専門性（能力）だけでなく信頼性（あたたかみ）も必要だという点を思い出そう。……科学者が有能だとして尊敬を受けている場合でも、あたたかい人間として信用されているとは限らない。[19]

これは、社会科学研究にありがちなあいまいな概念の使用の典型例といえるだろう。ここでは、おそらくあたたかみのほうが信頼性よりも測定しやすいことを理由に、異なる概念を同列に扱っている。納得できないのは、「信頼性」は調査の参加者が報告できないほど難解な概念などではないのに、二人が「信頼性」を直接測定しないまま、科学者の「あたたかみ」ではなく「信頼性」に問題があると結論づけてしまっている点だ。[20]

残念ながらそのせいで、結論自体の信頼性にも疑問が残るものになっている。フィスクとデュプリーは研究の最終段階で、さらに詳しく調べる対象として気候学者を選び、また異なるサンプルを使って、それまでとは少し違う方法を使って信頼性を測定する。今回は「信頼性」とされるものを測定するのではなく、「信頼のなさ」を測定するべく、「統計を使って嘘をつこうとしている」、「シンプルな話を複雑にしようとしている」、「優越性を誇示しようとしている」、「研究資金の提供を受けようとしている」、「リベラル派の政策を実行しようとしている」、「市民を扇動しようとしている」、「巨大企業を傷つけようとしている」という、動機に基づく七つの指標を使った。[21] その結果、驚いたことに気候学者は（前の調査で測定した）科学者全般よりも信頼性が高いという結果が出た。その理由について二人は、別の指標を使ったことが理由ではないか（それならなぜ別の指標を使ったのかという話なのだが）という仮説を示しつつ、おそらく気候学者は「市民に対して建設的なアプローチを採っていて、専門性（能力）と信頼性（あたたかみ）のバランスがとれているため、言葉が信用されている」のではないかという意見まで述べている。[22] しかし、この結論にも疑問が残る。研究の最終段階では気候変動学者の「あたたかみ」をまったく測定していないのに、またしても信頼性とあたたかみを気にせず同列に扱っているからだ。[23]

次にこれとは対照的な、科学的に優れた社会研究の実例を見ていこう。その研究は科学的態度にしっかりと基づき、経験的根拠を使って直観的な理論的仮説を検証し、人間の行動を実験をとおして見ることで、動機を直接的に測定している。研究者の名前はシーナ・アイエンガーで、テーマは選択のパラドックス。

このテーマに携わる研究者は、昔ながらの社会科学のジレンマに直面する。人間の動機のような形のないものを、経験的根拠を通じてどう測定するかという問題だ。新古典派の経済学者によれば、消費者の欲求は買い物をする際の行動から直接測定できるという。人は欲しいものを買い、値段は物の価値を映しているという発想だ。しかしこのやり方で数学的な細かい部分をうまく進めるには、「単純化のための想定」がいくつか必要になる。まず、我々の選好《せんこう》［好み］は合理的だという想定をしなくてはならない。仮に私が、ブルーベリーとリンゴではリンゴを、リンゴとチェリーパイではチェリーパイを選んだなら、私はブルーベリーよりもチェリーのほうが好きだという想定になる。(24)次に、消費者はさまざまなモノの値段について完全な情報をもっているという想定も必要になる。個別に見た場合、これが間違った想定なのは周知の事実だが、新古典派の経済学ではこれが中心的な想定になっている。そうでなければ、値段を使った選好の順位づけという難題を、市場がどうこなしているか説明がつかないからだ。(25)

実際の消費者は、買い物で「間違い」も犯す（たとえば、チェリーパイが近くの別の店で値引きされていることを知らなかった）とわかっているが、知っていたら行動を変えたはずだという点を理由に、このモデルは通用するものとされている。そして最後が「多いほうがよい」という想定だ。といってもこれは限界効用逓減《ていげん》[*2]の法則などはない、つまりチェリーパイの最初の一切れは最後の一切れよりおいしく感じるわけではないといった話ではなく、選好を最大限に活用できる点で、消費者にとって買い物の選択肢は多いほうがいいという話だ。

アイエンガーは、この最後の想定について実験を通じて直接テストした。これは重要である。というのは右の単純化のための想定が誤りであることが示せれば、「完全情報」を疑問視するハーバート・サイモンの研究と合わせて、新古典派のモデルが揺らぐ可能性があるからだ。アイエンガーは同僚のマーク・レッパーとともに、消費者の選択をさぐるべく、食料品店にいろいろな種類のジャムを置く対照実験を行い、ある客には24種類のジャムを、別の客には6種類のジャムを示すようにした。客の構成が二つの条件で偏らないように、ジャムは6種類と24種類を2時間おきに交互に置き、ほかの条件も同じになるようにした。二人が目指したのは、客が試食したジャムの種類数と、実際に買った個数の測定だった。後者の測定については、試食した人にはクーポンを渡し、ジャムの種類数がのちの購入行動に影響したかを追跡できるようにした。するとどうだろう、24種類のジャムが置かれているとき、確かに客の商品への関心は少し高まっていたが、６種類しかないときに来店した客と比べ、実際の購入数は圧倒的に少なかった。24種類でも６種類でも、試食した人数は変わらなかった（つまり、試食の有無は購入数の差に影響していないことがわかった）にもかかわらず、24種類ではクーポンを使って買った人はわずか３％だったのに対し、わずか６種類のときに訪れた客は30％がジャムを買っていた。

その理由について、アイエンガーとレッパーは、最初の条件では買い物客が選択肢の多さに圧倒されたのではないかと推測している。[26] 24種類もあると、いくつか試食しても全体の一部でしかなく、どれを選んだらいいか判断しきれなかった結果、そもそも買わないことを選んだというわけだ。対して二つ目の条件では、全体の種類に対して試食したジャムの割合が大きいために、自分の選択を正当化しやすかったのかもしれない。いずれにせよこのケースでは、客は選択肢が少ないほうを好んだということだった。本人

＊２　お菓子やビールを消費するときのように、それらを消費すれば消費するだけ、一単位当たりの満足度（効用）は徐々に減少していくこと。

は自覚していなくとも、彼らの行動は人間の動機に関する驚くべき事実を明らかにしたのだ[27]。

どうということのない実験のように思うかもしれないが、この研究の意義は非常に大きい。二人の研究は、確定拠出年金制度(私的年金制度の一つ)の利用率の低さというきわめて重要な問題に応用できる可能性がある。年金を選ぶ際、新入社員は選択肢の多さに圧倒されがちで、そのため判断を先送りにする、つまり実質的に制度にお金をまったく投資しないという選択をすることが多かった。私の前著『*Respecting Truth*(真実の尊重)』では、この研究が退職年金基金への自動加入や「満期設定型」の退職基金に与えるさまざまな影響も取りあげている[28]。二人の研究は優れた社会科学というだけでなく、暮らしにも非常によい影響をもたらしている。

とはいえ、ここでのポイントはこうだ。人間の選好や欲求といったテーマについて、研究者がよくわかっていると思っていても、行動に影響する要素は見誤っている場合がある。誰かに選択肢は多いほうがいいか、それとも少ないほうがいいかと訊けば、ほとんどの人は多いほうがいいと答えるだろう。ところが実際の行動はその反対で、人間の行動を実験的根拠に基づいて研究すると、驚くような結果が出る場合がある。欲求や動機、選択のような定性的に思える概念でも、単なる直観や理論、口頭での答えに頼るのではなく、実験を使って測定できる。

ここでまた思い出すのがセンメルヴェイスだ。実験もしていないことが、正しいとわかるはずがない。直観では確実に思えたとしても、実験ではそれと異なる結果が出るケースがある。それは社会科学でも同じだ。人間の振る舞いに関する事実は、病気を診断して治療するときと同じように、政策立案にも活用できる。だからほかの経験的な分野と同じくらい、社会科学でも科学的態度を尊重したほうがいい。根拠を大切にし、根拠を土台に理論を変える意思をもっていれば、アイエンガーとレッパー以上の優れた社会科学研究が行えるようになるかもしれない。ルイ・パスツールの経験に基づくエレガントなモデルが、生命の自然発生説という時代遅れの発想を駆逐したのと同じように、認知バイアスや不合理な考え方が人間の選択に影響する事実を認めれば、経済学もさらに前進できる。

そしてこのアプローチは、おそらく社会科学全般に使える。たとえば、近年は認知バイアスに関する研究が進んでいるから、それを使ってもっと効果的な科学教育を行ったり、気候変動に対する市民の誤解を解いたりもできるかもしれない。フィスクとデュプリーが自分たちの研究の土台として引用した研究者たちが正しいなら（これはあたたかみと信頼性のあいだに二人が主張したようなつながりがあるのかとはまったく別の問題である）、態度もまた、根拠と同じくらい我々の判断に影響する。

まず、科学者は一般市民が何に基づいて考えているかを誤解しているかもしれない。市民は愚か者ではない。市民と科学のあいだの問題は、人々が無知であることとは限らない。市民は以前よりも、気候変動の原因をよく理解するようになっている。……科学者と市民とのあいだに溝があるとすれば、その原因は単純な意味での純粋な知識の差ではない。

次に、見過ごされがちな要素として、態度の別の側面がある。態度とは認知（見解）と情動（感覚や気持ち）の両方を含んだ評価だ。態度に基づいた行動には、認知能力と動機の両方が関わる。態度には、認知と情動は一貫したものでなければならないという本質的なプレッシャーが表れるから、ほとんどの態度には双方が関連する。それでも、態度に認知か情動のどちらかの要素が強く表れているときは、それにマッチした説得の仕方をするのが効果的だ。たとえば気候変動の分野では、情動と価値観が一緒になって気候変動について認知するよう動かしている。人々の態度に見解と感情の両側面があるとして、それらは科学的コミュニケーションにどんな役割を果たしているのだろうか。(29)

この意見が正しいとすれば、人間の思考の仕組みに対する根拠が実験からさらに集まったとき、社会科学は飛躍的に発展するかもしれない。現実の人間は完全な情報をもってはいないし、完璧に合理的でもない。人間の推論は、脳に組み込まれた認知バイアスの影響を受けるから、いろいろな感情や誤解、欲求が、推論を難しくする。市民をもっとうまく説得し、気候変動のような話題に対する科学的コンセンサスを受け入れてもらいたいというのなら、それは社会科学者たちにとって、自分の分野をしっかり整理する動機づけになる。そして自分の分野をより科学的なものにする方法が見つかれば、科学という取り組みそのものを守る活動で、もっと積極的な役割が果たせるようになるかもしれない。

第10章

科学の価値

この本で示してきた科学についての考え方が正しいとすれば、私たちは次の三つのことができるようになっているはずだ。

（1）これまでの科学の成功を理解する。
（2）これまでの科学の成功を守る。
（3）ほかの場所でも科学を成長させる。

社会科学のような分野がもっと厳密になっていこうと思うなら、医学を始めとする他分野がたどった道をなぞり、科学的態度を尊重しなくてはならない。

科学的態度は、科学の何が最も特別なのかを理解する助けになるものだ。科学の特別さは、それが従う「科学的方法」なるものではなく、理論を形作り修正する経験的根拠の力を尊重すること、そして同僚の厳しい批判の目に頼りながら、自分では見つけられなかった誤りを見つけてもらおうとする姿勢にある。科学では根拠がものを言い、そしてそれを認識することが、科学を実践する人とそうでない者とを分ける、何より重要な価値観になる。どの理論が唯一の「真理」か、根拠からは決められない場合があるとしても経験的根拠の尊重は、科学がもつ特別な説得力のもとになる。だからこそ、私たちが不完全な考えや弱さのせいで道を踏み外しそうになったときでも、科学は正しい道を歩めるのだ。

またここまでの話で、なぜインテリジェント・デザインのようなイデオロギー論や、気候変動の否定主義を科学とみなすべきでないかも理解できた。どちらもある意味で、科学的態度と反対のものに頼っているからだ。これらの支持者は根拠よりもイデオロギーを大切にする。彼らは、科学的研究では確実さに近づくより、どうしても信じたかった考えの誤りが判明し、捨てなければならないケースが多い事実を謙虚に受け止めようとしない。科学的説明とは、単に技術を「きちんと理解」したり、理論を証明しようとしたりするだけの行為ではないのだ。

とはいえ、科学的説明は、その正体を理解すれば、このうえなく特別なものになる。私たちはもう、科学理論はどれも原則的に物理学に還元されるとか、成功した科学理論は正しい確率が高いはずだとか取り繕う必要はない。科学とは合理的なプロセスで、それによって我々は、偏見や願望、直感を絶えず見直し、捨て去り、そしてそれを人間の経験というデータに沿った結論で置き換える方法を学ぶのだ。これが科学的論拠の根っこになる。「真理」に永遠にたどり着くことができなくても、科学は知識を得る方法として特別で抜きん出ている。

最後に、科学の本質は方法ではなく態度にあること、すなわち結論に跳びつくのではなく結論の正当性を追い求める姿勢にあることを理解すれば、説明をするうえでの唯一無二の強力なツールを手に入れられる。さまざまな限界はあるにせよ、経験的な知識を手に入れるうえで、科学は、人間の心が生み出した最大の発明だと私は思っている。だからこそ科学を理解し、それを模範とし、守る必要がある。

こうも科学をかたくなに擁護するからには、私が話をさらに飛躍させ、科学的態度を、新たな線引き基準にしようとしているのではないかと疑う人もいるかもしれない。個人的には、ここまでの各章でそれは賢明(もしくは必要)ではないとはっきり示してきたつもりだが、本の終わりが近づくなかで、もう少し言っておかなければならない点がある。私はこの本を通じて、科学的態度の定義をいくらかあいまいなままにし、いくつもの基準を列挙するのを避けてきた。それは何が科学で、何が科学でないかを事細かに区別しても、科学のためにならないと思っているからだ。科学的態度をなんらかの方法論的な公式に落とし込みたい気持ちもなくはないが、私としては、科学的態度はほかの分野にとっての壁ではなく、より科学的になりたい際の道しるべになってほしいと願っている。

　科学的態度は必要条件だというのと、十分条件だというのとでは、意味合いが異なる。[1] すでに述べたとおり、科学の特別さをさぐり、守ることが目的なら、科学的態度を十分条件としては使わないほうがいい。研究が科学になり損ねるパターンは無数にある。だからあえて、科学的態度は必要条件としてだけ示したのだ。また私は、過去の科学哲学者が科学と科学以外とを分けるのに欠かせないと訴えてきた「～である場合、またその場合に限り～」の空欄を埋めるゲームに加わりたくなかったし、加わらないことで、もっと悲惨な落とし穴にはまるのを避けられたと思っている。必要十分条件だけを探し求めると、基準があまりにも高すぎるがゆえに、何が科学の特別さなのかという疑問に対して、満足のいく答えは永久に手に入らない。それでは科学を守れない[2]。

お前の意見は脇が甘いと指摘する人もいるだろう。私が示した科学的態度の定義では、**あまりにも多くのもの**が科学に数えられてしまうし、科学的態度を科学の必要条件のすべてだとすると、消去法を使ったり観察で得た根拠に頼ったりする事例は、すべて科学とみなせるということになるからだ。しかしこの点に対しては、すでに鍵探しは科学かという話や、ボーデの法則の茶番に関するエピソードで、答えを出したはずだ。

科学のほかの必要条件について、さらに煮詰めていく作業は必要だろう。本格的な理論を備えていることも、条件の一つになるかもしれない。科学的態度を備えた人間は**根拠**を使って**理論**をテストする必要があるとすれば、まずは理論をもつ必要がある。ボーデの法則を見ればわかるように、科学とは単に思いつきが運よく連続で当たった、という以上のものである。理論がたまたま根拠に合致しただけでは論拠にならない。ニュートン力学は（間違いだったにもかかわらず）人類が月まで往復する助けになり、ボーデの法則は（基づく理論が何もないなかで）二つの惑星の存在をうまく予測したが、前者には論拠があり、後者にはない。なぜか。道具としての成功が科学の特別さのすべてではないからだ。科学では理論の正当性も考える必要がある。科学的態度を使って理論を根拠に照らしてテストすれば、理論の間違いが判明する場合もあるが、だからといってその理論が科学的ではないということにはならない。しかしボーデの法則ではテストするべき理論がない。

ボーデの法則のエピソードからは、経験的研究でも、運で成功をつかむ場合があることがわかる。(3) しかしそれは科学ではない。成功だけが科学に正しさをもたらすのではない。間違いが判明した理論が科学ではなくなるわけではないのと同じで、根拠に合致しているだけで仮説が科学的になるわけではない。俎上《そじょう》に載せるべき理論がないといけないのだ。これはどういうことか。私は「科学的態度をもつ人間は、**根拠を大切にし、それを使って理論を修正する**必要がある」と述べてきた。だから、「科学は**根拠**に頼る」という考えだけでなく、「証拠を土台として論拠を得る**理論**も備えている必要がある」という考えも真剣に受け止めるべきだ。これが科学的説明の背骨だ。

科学理論の正しさを証明するのが不可能なら、人が世界の仕組みを確実に理解することは永遠にできないのかもしれない。それでも、前へ進む道がないわけではない。科学の目標が確実性を手に入れることではない（根拠に合致し、最高の論拠を得た理論でも、100％確実ということはありえない）としても、認識論上の科学の権威が揺らぐわけではない。限界はあるとしても、科学はこの世界に関する経験的な知識を得る手段としては、ほかのものより優れている。それは科学の根底に、世界について知るには、世界がもたらす根拠を使うのが一番だという想定があるからだ。科学では、直観や憶測には頼れない。理論の経験的成功が真理へ近づく道だということもできない。そうではなく、この世界を理解するには、経験というデータに照らして仮説を測るのが一番なのだ。

もう何十年ものあいだ、科学哲学者のあいだにはいさかいがあった。一方に科学は特別だと考える（そして伝統的に、特別な方法論なるものが特別さの理由だとみなしてきた）者たちがいて、そしてもう一方には、科学的推論の過程は（社会的要因や態度、関心といった人間の活動につきものの要素と切り離すことはできない以上）ほかの取り組みと大差ないと考える者たちもいる。もし本書の述べるように、科学者が研究に臨む際の態度と価値観こそが科学の特徴だとわかったとしたら、なんと皮肉な話だろうか。

科学の特別さは方法にはないことがわかった。科学とは何かを説明する（そしてもっと科学的になりたい分野が科学の何に倣うべきかを説明する）には、科学的価値観に着目する必要がある。これまでの科学についての議論は、方法論に大きな時間を費やしてきた。つまり科学と科学以外とを、方法の点から区別することはできるのかや、もし社会科学のような分野が方法論を改めれば、もっと科学的になることはできるのかといったことだ。しかし、この発想は的外れなのがわかっている。

科学哲学はこれまで天文学や物理学など、すでに科学として成功を収めてきた分野の方法を研究することに時間を注いできたが、このやり方で得られるものには限界がある。これが私の意見だ。そうした分野から学べる部分も多くあるが、それでは科学の特別さを最大限に深く理解することはできない。だから本書では、（救いようのないほどイデオロギー的だったり、誤った価値観を抱いていたり、単純に根拠に基づいて見解を導き出す過程を大事にしていなかったりといった理由で）科学になれずにいる分野や、（社会科学のように）もっと科学的になりたい思いはあるが、なかなか前進できずにいる分野に目を向けてきた。そうした分野に欠けている要素を調べることで、科学に必要なものがわかるからだ。

科学的態度は捉えどころのないものだが、ずっと前からそこにあった。フランシス・ベーコンの言う「美徳」や、カール・ポパーの述べる反証可能性のなかにも科学的態度はあった。クーンのパラダイムシフトに関する記述にもだ。科学の方法論に特別なところは何もないと主張する、哲学者のなかにもあった。見てきたとおり、科学と科学ではないものとを分けるはっきりした線引き基準はないかもしれない。それでも科学は存在し、ほかの営みとは一線を画している。我々は知識を得る特別な方法として、科学にふさわしい敬意を払わなくてはならない。経験的根拠を大切にし、それを使って理論を形作るなら、科学に近づいていける。それができなければ、イデオロギーや迷信、混乱の泥沼からは永遠に抜け出せない。

狙いをつけなければ、的に当てるのは難しい。そして科学で狙いをつけるべき最も重要な的は、こう理解することだ。科学で真理に到達できるとは限らないが、少なくとも科学は経験的探究の理想形で、倣うべき価値のある崇高なものだと。科学は人間性が最高の形で表れる数少ない分野で、自分勝手な動機やつまらない目論見《もくろみ》はあるにせよ、そのどれにも対処はできる。つまり正しいことを大切にし、研究をお互いに批判し、共通の目標、つまり今まで知らなかったことを自然から（あるいは人間の経験から）学ぶという目標を決して忘れないことだ。

そして科学が現実にあるのと同じように、科学的態度も現実にあるものだ。定義づけや測定は難しくとも、科学とそれ以外とを分ける要素の中核を成している。そのことに驚き、受け入れられないと感じる人もいるかもしれない。もっと「はっきりした」基準があるなら、それはそれでよいことだ。きっとそれは、さまざまな探究をきれいに二つに分ける論理的な基準なのだろう。そうしたものを見つけることは、科学哲学の長年の夢だった。しかし私は、その夢が実現することはないと思っている。だからといって、科学を守り、真似ることができないわけではない。我々は科学の本当の性質に気づいているのだから。思っていたのと少し違ったとしても、やはり科学は特別なものだ。

注　釈

序章

1. P. H. Gleick, R. M. Adams, R. M. Amasino, E. Anders, D. J. Anderson, W. W. Anderson, et al.,"Climate Change and the Integrity of Science," *Science* 328, no. 5979 (2010): 689–690, http://science.sciencemag.org/content/328/5979/689.
2. "On Energy Policy, Romney's Emphasis Has Shifted," NPR, April 2, 2012, http://www.npr.org/2012/04/02/149812295/on-energy-policy-another-shift-for-romney.
3. "Scientific Evidence Doesn't Support Global Warming, Sen. Ted Cruz Says," NPR, Dec. 9, 2015, http://www.npr.org/2015/12/09/459026242/scientific-evidence-doesn-t-support-global-warming-sen-tedcruz-says.
4. Oliver Milman, "Trump to Scrap NASA Climate Research in Crackdown on 'Politicized Science," *Guardian*, Nov. 23, 2016, https://www.theguardian.com/environment/2016/nov/22/nasa-earth-donald-trump-eliminate-climate-change-research.
5. 近年哲学を攻撃しているなかには、スティーブン・ホーキング、ローレンス・クラウス、ニール・ドグラース・タイソンらの有名科学者もいる。彼らについてはマッシモ・ピリウーチが『*Science Unlimited*（制限のない科学）』（2017年）所収の論文「Science and Pseudoscience: In Defense of Demarcation Projects（科学と疑似科学 —— 線引きプロジェクトを擁護する）」で議論している。これ以前にも、リチャード・ファインマンは「科学者にとっての科学哲学は、鳥にとっての鳥類学と同程度にしか役に立たない」と述べ、スティーブン・ワインバーグは著書『究極理論への夢 —— 自然界の最終法則を求めて』（1992年）（小尾信彌、加藤正昭訳、1994年、ダイヤモンド社）で「哲学に反対して」と1章を割いている。反対に、アルバート・アインシュタインは科学研究に対する哲学の重要性を高く評価している。詳しくは『フィジックス・トゥデー』誌所収のドン・A・ハワードの論文「科学哲学者としてのアルバート・アインシュタイン」(2005年12月号)を参照。

6. 「ある科学理論が真である」というのとはまったく異なる主張であることに注目してもらいたい。残念ながら、根拠を理性的に検討したうえで、理論を信じられる正当な理由があったとしても、理論が正しいという保証は絶対に得られない(詳しくは2章で取りあげる)。
7. ただしマッシモ・ピリウーチとマールテン・ボードリーが『*Philosophy of Pseudoscience: Reconsidering the Demarcation Problem*(疑似科学の哲学　線引き問題の再検討)』(2013年)で線引き問題の復活を意識して試みていることには注意しておきたい。またアレキサンダー・ローゼンバーグが『*The Atheist's Guide to Reality: Enjoying Life without Illusions*(現実を生きる無神論者の手引き—— 幻想から解き放たれた人生を楽しむ)』(2012年)で、「科学主義」という言葉を勲章として受け入れていることにも注目されたい。
8. カール・ポパーのモデルでは、ポパーが進化生物学のようないくつかの科学分野について、線引き基準をクリアーできないことを理由に実際は科学ではないと、ときおり強調している点も問題になる。ポパーはのちにこの立場を撤回したが、多くの人にとっては、科学と科学以外とを分ける論理的で明確なラインがあるという発想の傲慢さがよく表れているように思える。ポパーは『*The Philosophy of Karl Popper: The Library of Living Philosophers*(現代哲学者ライブラリー　カール・ポパーの哲学)』1巻所収(1974年)の自叙伝で、自然選択は「トートロジー」であり、「テスト可能な科学理論ではない」と述べている。数年後にこの考えは撤回したが、進化論は「テストするのが難しい」という考えは変わらなかった。『ディアレクティカ』誌所収(1978年32号)のポパーの論文「自然選択と精神の発生」も参照のこと。

9. 注目すべきは、トーマス・クーン自身が自らの研究についてのこの解釈に抵抗していたことだ。クーンはパラダイムを選択する際に応用範囲の広さや単純性、豊饒《ほうじょう》性といった理論的な利点が影響をもちうることを認めたが、科学は根拠を土台にしていたしそうすべきだという考えは捨てていなかった(3章(注27)の引用も参照)。理論の選択に関わる主観的要因に関するクーンの発言については、『*The Essential Tension*』(『科学革命における本質的緊張』安孫子誠也・佐野正博訳、みすず書房)(1974年)の「客観性、価値判断、理論選択」を参照のこと。
10. Imre Lakatos and Alan Musgrave, eds., *Criticism and the Growth of Knowledge* (Cambridge: Cambridge University Press, 1970); イムレ・ラカトシュ著、アラン・マスグレーヴ編、『批判と知識の成長』、森博監訳、木鐸社、1985年。 Paul Feyerabend, *Against Method* (London: Verso, 1978); ポール・ファイヤアーベント著、『方法への挑戦:科学的創造と知のアナーキズム』村上陽一郎、渡辺博共訳、新曜社、1981年。Larry Laudan, *Progress and Its Problems: Towards a Theory of Scientific Growth* (Berkeley: University of California Press, 1978 ;『科学は合理的に進歩する - 脱パラダイム論へ向けて』村上陽一郎訳、サイエンス社); Steve Fuller, *Philosophy of Science and Its Discontents* (New York: Guilford Press, 1992).
11. ポパーが人間行動の科学に反対した件に関する議論については、拙著『*Laws and Explanation in the Social Sciences: Defending a Science of Human Behavior*(社会科学における法則と説明——人間行動の科学を守る)』(1996年)を参照のこと。ポパー自身の意見は、『歴史主義の貧困』(1957年)(岩坂彰訳、日経BP社、2013年)、『開かれた宇宙—非決定論の擁護』(1982年)(小河原誠、蔭山泰之訳、岩波書店、1999年)、『推測と反駁《はんばく》:科学的知識の発展』(1965年)(藤本隆志[ほか]訳、2009年、法政大学出版局)内の「社会科学の予測と予言」とさまざまなところで見られる。
12. 否定主義と疑似科学を扱う8章でも取りあげる。

第1章　科学的方法と線引き問題

1. **科学的方法**という用語がいつ生まれたかについては、かなりの議論がある。多くの研究者は、13世紀の哲学者で神学者、ロジャー・ベーコン(16世紀の哲学者フランシス・ベーコンとは別人)にさかのぼれると考えている。彼は師匠のロバート・グロステストとともに、科学知識は感覚的根拠に基づいている必要があるという発想を推し進めた人物だ。フランシスのほうはのちにこの方法を支持、改訂して同じ経験的目標を追究した。
2. Noretta Koertge, ed., *New Dictionary of Scientific Biography* (New York: Scribner's, 2007).
3. ポパーやクーンのような科学哲学者が、科学的方法という発想を否定した理由については、この章のあとの部分でいくつか紹介する。
4. Laudan, "The Demise of the Demarcation Problem", in *Beyond Positivism and Relativism: Theory, Method, and Evidence*, ed. Larry Laudan (Boulder: Westview Press, 1996), 210–222. 全般的な議論については、下記も優れているので参照のこと。Thomas Nickles, "The Problem of Demarcation: History and Future", in *Philosophy of Pseudoscience*, ed. M. Pigliucci and M. Boudry (Chicago: University of Chicago Press, 2013), 101–120.
5. 論理実証主義の最盛期に関する古典的な出典としては、A. J. Ayer's *Language, Truth, and Logic* (Mineola, NY: Dover, 1952)(アルフレッド・エイヤー著、吉田夏彦訳、『言語・真理・論理』、筑摩書房、2022年ほか)がある。その後の長い凋落の興味深い歴史については、P. Achinstein and S. Barker, *The Legacy of Logical Positivism* (Baltimore: Johns Hopkins University Press, 1969)を参照。この本では、彼らのアプローチが直面した問題、特に論理実証主義者が、自分たちの言明の一部が信頼のおける検証テストをクリアーできないと悟った際の問題について掘り下げている。
6. 2章では、帰納の問題とそこから生じた科学的推論の課題について、さらに詳しく解説する。端的に言うと帰納の問題とは、のちに発見される経験的根拠によって否定される可能性がある言明については正しいと確信できないということだ。

7. ストロンチウム90は、核分裂で発生する放射性物質で、食物連鎖の過程で吸収され、カルシウムと置き換わって摂取した人の骨に定着する。1963年に部分的核実験禁止条約が締結される前は、世界中で大気圏核実験が何度も行われていた。1963年にミズーリ州セントルイスで行われた研究では赤ん坊の歯のストロンチウム90の濃度は、1950年に生まれた赤ん坊の50倍あったとされている。ストロンチウム90の半減期は28年。
8. 実際のところ、そうではないのかもしれない。というのは厳密に言うと、帰納の問題は帰納的主張の確実性だけでなく**確率**にも影響するからだ。詳しくは2章で解説する。
9. ゲイブリエルの骨にストロンチウム90が蓄積されていない**理由**については、もう少し調査しなくてはならない。生まれが1945年以前だったのか。1994年に生まれたが原子炉の近くに住んではいなかったのか。しかしここでのポイントは、この推論が演繹《えんえき》的に妥当だということだ。なぜなら、骨にストロンチウム90が蓄積されていない以上、ゲイブリエルが1945年から91年のあいだに生まれていないことはわかるからだ。
10. Karl Popper, *Conjectures and Refutations* (New York: Harper Torchbooks, 1965), 36.（カール・ポパー著、藤本隆志、石垣壽郎、森博訳、『推測と反駁』（新装版）、法政大学出版局、2009年）
11. Karl Popper, *The Logic of Scientific Discovery* (New York: Basic Books, 1959).（カール・ポパー著、大内義一、森博訳、『科学的発見の論理』、恒星社厚生閣、1971年）きわめて興味深いことに、ほぼすべての学者がポパーの線引きに関する議論が科学と科学ではないもの（Nonscience）、もしくは疑似科学（Pseudoscience）に関するものだと特徴づけているのに対し、本人はその二つの用語をこの本のなかで一度も使っていない。線引きの定義に最も近いものとして、ポパーは(4節で)「経験的科学と、数学や論理学、また『形《けい》而《じ》上《じょう》学』的な系とを区別する」ためのものだと述べている。つまり明らかに彼の意図としては、単に「形而上学的な思弁」だけでなく、数学や論理学などの「科学以外」の研究分野を経験的科学から区別しようとしていた。もしかしたらそこから科学ではないものという、疑似科学と科学以外の分野とが融合した発想が生まれたのかもしれない。のちの『推測と反駁』では、「疑似科学」を「形而上学」のほぼ同義語として、科学と唯一対照されるものとして使い始めているが、「科学ではないもの」については言及しない。ではなぜこの語を今使うのか。まずこの言葉は、ポパーを源とするさらに大きな議論のなかで、カテゴリー分けの用語として使われるようになっている。またポパーの当初の意味に忠実なように見える。しかしこれから見ていくように、線引き問題を科学と科学ではないものの問題とするか、科学と疑似科学の問題とするかによって、**大きな違いが生まれる**。私としては、ポパーがはっきり使ったわけではないが、「科学ではないもの」という用語を採用したい。

12. 州法590条の全文は下記を参照。*But Is It Science? The Philosophical Question in the Creation/Evolution Controversy*, ed. M. Ruse (Amherst, NY: Prometheus Books, 1996), 283–286.
13. 下記拙著も参照のこと。*Respecting Truth: Willful Ignorance in the Internet Age* (New York: Routledge, 2015), 64.
14. 自然選択による進化論を支持する根拠と、創造科学とインテリジェント・デザイン論にそうした根拠が欠けている点については、99～101ページ，395～407ページも参照。
15. しかしながら、これはすべての人に無条件にメリットとみなされたわけではなかった。占星術師が反証可能な予測をし、そのため科学として受け入れられる可能性が出たからだ。もっと悪くすれば、占星術が**過ち**だと証明されている以上、それは**反証可能**ということになり、それゆえ科学的ということにはならないだろうか。

16. この論考は下記書籍の序文に掲載されている。*Realism and the Aim of Science* (Lanham, MD: Rowman and Littlefield, 1983).（カール・ポパー著、小河原誠、蔭山泰之、篠崎研二訳、『実在論と科学の目的』、岩波書店、2002年）
17. Popper, "Science: Conjectures and Refutations", in *Conjectures and Refutations*, 46.（カール・ポパー著、藤本隆志、石垣壽郎、森博訳、『推測と反駁』（新装版）内の「科学―推測と反駁」）
18. 科学的方法は、科学と科学ではないものとを分ける方法論的線引きの一つにすぎない。反証可能性も別の方法で、おそらくほかにもあるだろう。すでに見たとおり、方法論に頼らない基準を使って科学と科学ではないものを線引きしようという試みもある。たとえば論理実証主義者は、ある主張が認知的に意味があるかどうかで線引きを試みた（ただし検証基準を使う以上、これも方法論的な線引きの試みだという意見はあるだろう）。
19. クーンは「科学的方法」という単純な発想に反対する。その論拠はすべての観察は理論負荷的であるという主張である。下記も参照。*The Structure of Scientific Revolutions* (Chicago: University of Chicago Press, 1962)（トーマス・クーン著、青木薫訳、『科学革命の構造』（新版）、みすず書房、2023年）
20. クーンが線引きの基準に最も近いことを述べているのは、下記の論評である。"Logic of Discovery or Psychology of Research", in *The Philosophy of Karl Popper*, vol. 14, ed. Paul Schilpp (La Salle, IL: Open Court, 1974).（「発見の論理か探究の心理か」トーマス・クーン著『科学革命における本質的緊張』（新装版）安孫子誠也・佐野正博訳、みすず書房、2018年に所収）クーンは次のように述べる。「通常科学こそが科学とそうでない活動のあいだの線引きに最も近いものだが、そこでは（通常でない科学と異なり）ポパー氏が言うようなテストは行われない。仮に線引き基準が存在するとしても（明確な、あるいは決定的な基準は求めるべきではないと考えるが）、それはまさにカール卿［＝ポパー］が無視したような科学のなかにあるのかもしれない」。とはいえ、これについては Tom Nickles, "The Problem

of Demarcation"も参照いただきたい。そこではクーンの通常科学内のパズル解きという発想を「クーンの基準」と呼んでいる。また下記も参照。Sven Ove Hansson's entry "Science and Pseudo-Science" in *The Stanford Encyclopedia of Philosophy*. ここではクーンのパズル解きについての見方をクーンの「線引き基準」とはっきり呼んでいる。https://plato.stanford.edu/entries/pseudo-science/.

21. クーンの言う、ほとんどの科学者がほとんどの時間従事しているという「通常科学」に関する記述は、*The Structure of Scientific Revolutions*(トーマス・クーン著、青木薫訳、『科学革命の構造』(新版))にある。
22. ファイヤアーベントの著書*Against Method*(村上陽一郎、渡辺博訳、『方法への挑戦—科学的創造と知のアナーキズム』、新曜社、1981年)で、彼は科学では「何でも構わない」ので、科学の実践とは「方法論的アナーキズム」だと述べている。
23. こうした取り組みについての楽しく読める歴史的記述については、下記を参照。Peter Achinstein and Stephen Barker, eds., *The Legacy of Logical Positivism: Studies in the Philosophy of Science* (Baltimore: Johns Hopkins University Press, 1969).
24. たとえば、厳密な客観性を維持することは可能である、事実と価値の絶対的な区別はあるといった主張など。
25. Laudan, "Demise of the Demarcation Problem", 216–217.
26. もちろんこれは、どんな意思決定手順にもある古典的な問題で、人は自分が好むものだけをすべて含め、そうではないものだけをすべて除外したがる。たとえば、飛行機を打ち落とすべきか(敵か味方か)、推論を受け入れるべきか(妥当かそうでないか)、腫瘍を除去すべきか(がんか良性か)。完璧な意思決定手順は(偽陽性や偽陰性のいずれの)ミスのないもので、こうしたものを多くの人は科学と科学ではないものとを分ける線引き基準として求めている。しかし残念ながら、偽陽性の割合と偽陰性の割合とは互いに反比例する。片方を減らせば、必ずもう一方が増えるのだ。
27. 注意すべきは、ラウダンがここである種の「メタな議論」を行っていることだ。つまり、過去の哲学者が線引き問題を解決できなかったというだけでなく、解決には科学の必要十分条件を定める必要があると述べていることだ。言い換えるなら、科学の必要十分条件を示すことが、線引き問題解決に向けた彼にとっての**必要条件**になっている。おそらくラウダンはまた、**本当に**科学の必要十分条件を示せるなら、線引き問題の解決にとって十分だとも信じているのだろう。するとこの二つを組み合わせると、科学の必要条件を示せた場合、またその場合に限り、線引き問題は解決できるという魅力的で大きな主張ができあがる。もっとシンプルな言い方をすれば、科学の必要十分条件を示すこと自体が線引き問題解決の必要十分条件であるということだ。線引き論争における必要十分条件に関する繊細な疑問については、詳しくは4章で取りあげる。

28. Hansson, "Science and Pseudo-Science", *Stanford Encyclopedia of Philosophy* .
29. Laudan, "Demise of the Demarcation Problem," 218–219.
30. Robert Feleppa, "Kuhn, Popper, and the Normative Problem of Demarcation", in *Philosophy of Science and the Occult*, ed. Patrick Grim (Albany: SUNY Press, 1990), 142. ポパーは『推測と反駁』(256ページ)で「ある系が科学的と考えられるのは、観察と衝突する可能性のある主張をしている場合のみだ」と述べている。
31. 進化生物学はテスト不可能だというポパーの論調を思い出してほしい(序章の(注8)も参照)。
32. この部分は、Hansson, "Science and Pseudo-Science", *Stanford Encyclopedia of Philosophy* で引かれているポパーの "Falsifizierbarkeit, zwei Bedeutungenvon" ([1989] 1994), 82から引用した。https://plato.stanford.edu/entries/pseudo-science/
33. Hansson, "Science and Pseudo-Science", より引用。下記も参照。Frank Cioffi, "Psychoanalysis, Pseudoscience and Testability", in *Popper and the Human Sciences* , ed. Gregory Currie and Alan Musgrave (Dordrecht: Martinus Nijhoff, 1985), 13–44.

34. Larry Laudan, “Science at the Bar: Causes for Concern”, in *Beyond Positivism and Relativism: Theory, Method, and Evidence* (Boulder: Westview Press, 1996), 223.
35. Tom Nickles, “Problem of Demarcation”, 111.
36. McIntyre, *Respecting Truth*, 64–71.
37. McIntyre, *Respecting Truth*, 69. 詳しくは8章を参照のこと。
38. Massimo Pigliucci, “The Demarcation Problem: A (Belated) Response to Laudan”, in *Philosophy of Pseudoscience* , 17–19.
39. Pigliucci, “Demarcation Problem”, 22.
40. Pigliucci, “Demarcation Problem”, 25.
41. Pigliucci, “Demarcation Problem”, 25.
42. Sven Hansson, “Defining Science and Pseudoscience”, in *Philosophy of Pseudoscience*, 61–77.
43. Maarten Boudry, “Loki’s Wager and Laudan’s Error”, in *Philosophy of Pseudoscience*, 79–98
44. ポパーは「nonscience」という用語を使ってはいないが、それが『科学的発見の論理』内でのもともとの意味に最も近いものであることを思い出してほしい。この章の（注11）も参照。
45. ボードリーは論考で「科学以外のもの（unscientific）」という用語を使ってはいないが、使うべきだったと私は言いたい。彼の念頭にあった領域の対立を表すのに、「nonscience」はふさわしくないからだ。
46. この差に関する慎重な解釈については、下記二つを参照。Tom Nickles, “Problem of Demarcation”, 101–120, and James Ladyman, “Toward a Demarcation of Science from Pseudoscience”, 45–59, in *Philosophy of Pseudoscience* .
47. これらがどれも、科学ではないものに分類されると思う人もいるかもしれない。（注11）も参照。
48. Laudan, “Demise of the Demarcation Problem”.

第2章　科学の仕組みに対する誤解

1. ポパーが生涯を通じて、素朴な反証主義を主張しているという嫌疑から自身の倫理を守るのに苦心していたことには注意しておきたい。

2. Popper, “Replies to My Critics”, in *The Philosophy of Karl Popper*, vol. 14, ed. Paul Schilpp (La Salle, IL: Open Court, 1974), 984.
3. ここでアインシュタインに関する有名な逸話を思い出す人もいるだろう。自身の理論が確証されたことを知ったアインシュタインは、実験で反対の結果が出ていたらどうしていたかと訊かれ、こう答えた。「その場合、神に申し訳なく思うだろう。私の理論は正しいのだから」と。とはいえ、本人にどれだけ自信があっても、予測が反証された場合にアインシュタインの理論が受け入れられたとは思えない。さらなるテストが必要になったか、あるいはエディントンの測定手法に問題が見つかったかだろう。どちらも起こらなければ、少なくとも理論の修正は必要だったはずだ。
4. Samir Okasha, *Philosophy of Science: A Very Short Introduction* (Oxford: Oxford University Press, 2016), 15.（サミール・オカーシャ著、廣瀬覚訳、『科学哲学』、岩波書店、2008年）
5. 観察の結果、水星は太陽のまわりを公転する際、前回と同じ軌道を正確にはたどらず、毎回少しずつ軌道がずれていることがわかった。理由は重力以外に考えられなかった。
6. Kuhn, *The Structure of Scientific Revolutions* (Chicago: University of Chicago Press, 1962).（トーマス・クーン著、青木薫訳、『科学革命の構造』（新版）、みすず書房、2023年）
7. 下記参照。Hilary Putnam, “The ‘Corroboration’ of Theories”, in *The Philosophy of Karl Popper* , 223.
8. *The Logic of Scientific Discovery* (New York: Basic Books, 1959)（カール・ポパー著、大内義一、森博訳、『科学的発見の論理』、恒星社厚生閣、1971年）においては、「ポジティヴな験証の理論：いかに仮説は『その耐力を証し』うるか」の節を含めて、ポパーはこの用語を何度も使っている。
9. トム・ニクルスは、「（ポパーの）見方では、数々の厳しいテストをクリアーした（ゆえに十分に験証された）理論でさえ、確率はゼロだった。ポパーによれば…『無限の宇宙ににおいては、…**あらゆる普遍法則（トートロジーを除く）の確率は**

ゼロになる』（強調はポパー）ものだった」と述べている。以下を参照。"The Problem of Demarcation: History and Future," in *Philosophy of Pseudoscience* , ed. M. Pigliucci and M. Boudry (Chicago: University of Chicago Press, 2013, 107–108).

10. 「線引き基準としての反証可能性は、**純粋に論理的なものであって**、ある主張を最終的に反証する人間の（存在しない）経験的、実際的能力に依拠するものではない」（強調はポパー）。カール・ポパーと著者による1984年3月26日の個人的なやりとりより。
11. 下記参照。Popper, Conjectures and Refutation (New York: Harper Torchbooks, 1965), 41, note 8.（カール・ポパー著、藤本隆志、石垣壽郎、森博訳、『推測と反駁』（新装版）、法政大学出版局、2009年）
12. フロギストンやエーテル、カロリックといった概念が例になる。
13. Richard Feynman, "The Essence of Science in 60 Seconds", https://www.youtube.com/watch?v=5v8habYTfHU.
14. つまり、反証可能性が線引き基準として失敗だったとしても、科学について正しいことが学べるかもしれない。それには、理論を根拠に照らして検討することが科学の特別さの重要な部分を担っているという発想に着目する必要がある。クーンについても、彼をわざと誤解しようとする人間はいるにせよ、本人は科学における根拠の役割を支持していた。
15. もう一つの例が、センメルヴェイスの産褥《さんじょく》熱の原因の発見で、これはのちの病原菌説によって支持された。詳しくは3章で解説する。
16. ボーデの法則が失敗したのは理論が欠けていたからなのか、のちに予測が失敗したからなのかというのは興味深い疑問だ。下記拙稿も参照のこと。"Accommodation, Prediction, and Confirmation", Perspectives on Science 9, no. 3 (2001): 308–323.
17. 下記参照。Alberto Guijosa, "What Is String Theory?" https://www.nucleares.unam.mx/~alberto/physics/string.html.

18. このテーマで最も読みやすいのは下記。Brian Greene's *The Elegant Universe: Superstrings, Hidden Dimensions, and the Quest for the Ultimate Theory* (New York: Norton, 2010).（ブライアン・グリーン著、林一・林大訳、『エレガントな宇宙』、草思社、2001年）
19. 興味深いのは「ひも理論」がかつて「ひも仮説」と呼ばれていたことだ。下記参照。Ethan Siegel, "Why String Theory Is Not a Scientific Theory", Forbes.com, Dec. 23, 2015, http://www.forbes.com/sites/startswithabang/2015/12/23/why-string-theory-is-not-science/.
20. Richard Dawid, *String Theory and Scientific Method* (Cambridge: Cambridge University Press, 2014). 一部はクーンの意見のように聞こえるかもしれないが、クーンの「経験外的」な基準は、経験的根拠の補助とするためのものであって、かわりとするためのものではなかったことには注意したい。
21. 以下のデイヴィッド・グロス（ノーベル物理学賞を受賞した科学者）を参照。「ひも理論は『原則』テスト可能で、それゆえ完璧に科学的だ。ひもは検知できる可能性があるのだから」。下記も参照。David Castelvecchi, "Is String Theory Science?" *Nature*, Dec. 23, 2015, https://www.scientificamerican.com/article/is-string-theory-science/. 下記は別の観点からこの会議に書いたものである。Natalie Wolchover, "Physicists and Philosophers Hold Peace Talks, If Only for Three Days", *Atlantic* , Dec. 22, 2015, https://www.theatlantic.com/science/archive/2015/12/physics-philosophy-stringtheory/421569/.
22. 下記参照。Lee Smolin, *The Trouble with Physics: The Rise of String Theory, the Fall of a Science, and What Comes Next* (New York: Mariner, 2007),（リー・スモーリン著、松浦俊輔訳、『迷走する物理学：ストリング理論の栄光と挫折、新たなる道を求めて』、武田ランダムハウスジャパン、2007年）and Peter Woit, *Not Even Wrong: The Failure of String Theory and the Search for Unity in Physical Law* (New York: Basic, 2007).（ピーター・ウォイト著、リー・スモーリン著、松浦俊輔訳、『ストリング理

論は科学か：現代物理学と数学』、青土社、2007年）
23. Peter Woit, "Is String Theory Even Wrong?" *American Scientist* (March–April 2002), http://www.americanscientist.org/issues/pub/is-string-theory-even-wrong/.【リンク切れ】
24. Theodosius Dobzhansky, "Nothing in Biology Makes Sense except in Light of Evolution", *American Biology Teacher* 35, no. 3 (March 1973): 125–129.
25. 下記も参照。Larry Laudan, *Progress and Its Problems: Towards a Theory of Scientific Growth* (Berkeley: University of California Press, 1978).（L・ローダン著、村上陽一郎、井山弘幸共訳、『科学は合理的に進歩する：脱パラダイム論へ向けて』、サイエンス社、1986年）
26. 眼を始めとする「極度に完成度の高い器官」の説明の仕方については、下記を参照。Richard Dawkins, *Climbing Mount Improbable* (New York: Norton, 2016). ティクターリクという、肩と肘、脚、首、手首があった古代魚については、下記を参照。Joe Palca, "The Human Edge: Finding Our Inner Fish", NPR, http://www.npr.org/2010/07/05/127937070/the-human-edge-finding-our-inner-fish.
27. 8章のインテリジェント・デザイン論についての議論を見よ。
28. この見方には別の利点もある。それは、科学理論は証明されない限り弱いという意見を否定できることだ。経験的主張を証明することは不可能なのは確かだが、だからといって正しい「かもしれない」からという理由でなんでも好きなものを信じることが正当化されるわけではない。地球は平らだという仮説は正しい「かもしれない」が、根拠はどこにもない。思いつきがたまたま正しかったとしても（「止まった時計は1日に2回正しい時刻を示す」ということわざのように）、それは科学ではない。好きなものを「なんでも」信じていい論拠はないという言葉は、「どんなことについても」信じるに足る論拠がないという意味ではない。科学の本質は根拠に照らしてテストされた理論を持つことであり、その過程がそれを信じてもいい理由を与えるのである。

29. これは通常**悲観的帰納法**と呼ばれる。とはいえ、これは**反帰納**と呼ばれるものとは慎重に区別すべきだ。反帰納とは、過去に起こったことは、将来生じないという考えを指す。帰納法を信じる人間が、サイコロを振って同じ目が3回連続で出たのを見て「次もまた出るぞ！」と言ったとする。この推論は妥当ではない。しかし反帰納的な考えをもつ友人の「いいや、お前はもう運を使い果たした。また同じ目を出すのはほとんど不可能だ」という発言も妥当ではない。公正なサイコロであれば、過去に何が起こっていようと確率は変わらない。対照的に悲観的帰納法とは、単に「帰納法の仕組みから考えて、人間の限られた経験では正しい理論を見つけ出すのはほぼ不可能で、それゆえほぼすべての科学理論はいずれ覆される」という考えを指す。
30. このテーマでとりわけ興味深い論考が、プラグマティズムを信奉する著名な哲学者、チャールズ・S・パースの書いた “The Scientific Attitude and Fallibilism” だろう。このなかで、パースは科学的態度を備える科学者がもっていそうな「美徳」と、経験的知識は常に不完全であるという発想を尊重する精神とを結びつけて考える。「科学的態度」を備えた人間は、自分の知識は完全だと考えて探究の道を閉ざすことがあってはならない。科学のようなオープンな分野では学べることは常にあるからだ。詳しくは下記を参照。https://www.textlog. de/4232.html.
31. 下記参照。D. H. Mellor, “The Warrant of Induction”, in *Matters of Metaphysics* (Cambridge: Cambridge University Press, 1991), https://www.repository.cam.ac.uk/bitstream/handle/1810/3475/InauguralText.html?sequence=5.
32. とはいえ、本文で述べたことが経験的知識については正しいということを覚えている限りは、科学者が「真理」という言葉を依然として使うのは完全に問題なく、「今後見つかる根拠によって、その見解は間違いだとわかる場合がある」と可《か》謬《びゅう》主義者的な注釈を毎回入れる必要もないと思いたい人もいるだろう。

33. David Hume, *A Treatise of Human Nature* (London, 1738), Book VII. 34.（デイヴィッド・ヒューム著、木曾好能ほか訳『人間本性論（全三巻、普及版）』、法政大学出版局、2019年）
34. ライヘンバッハの論文自体もわかりやすいが、この発想について最もとっつきやすい議論を行っているのは下記。Wesley Salmon, "Hans Reichenbach's Vindication of Induction", *Erkenntnis* 35, no. 1 (July 1991): 99–122.
35. ここで、帰納的推論は「立証された」ではなく、「擁護できる」と述べていることに注意されたい。
36. 理論を変えることに対する保守主義の原則は、科学の規範として深く根づいている。すでに見たとおり、ポパーは（ほかの条件が同じであれば）長く生き残り、よく「定着した」理論のほうに大きな敬意を払うべきだと述べている。クワインもまた（実践的な理由から）我々がすでにもっているほかの考えと最もよくなじむものを好むのは正しいと述べている。
37. 解決すべき問題はいくつか残っている。まず、実践的擁護が確実性から我々を守る砦になるにしても、論拠のある見解は根拠に照らした場合に**蓋然《がいぜん》性が高い**といえるだろうか。蓋然性を獲得するには、「今まで見つけた世界のサンプルが残りの世界を反映しているかどうかは、人間には絶対にわからない」という帰納的観察は不利にはたらくことを思い出そう。それでも、「今までの観察が残りの世界を反映していないならばどの見解も論拠を得ることはないし、反映しているならば我々がもつ見解は少なくともほかの見解と同程度には論拠がある」とはいえないだろうか。この点について詳しくは私の執筆途上の論文「論拠をもつ見解の実践的正当化」を参照。
38. デカルトは、人間の感覚は本質的に信用がならない、それは人間が永遠の夢を見ている、あるいは悪魔にだまされている可能性があるからだと懸念している。グッドマンは「帰納法の新たな謎」で、私たちが使っている（「グリーン」や「ブルー」のような）述語が、作為的につくられたが経験的根拠から同等の裏づけをもつ語（「ブリーン」や「グルー」のような）よりも優れているという確信すらもてないという懸念を提示した。詳しくは下記を参照Nelson Goodman, *Fact, Fiction, and Forecast* (Cambridge, MA: Harvard University Press, 1955).（N・グッドマン著、雨宮民雄訳、『事実・虚構・予言』、勁草書房、1987年）

39. 帰納的推論の論拠を守ることの目的が、科学者があることを知っていると示すだけでなく、**あることを知っていると自分でわかっている**ことを示すことならば、これは科学を誤解して確実性を求める者たちの要求に屈することにしかなっていないのではないだろうか。
40. 本書の冒頭で言及した、米国科学アカデミーの会員255名が署名した書簡も参照。

第3章　科学的態度の重要性

1. 古典的な議論については、下記を参照。Norwood R. Hanson, *Patterns of Discovery: An Inquiry into the Conceptual Foundations of Science* (Cambridge: Cambridge University Press, 1958).（ノーウッド・ラッセル ハンソン著、村上陽一郎訳、『科学的発見のパターン』、講談社、1986年）全体を見事に概観しているのは下記。Thomas Nickles, “Introductory Essay: Scientific Discovery and the Future of Philosophy of Science”, in *Scientific Discovery, Logic, and Rationality*, ed. T. Nickles (Dordrecht: Reidel, 1980), 1–59.
2. 引用はファインマンからだが、このテーマに関する発言のごく一部にすぎない。詳しくは下記の愉快な論考を参照。Feynman, “What Is Science?” *Physics Teacher* 7, no. 6 (1968): 313–320.
3. この問題はずっと深刻だと述べる研究者もいる。同じデータに合致する理論は原則的に無限にある以上、根拠は**常に**あいまいだという主張だ。下記参照。Helen Longino, “Underdetermination: A Dirty Little Secret?” *STS Occasional Papers* 4 (London: Department of Science and Technology Studies, University College London, 2016).背景については下記が詳しい。Paul Horwich, “How to Choose between Empirically Indistinguishable

Theories", *Journal of Philosophy* 79, no. 2, (1982): 61–77, and Larry Laudan and Jarrett Leplin, "Empirical Equivalence and Underdetermination", *Journal of Philosophy* 88, no. 9 (1991): 449–472. この問題の全般的な議論については、下記拙稿を参照のこと。"Taking Underdetermination Seriously", *SATS: Nordic Journal of Philosophy* 4, no. 1 (2003): 59–72.

4. 科学的態度に関して科学者が従う慣習については5章で詳しく解説する。
5. もっとも、稚拙な推論のわかりやすい例はすぐに見つかる。否定論者と疑似科学の支持者は、自分たちは根拠を大切にしていると**言う**かもしれないが、問題はその姿勢をどう示すかにある。希望的観測にすがる人間は、自説を裏づける根拠が見つかってほしいと**願う**かもしれないが、それでは足りない。一般化を急ぐ人間も、同じように根拠を大切にする姿勢を尊重していない。自説に合致するデータだけを意図的に選別する行為などは、経験的裏づけに対するリップサービスでしかなく、本当の意味での根拠を大切にする姿勢ではない。その姿勢を実際に示すには、理論に合致する根拠があるかだけでなく、理論を否定するものもないかを精力的に確認しなければならない。この件について、詳しくは否定主義と疑似科学を扱った8章で解説する。
6. ときには分野全体が道を外れることもある。科学界が間違っていて、個人が正しいときにはどうすればいいのか。この問題は8章でハーレン・ブレッツを例に取りあげる。
7. Peter Achinstein, ed.,*Scientific Evidence: Philosophical Theories and Applications* (Baltimore: Johns Hopkins University Press, 2005), 1. アチンスタインはさまざまな根拠の概念について、反証主義者、帰納論者、説明主義者、ベイズ統計学派、「アナーキスト」などに分けている。
8. 特に下記を参照。Deborah Mayo, *Error and the Growth of Experimental Knowledge* (Chicago: University of Chicago Press, 1996). メイヨーは「誤り統計学」的なモデルを提示し、ベイズ学派の支配的なアプローチに激しく挑んでいる。ほかの視点につ

いては下記も参照のこと。Peter Achinstein, *The Book of Evidence* (Oxford: Oxford University Press, 2003), and Clark Glymour, *Theory and Evidence* (Princeton: Princeton University Press, 1980).

9. 大まかに言えば主観主義的なアプローチの支持者は、仮説の蓋然性を評価する際の出発点として事前確率に関する我々の背景知識に頼り、そのあと経験をもとに修正していくのが合理的だと考える。頻度主義者はこれに反対で、根拠に照らしてテストする前に仮説の確率を推定するのは愚かだと考える。メイヨーは、科学知識は理論を「厳しくテストする」ことでのみ手に入ると主張する。
10. この件について、詳しくは4章で解説する。
11. 最近の例としては、南極で天体望遠鏡BICEP2を使って観測を行っていた天文学者が、「ビッグバン直後に急激なインフレーションが起こったことを示す直接的な根拠」を発見したと主張した。しかしのちに、このデータは背景のちりから出たマイクロ波放射によるものだとわかった。研究チームは当初、結論を撤回することを渋ったが、のちに結論を否定する圧倒的な量の根拠が見つかり考えを変えた。Adrian Cho, "Curtain Falls on Controversial Big Bang Result", *Science* , Jan. 30, 2015, http://www.sciencemag.org/news/2015/01/curtain-falls-controversial-big-bang-result.
12. 科学理論を評価する際、コミュニティの判断が重要な役割を果たすことについて、詳しくは5章で解説する。
13. これらの短い例は科学的態度の意味を例示するためのものであることに留意。詳しくは6章(科学的態度が近代医学をどう変えたかを解説する)と5章(集団による吟味を拒絶することで、常温核融合が科学的態度をないがしろにしたことを解説する)で紹介する。
14. Carl Hempel, *Philosophy of Natural Science* (New York: Prentice Hall, 1966), 3–8.(カール・ヘンペル著、黒崎宏訳、『自然科学の哲学』、培風館、1967年)
15. 下記の魅力的な論考を参照。Noretta Koertge, "Belief Buddies

versus Critical Communities," in *Philosophy of Pseudoscience* , ed. M. Pigliucci and M. Boudry (Chicago: University of Chicago Press, 2013), 165–180. ここでコージは、科学者の考えを同僚が批判的に評価することは、考えを洗練させさらに多くの科学者の注目を集めるようにする点で価値があると主張している。

16. Roy Porter, *The Greatest Benefit to Mankind: A Medical History of Humanity* (New York: Norton, 1999), 369.
17. Porter, *Greatest Benefit* , 369.
18. Porter, *Greatest Benefit*, 369–370; W. F. Bynum et al., *The Western Medical Tradition 1800–2000* (Cambridge: Cambridge University Press, 2006), 156; Hempel, *Philosophy of Natural Science* , 3–8.
19. 一人の科学者の意見が、長らく抵抗にあった末に正当性を手に入れた別の例としては、ガリレオ・ガリレイが挙げられる。現代の例としては、ハーレン・ブレッツと、ワシントン州東部の「チャネルド・スキャブランド」が大洪水によってできたという彼の理論を取りあげた8章を参照のこと。これは、個人が正しく集団が間違っていた場合、科学的態度に何が起こるかという疑問にもつながる話だ。
20. Koertge, "Belief Buddies." ここで彼女は、孤独な天才がもつ考えも、批判的なコミュニティに加わることで洗練される場合があるという興味深い視点を取りあげている。
21. 常温核融合と査読をめぐる話については、5章で取りあげる。下記拙著も参照。Lee McIntyre, *Dark Ages: The Case for a Science of Human Behavior* (Cambridge, MA: MIT Press, 2006), 19–20.
22. 下記の重要な論考も参照。Robert Merton, "The Normative Structure of Science" (1942) (reprinted as chapter 13 in *The Sociology of Science* , ed. Robert Merton [Chicago: University of Chicago Press, 1973].) 科学的研究における価値の役割と重要性について、きわめて鋭い見解がいくつか示されている。
23. この考えは見た目以上に重要だ。ポパーが自身の線引き基準の意味を見逃していた可能性はあるのか。もしかしたら最も重要なのは、理論が反証可能であるかではなく、理論を提唱した科学者たちが反証可能性を**追求**しているかということだろう。この発想を興味深く展開しているのが下記の論考である。Janet Stemwedel, "Drawing the Line between Science and Pseudo-Science", *Scientific American* , Oct. 4. 2011, https://blogs.scientificamerican.com/doing-good-science/drawing-the-line-between-science-and-pseudo-science/. このなかで彼女はこう述べている。「ポパーの見つけ出した科学と疑似科学の一番の違いは、態度の差だ。疑似科学は自身の主張を裏づける根拠を探すのに対し、…科学では主張に**異議を唱える**ことを目指し、理論の間違いを証明する根拠を探す。言い換えるなら、疑似科学は確証を求め、科学は反証を求める」。

24. Karl Popper, "Remarks on the Problems of Demarcation and of Rationality", in *Problems in the Philosophy of Science*, ed. Imre Lakatos and Alan Musgrave (Amsterdam: North-Holland, 1968), 94.
25. *The Philosophy of Karl Popper* , ed. P. A. Schilpp (LaSalle: Open Court, 1974), 29.
26. K. Brad Wray, "Kuhn's Social Epistemology and the Sociology of Science", in *Kuhn's Structure of Scientific Revolutions—50 Years On*, ed. W. Devlin and A. Bokulich (Dordrecht: Springer, 2015), 175–176.
27. Thomas Kuhn, *The Road since Structure: Philosophical Essays, 1970–1993, with an Autobiographical Interview*, ed. J. Conant and J. Haugeland (Chicago: University of Chicago Press, 2002), 101.（トーマス・クーン著、佐々木力訳、『構造以来の道：哲学論集1970-1993』、みすず書房、2008年）
28. ただしこれをやっていた者はおそらくいる。ここでも科学における価値を取りあげたマートンの論に注意されたい。彼は4種類の価値（共有主義、普遍主義、利害関心の超越、系統的懐疑主義）を取りあげ、またスヴェン・ハンソンは論考"Science and Pseudo Science" in the *Stanford Encyclopedia of Philosophy* で、こうした価値は線引き議論のなかでその役割が十分に理解されていなかったと述べる。『科学革命の構造』（新版）（みすず書房、2023年）で、クーンがマートンを賞賛しているのは興味深い。

29. 線引き基準を必死に探し求めるべきではないという、クーンの発言に注意されたい（1章の[注20]（468ページ）参照）。
30. Popper, "Science: Conjectures and Refutations", in *Conjectures and Refutations* (New York: Harper Torchbooks, 1965), 52.（カール・ポパー著、藤本隆志、石垣壽郎、森博訳、『推測と反駁』（新装版）内の「科学―推測と反駁」、法政大学出版局、2009年」）
31. 下記参照。http://www.earlymoderntexts.com/assets/pdfs/bacon1620.pdf.
32. Rose-Mary Sargent, "Virtues and the Scientific Revolution", in *Scientific Values and Civic Virtues*, ed. Noretta Koertge (Oxford: Oxford University Press, 2005), 78.
33. Noretta Koertge, ed., *Scientific Values and Civic Virtues* (Oxford: Oxford University Press, 2005), 10.
34. Alasdair MacIntyre, *After Virtue: A Study in Moral Theory* (South Bend: University of Notre Dame Press, 1981), 1.（アラスデア・マッキンタイア著、篠崎榮訳、『美徳なき時代』、みすず書房、1993年）
35. 下記の重要な論文のなかで、ダニエル・ヒックスとトーマス・ステイプルフォードは、「科学史と科学哲学はマッキンタイアの徳倫理の焦点ではないが、彼の著作で科学は重要な範例となっている」と認めている。Daniel Hicks and Thomas Stapleford , "The Virtues of Scientific Practice: MacIntyre, Virtue Ethics, and the Historiography of Science", *Isis* 107, no. 3 (Sept. 2016): 4.
36. 8章でも見るとおり、科学界全体がミスを犯すこともある。
37. ヒックスとステイプルフォードは論文の最後でまさにこの見方を示し、マッキンタイアの徳倫理観から類推して、科学における徳はコミュニティレベルの実践で果たされる役割として認識されると述べる。
38. Abrol Fairweather, ed., *Virtue Epistemology Naturalized: Bridges between Virtue Epistemology and Philosophy of Science* (Dordrecht: Springer, 2014).
39. 理論の中身と、それを前進させる人々の振る舞いとのあいだに関連性はあるのか。伝統的に線引き問題では前者に注目してきたが、後者にも一定の役割はあるのかもしれない。マーティン・カードは、ピリウーチとボードリーの *Philosophy of Pseudoscience in Notre Dame Philosophical Reviews* (July 22, 2014) に対する論評でボードリーの論文を引用し、疑似科学の信奉者の**振る舞い**は線引き問題と関連するのかという疑問を取りあげている。http://ndpr.nd.edu/news /philosophy-of-pseudoscience-reconsidering-the-demarcation-problem/. 結局のところ、価値観は行動の動機づけになる。根拠に向き合う際の姿勢は大事だし、研究者の意図もそうだ。この考え方は、科学的態度という発想にもなじむものに思える。

40. こうした科学における慣習については詳しくは5章で解説する。

41. もちろん、理論の論理的な一貫性も気にしなければならない。そもそも矛盾を内包した理論はどんな根拠でも救えない。

第4章　科学的態度と線引き問題――解決の必要はもうない

1. 1章[注27]のラウダンの「メタな議論」に関する話も参照のこと。

2. 論理学では、「AならばB」と「BならばA」が組み合わさると「Bである場合、またその場合に限りAである」になり、これはAとBが論理的に同値であるという主張になる。論理学者の「必要十分条件」「もし～ならば」「である場合に限り」「である場合、またその場合に限り」のような用語、あるいは「双条件的」「対偶」「論理的に等価」といった用語の使い方について知りたいなら、入門書は多数あるが、最も優れているのは下記である。E. J. Lemmon, *Beginning Logic* (Cambridge, MA: Hackett, 1978).（E・J・レモン著、竹尾治一郎、浅野楢英訳、『論理学初歩』、世界思想社、1992年）

3. 1章の話も参照のこと。ロバート・フェレッパは下記で、必要条件のみを意図していたと述べているが、ポパーが（後年）必要十分基準だと発言していることに注意されたい。Robert Feleppa, "Kuhn, Popper, and the Normative Problem of

Demarcation", in *Philosophy of Science and the Occult* , ed. Patrick Grim [Albany: SUNY Press, 1990].

4. 進化生物学は反証不可能だというポパーの主張を思い出してほしい。
5. Popper, "Falsifizierbarkeit, zwei Bedeutungen von" ([1989], 1994), 82.
6. 必要十分条件を提示する理由について、ラウダンは一方の基準だけでは起こりかねない批判から守るためだと考えていたようだが、実際にはそうならず、両側からの批判を招く結果に終わった。
7. つまり、同一の条件ではどちらも真となる。あるものが科学の基準を満たす場合、それは反証可能の基準も満たしている。その逆も同じだ。
8. これは本章（注6）のラウダンに対する批判とも関連する話に思える。反証可能性を科学の必要条件にしたら「進化生物学までもが科学ではなくなる」という批判からポパーを守るために、反証可能性を科学の十分条件にすることがどのように役立つのか。同様に、反証可能性を科学の十分条件にしたら占星術が科学になってしまうという批判からポパーを守るのに、反証可能性を科学の必要条件にすることがどのように役立つのか。
9. とはいえ、**これ**を測定する基準を見つけるのは非常に難しい。
10. 下記参照。Karl Popper, *The Logic of Scientific Discovery* (New York: Basic Books, 1959)（カール・ポパー著、大内義一、森博訳、『科学的発見の論理』、恒星社厚生閣、1971年）; Karl Popper, *Conjectures and Refutations* (New York: Harper Torchbooks, 1965)（カール・ポパー著、藤本隆志、石垣壽郎、森博訳、『推測と反駁』（新装版）、法政大学出版局、2009年）; Larry Laudan, "The Demise of the Demarcation Problem", in *Beyond Positivism and Relativism* (Boulder: Westview Press, 1996).
11. 下記参照。Boudry, "Loki's Wager and Laudan's Error", 80–82, and Hansson, "Defining Pseudoscience and Science", 61–77, both in *The Philosophy of Pseudoscience: Reconsidering the Demarcation*

Problem , ed. M. Pigliucci and M. Boudry (Chicago: University of Chicago Press, 2013). この件では、ピリウーチにも罪があるのだろうか。"The Demarcation Problem"のなかで、彼は必要十分条件を使った線引き問題の解決をあきらめ、線引き基準を考えようというアプローチ全体が「あいまい」なのだと述べている。これはおそらく、彼が線引きの対象を科学と疑似科学ではなく、科学と科学ではないものに置いているからだろう。

12. 図1.1参照。この問題の徹底的な議論については1章を参照。また下記も参照。Tom Nickles, "The Problem of Demarcation: History and Future", 101–120, and James Ladyman, "Toward a Demarcation of Science from Pseudoscience", 45–49, both in *Philosophy of Pseudoscience* , ed. M. Pigliucci and M. Boudry (Chicago: University of Chicago Press, 2013).
13. ガリレオは「聖霊の意図は、我々にどのように天国に行くかを教えることであって、どのように天界が動くかを教えることではありません」と述べている。*A Letter to the Grand Duchess Christina of Tuscany* (Florence, 1615).
14. 科学ではないものの**枠内**で、「科学以外の分野」と「疑似科学」とのあいだにもっとはっきりとした線引きをしたいと思う人もいるかもしれない。それが科学と科学以外(あるいは科学と疑似科学)とのあいだの線引きよりも大きなものになることはないだろうが、一つ言っておくべきは、科学ではないもののなかにも、経験的根拠を重視すると**そもそも述べていない**分野(文学、芸術)と、**そう述べている**もの(占星術、創造論)があることだ。もっとも後者は、実際のところ根拠を重視**していない**といえるだろうが。とはいえ、これだけの控えめな一歩でも問題になりかねない。なぜなら、これを利用してもっと大きな線引き議論のテーマをすり替えたい、あるいはこの部分をさらに掘り下げて、科学ではないもののカテゴリーのなかに**新たな**線引き論争をつくり、必要十分条件となる基準をすべて見つけ出したいという誘惑が生じるからだ。「根拠を大切にする姿勢」が科学と科学ではないものとを分ける十分条件にどうなるのかということだけでも難しいのに、大切にするという宣言を基準に別の論を構築するのは至難の業だ。そのためやはり、線引きの議論では科学と科学ではないものに注目するのが適切と考える。

15. 進化生物学も同様だろう。下記を参照。Michael Ruse, "Evolution: From Pseudoscience to Popular Science, from Popular Science to Professional Science", in *Philosophy of Pseudoscience*, 225–244.
16. このテーマを見事に扱っている下記論考を参照のこと。Frank Cioffi, "Pseudoscience: The Case of Freud's Sexual Etiology of the Neuroses", in *Philosophy of Pseudoscience*, 321–340.
17. この例はリック・ピールズから提供していただいた。
18. 私の兄が科学的態度をもっていると主張することもできるだろうが、ほとんどの哲学者は、兄がやっていたのは科学ではないと言いたがるだろう。シドニー・モージェンベサーは以前、この問題について、何かが科学的であることと、科学であることには差があるかもしれないと述べている。ボードリーも下記の論考で、この実践的な問題を取りあげている。"Plus Ultra: Why Science Does Not Have Limits," *Science Unlimited* (Chicago: University of Chicago Press, 2017).
19. 配管は科学か。ボードリーは上記の論考で、それを信じるのはまったく構わない、つまり科学に認識論的な制限を設ける必要はないと述べている。対してピリウーチは "In Defense of Demarcation Projects," でこの意見に反対し、その理由として、科学者には「かなり明確に定まった役割」があると述べている。私はボードリーに全面的に賛成だ。重要なのは、「日々の知識」を求める際のアプローチであって、配管工に関する社会学的な役割ではないように思える。
20. 線引き論者が「鍵探し」の問題を避ける唯一の方法は、そもそも科学的態度を科学の十分条件として受け入れることを拒否する（その場合、この時点で線引き論者ではいられなくなる）か、新たな必要条件をつけ加えるかだ。しかしその道を進み出した時点で、終点はないように思える。それもまた、科学的態度を科学の十分条件として提示するのを避けたい理由だ。

21. もちろん、これは数学や論理学など、経験的根拠を重視しない分野にも欠けている部分である。

22. Emile Durkheim, *The Rules of Sociological Method* (Paris, 1895; author's preface to the second edition).（エミール・デュルケーム著、菊谷和宏訳、『社会学的方法の規準』、講談社、2018年）

23. とりわけ興味深い提案をしているのが下記である。Tom Nickles ("The Problem of Demarcation", in *Philosophy of Pseudoscience*, 116–117) このなかでニクルスは、線引き基準の候補として「肥沃さ」を批判的に精査している。たとえば創造論の問題は、間違っていること、科学のふりをしていること、科学的態度をもたないことではなく、単に今後解決すべき科学的パズルを提示する気がないことなのかもしれない。

24. もしかしたらポパーの当初の直感は正しく、線引き基準として求められるのは必要条件だけなのかもしれない。

25. Hansson, "Defining Pseudoscience and Science", in *Philosophy of Pseudoscience*, 61.

26. 再度ラウダンのメタな議論に関する話を参照のこと（1章（注27））。ラウダンは、線引き問題を解決するには必要十分条件が必要だと主張している。

27. Pigliucci, "The Demarcation Problem", 21参照。しかし彼がそうしているのは、やはり標的が疑似科学か、それとも科学ではないものかをあいまいにしようとしているからなのだろうか。

28. これは下記にある。*Science Unlimited*, ed. M. Boudry and M. Pigliucci (Chicago: University of Chicago Press, 2017). この本でボードリーとピリウーチは、ここでは別の線引き論争、今回はボードリーが領域的な問題と呼んだもののほうに沿った論争に関わると述べる。以前の著作では、二人は科学への疑似科学の悪影響を防ぐことに関心をもっていたが、今は関心を科学主義の問題、すなわち科学**から**ほかの研究分野を守るべきなのかという問題に移したように思える。

29. Pigliucci, *Science Unlimited*, 197.

30. キッチャーは「疑似科学は疑似科学の信奉者のやることだ」と疑似科学についておおよそ同じことを述べている。Quoted in Boudry, “Loki's Wager”, 91.
31. McIntyre, *Respecting Truth: Willful Ignorance in the Internet Age* (New York: Routledge, 2015), 107–109.
32. “The Demarcation Problem” で、ピリウーチもこのことをよく認識しており、線引き問題でするべきは科学と**疑似**科学を分けることで、科学**ではないもの**と分けることではないという点でボードリーに賛成しているように見える。
33. 科学において重要なのは理論の中身か、理論を推し進める人間の振る舞いかについては、8章で取りあげるので参照のこと。
34. ガリレオやセンメルヴェイスの例で見たように、科学界はときに痛ましいほど非合理的な場合がある。
35. Pigliucci, *Science Unlimited*, 197.
36. 科学と比較した際のほかの研究分野のあいだの類縁関係の分類という興味深い疑問については、詳しくは下記を参照。Tom Nickles, “Problem of Demarcation”, and James Ladyman, “Toward a Demarcation of Science from Pseudoscience”, 45–59, in *Philosophy of Pseudoscience*.

第5章　科学的態度の実践 —— 科学者はどう科学的態度を尊重すべきか

1. James Ladyman, “Toward a Demarcation of Science from Pseudoscience”, in *The Philosophy of Pseudoscience: Reconsidering the Demarcation Problem*, ed. Massimo Pigliucci and Maarten Boudry (Chicago: University of Chicago Press, 2013), 56.
2. 下記参照。Noretta Koertge, “Belief Buddies versus Critical Communities”, in *The Philosophy of Pseudoscience: Reconsidering the Demarcation Problem*, ed. Massimo Pigliucci and Maarten Boudry, 165–180 (Chicago: University of Chicago Press, 2013).
3. 出版された場合でも、論文撤回という仕組みがある。科学における論文の撤回は本章でも取りあげているのでそちらも参照のこと。
4. 本章のP値ハッキングの項も参照のこと。
5. Robert Trivers, *The Folly of Fools: The Logic of Deceit and Self-Deception in Human Life* (New York: Basic Books, 2011).
6. Robert Trivers, "Fraud, Disclosure, and Degrees of Freedom in Science", *Psychology Today* (blog entry: May 10, 2012), https://www.psychologytoday.com/intl/blog/the-folly-fools/201205/fraud-disclosure-and-degrees-freedom-in-science.
7. J. Wicherts et al., "Willingness to Share Research Data Is Related to the Strength of the Evidence and the Quality of Reporting of Statistical Results", *PLOS ONE* 6, no. 11 (Nov. 2011): e26828, http://journals.plos.org/plosone/article?id=10.1371/journal.pone.0026828.
8. J. Simmons et al., "False-Positive Psychology: Undisclosed Flexibility in Data Collection and Analysis Allows Presenting Anything as Significant", *Psychological Science* 22 (2011): 1359–1366, http://journals.sagepub.com/doi/pdf/10.1177/0956797611417632.
9. Simmons et al., "False-Positive Psychology", 1359.
10. Simmons et al., "False-Positive Psychology", 1360.
11. Daniel Kahneman, *Thinking Fast and Slow* (New York: Farrar, Straus and Giroux, 2013).（ダニエル・カーネマン著、村井章子訳、『ファスト＆スロー あなたの意思はどのように決まるか？』早川書房、2014年）また、行動経済学の分野の最近の名著は下記がある。Richard Thaler, *Nudge: Improving Decisions about Health, Wealth, and Happiness* (New York: Penguin, 2009).（リチャード・セイラー、キャス・サンスティーン著、遠藤真美訳、『実践　行動経済学：健康、富、幸福への聡明な選択』、日経BP社、2009年）
12. 一例が常温核融合の騒動。この章のあとの部分で詳しく解説する。
13. P. Wason, "Reasoning about a Rule", *Quarterly Journal of Experimental Psychology* 20, no. 3 (1968): 273–281.

14. Lee McIntyre, *Respecting Truth: Willful Ignorance in the Internet Age* (New York: Routledge, 2015), 15–16.
15. Cass Sunstein, *Infotopia: How Many Minds Produce Knowledge* (Oxford: Oxford University Press, 2008).
16. 本格的な議論については、拙著参照。McIntyre, *Respecting Truth*, 117–118.
17. 下記の議論を参照。Sunstein, *Infotopia*, 207; McIntyre, *Respecting Truth*, 119.
18. Tom Settle, "The Rationality of Science versus the Rationality of Magic", *Philosophy of the Social Sciences* 1 (1971): 173–194, http://journals.sagepub.com/doi/pdf/10.1177/004839317100100201.
19. Settle, "The Rationality of Science," 174.
20. Sven Hansson, "Science and Pseudo-Science", *The Stanford Encyclopedia of Philosophy*.
21. Settle, "The Rationality of Science", 183.
22. Koertge, "Belief Buddies", 177–179.
23. Helen Longino, Science as *Social Knowledge: Values and Objectivity in Scientific Inquiry* (Princeton: Princeton University Press, 1990).
24. Longino, *Science as Social Knowledge*, 66–67.
25. Longino, *Science as Social Knowledge*, 69, 74.
26. Longino, *Science as Social Knowledge*, 216. これと魅力的な対比をなす著作としては、下記が挙げられるかもしれない。Miriam Solomon, *Social Empiricism* (Cambridge, MA: MIT Press, 2001.) ソロモンはそこで、「科学者を集めたコミュニティ」は「個々の科学者の推論」に勝るという考えを受け入れつつ(135)、そうした社会的な意見交換が個々の科学者の推論のバイアスを「修正」できるかという疑問に関しては、ロンジーノに同意しない(139)。ソロモンはロンジーノの視点を大いに称賛してはいるが、ロンジーノの主張は「理想」であり、科学界の実例が伴っていない点を批判している。ソロモンは、科学の実例に目を向ければ、認知バイアスも含め、バイアスが魅力的な科学研究で**プラスの**役割を果たしていることは明らかだと述べる。科学ではバイアスを避けるべきだという考えとかけ離れたスタンスを取りながら、ソロモンは「科学者は基本的に、『バイアスのかかった』推論の助けを得ながら目標を達成する」というきわめて興味深い主張を行う（139）。

27. もちろん、こうした過ちには誰もがもつ認知バイアスを原因としたものがある。しかしここでのポイントは、科学者がこうしたバイアスをもたないことではなく、科学界では、個々の発想を集団が吟味する仕組みを通じて、バイアスを減らすことにまい進している点だ。詳しくは下記ポッドキャストを参考のこと。Kevin deLaplante's Critical Thinker Academy podcast: https://www.youtube.com/watch?v=hZkkY2XVzdw&index=5&list=PLCD69C3C29B645CBC.
28. すでに述べたとおり、データの捏造《ねつぞう》や操作といった明らかな不正については7章で詳しく取りあげる。
29. G. King, R. Keohane, and S. Verba, *Designing Social Inquiry: Scientific Inference in Qualitative Research* (Princeton: Princeton University Press, 1994). 可能であれば、科学では統計的な根拠を用いるほうがいい。しかし不可能な場合でも、方法論が厳密でないことの言い訳にはならない。
30. 予想どおり、出版された研究の有意効果は5％付近に固まる傾向がある。
31. 統計学およびそれと科学哲学との関係についての数々の基本的な問題に包括的かつ厳密に目を向けるには、メイヨーの古典が最適だろう。Deborah Mayo, *Error and the Growth of Experimental Knowledge* (Chicago: University of Chicago Press, 1996). ここでメイヨーは、根拠から学ぶことの意味を厳密かつ哲学的に精査するのみならず、人気のあるベイズ統計学の手法にかわる自身の「誤り統計学」的アプローチについても詳述している。科学的推論で重要なのは、単に経験的根拠から**学ぶこと**ではなく、**どう学ぶか**だ。メイヨーは実験と厳しいテスト、誤りの追求の役割を擁護しており、どう科学的主張を守るかについて統計学的推論の文脈でもっと学びたい人間には必読である。
32. しかし、最も高い相関関係をもつ出来事でも相互に因果的に無関係である可能性はゼロではない点に留意することは重要だ。

33. P値ハッキングという用語が提唱されたのはシモンズらによる下記の論文だ。"False Positive Psychology".
34. M. Head, "The Extent and Consequences of P-Hacking in Science", *PLOS Biology* 13, no. 3 (2015): e1002106, http://journals.plos.org/plosbiology/article?id=10.1371/journal.pbio.1002106.
35. 以前はT検定とF検定を手動で計算したあと、対応するP値を表から探す必要があった。
36. Simmons et al., "False Positive Psychology", 1359.
37. Simmons et al., "False Positive Psychology", 1359.
38. Steven Novella, "Publishing False Positives", *Neurologica* (blog), Jan. 5, 2012, http://theness.com/neurologicablog/index.php/publishing-false-positives/.
39. Christie Aschwanden, "Science Isn't Broken: It's Just a Hell of a Lot Harder Than We Give it Credit For", *FiveThirtyEight*, Aug. 19, 2015, https://fivethirtyeight.com/features/science-isnt-broken/
40. J. Ioannidis, "Why Most Published Research Findings Are False", *PLOS Medicine* 2, no. 8 (2005): e124, http://robotics.cs.tamu.edu/RSS2015NegativeResults/pmed.0020124.pdf.
41. 下記参照。Ronald Giere, *Understanding Scientific Reasoning* (New York: Holt, Rinehart, and Winston, 1984), 153.
42. R. Nuzzo, "Scientific Method: Statistical Errors", *Nature* 506 (2014): 150–152.
43. Head, "Extent and Consequences of P-Hacking".
44. Nuzzo, "Scientific Method".
45. Nuzzo, "Scientific Method".
46. 「科学者はP値に頼りすぎており、少なくとも我々の雑誌は、P値にはもう十分だという結論に至った。2015年[2月]、『*Basic and Applied Psychology*』誌はもはやP値を公表しないことを発表した。編集は『P値0.05[以下]は基準として簡単すぎ、ときに低品質の研究の言い訳に使われていると我々は考えている』と発表した。そしてP値の代わりに、効果量などの『強力な記述統計量』を求める予定だ」。Aschwanden, “Science Isn’t Broken.”

47. Head, “Extent and Consequences.” しかし注意すべきは、ヘッドの発見は小数点以下第2位を丸めた結果だと主張する者たちの反論を浴びたことである。これはP値ハッキングが生じなかったという意味ではなく、ヘッドがP曲線の0.05付近で見つけたというグラフの膨らみは、ハッキングが広くまん延していることのよい根拠ではないという意味である。C. Hartgerink, “Reanalyzing Head et al. (2015): No Widespread P-Hacking After All?” *Authorea*, Sept. 12, 2016, https://www.authorea.com/users/2013/articles/31568/_show_article.
48. S. Novella, “P-Hacking and Other Statistical Sins”, *Neurologica* (blog), Feb. 13, 2014, http://theness.com/neurologicablog/index.php/p-hacking-and-other-statistical-sins/.
49. あるいは、いくつかの例では、測定の方法について一致できないだろう。たとえばベイズ統計学派の人間が、仮説の事前確率の評価を含めることを重要だと考えた場合、そうした主観的要素をどう測定するかという問題がある。
50. Head, “Extent and Consequences”.
51. Simmons et al., “False Positive Psychology”, 1362–1363.
52. Simmons et al., “False Positive Psychology”, 1365.
53. Novella, “P-Hacking”.
54. また、仮にこうした文化を醸成できない場合でも、「ボット」の時代が到来しつつある。最近の論文“The Prevalence of Statistical Reporting Errors in Psychology (1985–2013) ”, M. Nuijten et al. では、新たに開発された「statcheck」というソフトウェアの結果を報告している。これはAPAスタイルの論文の誤りをチェックするもので、すでに5万本の心理学論文がチェックを受けているが、そのうち半分で数学的誤り（たいていは執筆者に有利になるもの）が見つかっている。結果はウェブサイトの「PubPeer」（このサイトを「方法論のテロリズム」と呼ぶ者もいる）で発表されている。ただ論文の執筆チームが指摘しているとおり、彼らの目標は今後の過ちを検知することであり、現在は研究者が論文の投稿前に自身の研究の誤りをチェックできるウェブアプリケーションがある。これもまた、テクノロジーの進化がもたらした科学界の文化の変化だろう。*Behavior Research Methods* 48, no. 4 (2016): 1205–1226, https://mbnuijten.files.wordpress.com/2013/01/nuijtenetal_2015_reportingerrorspsychology1.pdf. また下記も参照のこと。Brian Resnick, "A Bot Crawled Thousands of Studies Looking for Simple Math Errors: The Results Are Concerning," *Vox*, Sep. 30, 2016, http://www.vox.com/science-and-health/2016/9/30/13077658/statcheck-psychology-replication.

55. 実際、二重盲検、さらには三重盲検式の査読を行う場合もある。後者では、執筆者と査読者がお互いに知らないだけでなく、編集者も双方が誰かを知らない。
56. John Huizenga, *Cold Fusion: The Scientific Fiasco of the Century* (Rochester: University of Rochester Press, 1992), 235.（J・R・ホイジンガ著、青木薫訳、『常温核融合の真実：今世紀最大の科学スキャンダル』、化学同人、1995年）
57. Huizenga, *Cold Fusion*, 215–236.（J・R・ホイジンガ著、『常温核融合の真実』）
58. Huizenga, *Cold Fusion*, 218.（J・R・ホイジンガ著、『常温核融合の真実』）
59. Huizenga, *Cold Fusion*, 218.（J・R・ホイジンガ著、『常温核融合の真実』）
60. Huizenga, *Cold Fusion*, 57.（J・R・ホイジンガ著、『常温核融合の真実』）
61. Gary Taubes, *Bad Science: The Short Life and Weird Times of Cold Fusion* (New York: Random House, 1993).（ガリー・トーブス著、渡辺正訳、『常温核融合スキャンダル：迷走科学の顛末』、朝日新聞社、1993年）
62. これらの「確証」について、詳しくはトーブス著『常温核融合スキャンダル』を参照のこと。作中では各研究の問題を説明している。たとえば「ホウ素」の論文は（彼らの中性子検出器が熱に敏感だったという発見により）撤回された。ヘリウムに関する「理論的」な論文は、明らかに常温核融合の発見に合致するように書かれていた点で疑義があった。そして重水で「過剰熱」が発生したという結果は、同様の反応が軽水の反応でも見られ、ゆえに化学反応で説明できる事実により信頼性が崩れた。

63. Solomon Asch, "Opinions and Social Pressure", *Scientific American* 193, no. 5 (Nov. 1955): 31–35, https://www.panarchy.org/asch/social.pressure.1955.html.

64. Taubes, *Bad Science*, 162.（ガリー・トーブス著、『常温核融合スキャンダル』）

65. Taubes, *Bad Science*, 162.（ガリー・トーブス著、『常温核融合スキャンダル』）

66. Wicherts et al., "Willingness to Share Research Data."

67. この件ではフライシュマンにも責任はあるが、データ共有を繰り返し拒否したのはポンズである。

68. ガリー・トーブス著、『常温核融合スキャンダル』で引用されているジョン・マドックスの言葉。

69. Taubes, *Bad Science*, 191.（ガリー・トーブス著、『常温核融合スキャンダル』）

70. Taubes, *Bad Science*, 191.（ガリー・トーブス著、『常温核融合スキャンダル』）

71. Taubes, *Bad Science*, 197.（ガリー・トーブス著、『常温核融合スキャンダル』）

72. Huizenga, *Cold Fusion*, 234.（J・R・ホイジンガ著、『常温核融合の真実』、1995年）

73. 殺人を犯す人間がいるからといって、我々の社会に殺人者を罰する法があり、社会はそうした法律を施行しようとしている事実は否定できない。

74. しかしここでさえも、この相関がデータ共有を拒否する人の動機が悪いことを証明するとは限らない。データを共有可能なよい状態に保つことにより注力している人は、自分の研究方法に対しても注意深い可能性が高いのかもしれない。

75. Stuart Firestein, *Failure: Why Science Is So Successful* (Oxford: Oxford University Press, 2015).
76. Firestein, *Failure*.
77. 言うまでもないことだが、再現性の欠如と不正が異なるのとまったく同じで、論文の撤回と不正も互いに異なる。ある研究が撤回されたからといって、不正だったと思い込んではならない。本書でも紹介しているとおり、論文が撤回される理由は無数にある。
78. しかしながらこの状況は、少なくとも一部の社会科学では変わりつつあるかもしれない。一部の新進の研究者は、自分よりも地位のある研究者に異議を唱えることで名前を上げようとしているからだ。詳しくは下記を参照。Susan Dominus, "When the Revolution Came for Amy Cuddy", *New York Times*, Oct. 18, 2017, https://www.nytimes.com/2017/10/18/magazine/when-the-revolution-came-for-amy-cuddy.html.
79. Ian Sample, "Study Delivers Bleak Verdict on Validity of Psychology Experiment Results", *Guardian*, Aug. 27, 2015, https://www.theguardian.com/science/2015/aug/27/study-delivers-bleak-verdict-on-validity-of-psychology-experiment-results.
80. B. Nosek et al., "Estimating the Reproducibility of Psychological Science", *Science* 349, no. 6251 (Aug. 2015), http://psych.hanover.edu/classes/Cognition/Papers/Science-2015--.pdf. 調査した100件の研究のうち、三つは統計的な理由で除外され、62件は再現性がないことがわかり、再現性があるとわかったのは35件だけだった。
81. B. Carey, "Many Psychology Findings Not as Strong as Claimed, Study Says", *New York Times*, Aug. 27, 2015.
82. B. Carey, "Psychologists Welcome Analysis Casting Doubt on Their Work", *New York Times*, Aug. 28, 2015.
83. Joel Achenbach, "No, Science's Reproducibility Problem Is Not Limited to Psychology," *Washington Post*, Aug. 28, 2015.
84. Carey, "Many Psychology Findings".

85. A. Nutt, "Errors Riddled 2015 Study Showing Replication Crisis in Psychology Research, Scientists Say", *Washington Post*, March 3, 2016.
86. B. Carey, "New Critique Sees Flaws in Landmark Analysis of Psychology Studies," *New York Times*, March 3, 2016.
87. Nutt, "Errors Riddled 2015 Study."
88. P. Reuell, "Study That Undercut Psych Research Got It Wrong: Widely Reported Analysis That Said Much Research Couldn't Be Reproduced Is Riddled with Its Own Replication Errors, Researchers Say", *Harvard Gazette*, March 3, 2016.
89. Carey, "New Critique Sees Flaws".
90. Reuell, "Study That Undercut Psych Research".
91. Nutt, "Errors Riddled 2015 Study".
92. Reuell, "Study That Undercut Psych Research".
93. Carey, "New Critique Sees Flaws".
94. Carey, "New Critique Sees Flaws".
95. Simonsohn, quoted in Carey, "New Critique Sees Flaws".
96. 下記参照。http://www.psychologicalscience.org/publications/psychological_science/preregistration.
97. たとえばP値ハッキングに関して、より多くのデータを集めるために研究を続けるべきかについての科学者の判断は、確証バイアスの証左とみなせないだろうか。科学者は無意識に自説の味方をする。自説が通用するかを確認しようとさらなるデータを求めるのは必ずしも悪いことではない。ここでは「ハンロンの剃刀《かみそり》」というものを紹介しておこう。これは、ある問題が無能さでうまく説明できるのなら、それを悪意に帰するのは控えるべきだという考え方だ。
98. Kevin deLaplante, *The Critical Thinker* (podcast), "Cognitive Biases and the Authority of Science", https://www.youtube.com/watch?v=hZkkY2XVzdw&index=5&list=PLCD69C3C29B645CBC.
99. ここでの課題は非常に難しい。なぜなら、犯す可能性のある過ちは２種類あるからだ。一つが、真実を受け入れるまで時間をかけすぎること（センメルヴェイスに対する医学界の反応の例)、もう一つが、根拠が十分でない結論に慌てて跳びつくこと(常温核融合の例)だ。

第6章　科学的態度が変えた近代医学

1. しかしながらこの章で見ていくように、科学的態度がしっかり根づくまで、近代医学の誕生にはさまざまな失敗や抵抗、理解と実践の乖離《かいり》といった困難が伴った。
2. W. Bynum, *The History of Medicine: A Very Short Introduction* (Oxford: Oxford University Press, 2008), 108.(ウィリアム・バイナム著、鈴木晃仁、鈴木実佳共訳、『医学の歴史』、丸善出版、2015年)下記も参照。W. Bynum et al., *The Western Medical Tradition 1800–2000* (Cambridge: Cambridge University Press, 2006), 112.
3. リスターが効果的な消毒技術の発見と普及に最も寄与した人物なのは確かだが、彼が消毒を発明したわけではないことには注意しておきたい。下記参照。Roy Porter, *The Greatest Benefit to Mankind: A Medical History of Humanity* (New York: Norton, 1999), 370. この技術さえも一部からは抵抗に遭《あ》った。下記参照。Porter, *Greatest Benefit*, 156.
4. Bynum, *History of Medicine*, 91.(ウィリアム・バイナム著、『医学の歴史』)
5. 科学者(scientist)という言葉は1833年まで(ウィリアム・ヒューウェルが提唱するまで)なかったが、もちろんそれ以前からラテン語には*scientia*という言葉があり、それがscientificという語の16世紀の用法(おおむね「知識を生み出す」と訳せる)を生み出した。
6. Bynum, *History of Medicine*(ウィリアム・バイナム著、『医学の歴史』), 91. See also Bynum et al., Western Medical Tradition, 112.
7. Porter, *Greatest Benefit to Mankind*, 9.
8. Porter, *Greatest Benefit to Mankind*, 57.
9. Porter, *Greatest Benefit to Mankind*, 77.
10. Porter, *Greatest Benefit to Mankind*, 76.

11. 啓蒙主義が生んだ科学的前進の精神にすがりたいと願った者もいたが、「医学は実験物理学や化学と同様の偉業を成し遂げることはできなかった」。Porter, *Greatest Benefit to Mankind*, 248.
12. Porter, *Greatest Benefit to Mankind*, 11.
13. Porter, *Greatest Benefit to Mankind*, 245. なぜこうなったのかは興味深い。ポーターは「歴史家はときに、啓蒙主義下の医学におけるパラドックスに見えるもの —— 大きな期待と失望の残る結果 ——を野心的すぎる理論化の結果と説明する」と推察している(248)。
14. Porter, *Greatest Benefit to Mankind*, 11, 274. しかしながら、これを不公平とみなす向きもあるだろう。確かに、ワクチンの背後にある理論は研究室の科学ではなく、酪農家の女性の経験と彼女らがもっている牛痘への免疫だったが、天然痘の予防接種法を確立したエドワード・ジェンナーは科学的態度を尊重し、「なぜ考える？　なぜ実験して試さない？」と述べた(276)。そこまできて初めて、観察は実験のなかでテストされ、この臨床上の飛躍が生じたのだ。
15. Porter, *Greatest Benefit to Mankind*, 284, 305.
16. Lewis Thomas, *The Youngest Science: Notes of a Medicine Watcher* (New York: Viking, 1983), 19–20.（ルイス・トマス著、石館康平、中野恭子訳、『医学は何ができるか』、晶文社、1995年）
17. Ira Rutkow, *Seeking the Cure: A History of Medicine in America* (New York: Scribner, 2010), 37.
18. Rutkow, *Seeking the Cure*, 37–38.
19. Rutkow, *Seeking the Cure*, 44.
20. Cristin O'Keefe Aptowicz, *Dr. Mutter's Marvels: A True Tale of Intrigue and Innovation at the Dawn of Modern Medicine* (New York: Avery, 2014), 31.
21. Porter, *Greatest Benefit to Mankind*, 306.
22. 「実践を指針とし、実例に依ることで、医学はゆっくりと変わっていった。200年以上も前から存在していた顕微鏡が、日々の医療の一部となり、理解を変えていった」。Porter,

Greatest Benefit to Mankind, 525.

23. 麻酔については、一部の頑迷な人間は、産気づいた女性に麻酔を打つのは聖書の記述に反すると考えた。聖書では、子どもは原罪に対する罰として、痛みとともに産まなければならないとされている。彼らは「神が意図した忍耐を味わう」ことを避けるのは間違いだと考えたのである。Rutkow, *Seeking the Cure*, 59–60.
24. Porter, *Greatest Benefit to Mankind*, 431–432.
25. Porter, *Greatest Benefit to Mankind*, 432.
26. Porter, *Greatest Benefit to Mankind*, 433.
27. Rutkow, *Seeking the Cure*, 66.
28. 病原菌説に誰より抵抗したのがルドルフ・ルートヴィヒ・カール・フィルヒョウで、あるときには「人生をもう一度送れるとしても、細菌は自然な宿主《しゅくしゅ》である病気に罹《かか》った組織を探すことを証明する研究に生涯を捧げるだろう。菌は組織が病気に冒される原因などではない」と述べたこともある。
29. Rutkow, *Seeking the Cure*, 79.
30. この引用は、エジンバラで外科医および研究者をしていたジョン・ヒューズ・ベネットからのものである。引用は「見せてみなさい。そうすれば信じよう。誰か見た者がいるのか」と続く。Porter, *Greatest Benefit to Mankind*, 372.
31. Porter, *Greatest Benefit to Mankind*, 436.
32. Porter, *Greatest Benefit to Mankind*, 442.
33. Porter, *Greatest Benefit to Mankind*, 674.
34. Bynum, *Western Medical Tradition*, 112.
35. Porter, *Greatest Benefit to Mankind*, 525.
36. Porter, *Greatest Benefit to Mankind*, 525.
37. Porter, *Greatest Benefit to Mankind*, 527.
38. Porter, *Greatest Benefit to Mankind*, 527.
39. Thomas, *Youngest Science*, 28, 35.（ルイス・トマス著、『医学は何ができるか』）
40. James Gleick, *Genius: The Life and Science of Richard Feynman* (New York: Pantheon, 1992), 132.（ジェームズ・グリック著、

大貫昌子訳、『ファインマンさんの愉快な人生』、岩波書店、1995年）

41. Paul Starr, *The Social Transformation of American Medicine* (New York: Basic Books, 1982).
42. Starr, *Social Transformation of American Medicine*, 39.
43. Starr, *Social Transformation of American Medicine*, 56.
44. Starr, *Social Transformation of American Medicine*, 57.
45. Rutkow, *Seeking the Cure*, 105.
46. 「免許交付の仕組みを根本的に破壊したのは、これは能力ではなく情実の反映ではないかという疑念だった」。Starr, *Social Transformation of American Medicine*, 58. しかしやがて、科学の発展に従ってこうした疑念は駆逐された(59)。
47. 1802年から1876年（ジャクソン流民主主義者が医師会に反旗を翻した時代を含む）にかけて、アメリカで62の営利医学校が設立された。Porter, *Greatest Benefit to Mankind*, 530.
48. Starr, *Social Transformation of American Medicine*, 104.
49. Rutkow, *Seeking the Cure*, 124.
50. Porter, *Greatest Benefit to Mankind*, 530.
51. Porter, *Greatest Benefit to Mankind*, 119.
52. Rutkow, *Seeking the Cure*, 147–148.
53. Porter, *Greatest Benefit to Mankind*, 530–531.
54. Starr, *Social Transformation of American Medicine*, 120–121.
55. Rutkow, *Seeking the Cure*, 164.
56. Bynum, *Western Medical Tradition*, 112.
57. Porter, *Greatest Benefit to Mankind*, 456.
58. Thomas, *Youngest Science*, 35.（ルイス・トマス著、『医学は何ができるか』）
59. Porter, *Greatest Benefit to Mankind*, 455–456.
60. この話については、下記に優れた記載がある。James Le Fanu, *The Rise and Fall of Modern Medicine* (New York: Carroll and Graf, 1999), 5–15. 下記も参照。Porter, *Greatest Benefit to Mankind*, 455–456.
61. Le Fanu, *Rise and Fall of Modern Medicine*, vii.

62. Le Fanu, *Rise and Fall of Modern Medicine*, 5.
63. Le Fanu, *Rise and Fall of Modern Medicine*, 160.
64. Porter, *Greatest Benefit to Mankind*, 455.
65. Le Fanu, *Rise and Fall of Modern Medicine*, 201.
66. Le Fanu, *Rise and Fall of Modern Medicine*, 9.
67. Le Fanu, *Rise and Fall of Modern Medicine*, 10.
68. Porter, *Greatest Benefit to Mankind*, 460.

第7章　科学が道を誤るとき —— 研究不正などの過ち

1. 定義の仕方はさまざまだが、不適切な研究行為は連邦政府の基準では「研究の提案、実施、審査、または研究結果の報告における捏造、改ざん、盗用」とされている。とりわけ注意すべきは、この先の「誠実な誤りや見解の相違は不適切な研究行為に含まれない」という部分だ。下記を参照のこと。https://www.aps.org/policy/statements/upload/federalpolicy.pdf. ほとんどの大学の方針も同様である。国の指針と足並みをそろえつつ独自の定義を定めようというある大学の試みについての思慮深い歴史は下記を参照。David Goodstein, *On Fact and Fraud: Cautionary Tales from the Front Lines of Science* (Princeton: Princeton University Press, 2010), 67. この説明で特に注目すべきは、禁止行為の定義が広すぎること、および不正とその他の不適切な研究行為を同列に扱うことが大学にとってよくない可能性がある理由という、繊細な問題だ。カリフォルニア工科大学の方針全文は下記にある。Goodstein, *On Fact and Fraud*, 136.
2. 2章(注29)に対応する本文の記載も参照のこと。
3. 注意すべきは、きわめて正確な論理学的定義を定めた結果、不正に限らず、不正**ではないもの**の定義も定まったことだ。データの意図的な捏造・改ざんを**行っていない**人間は不正を**犯していない**し、不正を**犯していない**人間はデータの意図的な捏造・改ざんも**行っていない**。
4. もちろん、これは(注3)から導かれることはない。
5. いくつかの特別な事例では、P値ハッキングは不正だと主張

できる。たとえば、根本的に相関関係がない事実をもともと知っている場合など。

6. 当然、定義は変えられるが、下記も参照のこと。不正の定義に「好ましくない研究行為」を含めるかの問題を取りあげている。Goodstein, *On Fact and Fraud*.
7. こちらも、一部は不正の**可能性**があり、それは個々の状況による(下記参照。Trivers, "Fraud, Disclosure, and Degrees of Freedom in Science", *Psychology Today*, May 10, 2012)。また、これらが不正に**発展する**ことがあるかも興味深い疑問だ。
8. グッドスティーンはカリフォルニア工科大学の副教務局長で、あらゆる研究不正を20年近くにわたって監視した。
9. Goodstein, *On Fact and Fraud*, 2.
10. 興味深いのは、本の後半でグッドスティーンが私の唱える科学的態度に符合する「自浄作用」の意味を説明している点だ。彼は自浄作用について、個々の研究者が自身の研究の有効性に疑問を投げかけることに期待できるという意味ではほぼないと主張する。それよりは、「科学界全体」が導入する経験的な監視の方法に近いものという意味だろうという。Goodstein, *On Fact and Fraud*, 79.
11. 「科学に虚偽を紛れ込ませる行為が不正を犯す者の目的であるケースは、起こったとしてもまれである。そうした人間はほぼ間違いなく、自分が科学記録に真理を投入しようとしていると信じている…が、その一方で本物の科学的手法を取った場合に求められる困難の数々をくぐり抜けようとはしない」。Goodstein, *On Fact and Fraud*, 2.
12. 一部の科学哲学者は近年、不正にまつわる疑問を取りあげているが、ほとんどの場合、不正にはすべて「科学における情報の流れに意図的に不正を紛れ込ませようとする」特徴があるというステレオタイプな見方から脱却できていない。下記参照。Liam Bright, "On Fraud," *Philosophical Studies* 174, no. 2 (2017): 291–310.
13. 特に下記を参照。Plato, *Theaetetus*, 200d–201c; Meno, 86b–c.(プラトン著、渡辺邦夫訳、『テアイテトス』、光文社、2019

年、同、『メノン』、光文社、2012年）

14. ロバート・トリヴァースは著書で、自己欺瞞《ぎまん》について刺激的な議論を行い、人間は他者をだますのがうまくなるために自分をだます方法を学ぶのかもしれないという見方を示している。下記参照。Trivers, *The Folly of Fools* (New York: Basic Books, 2011).
15. *Meno*, 98b.（プラトン著、渡辺邦夫訳、『メノン』）
16. おそらく大学は、訴訟を気にしているか、不正をはたらいた人間が所属している学校の評価が失墜することを恐れているのだろう。グッドスティーンは、そのことに伴う難しさについて、研究者の嫌疑が晴れた場合は多くの報道がなされるのに対し、実際に不正のあった場合は機密を保持して不正をはたらいた人間を守る強い圧力がかかることを挙げている（*On Fact and Fraud*, xii）（本当にそうなら科学の精神への違反が疑われるし、ミスと不適切な研究行為の線引きを管理するのも難しくなる）。しかしながらグッドスティーンによれば、スタンフォード大学が関わった最近の一例では、調査が完了する前にすでに職員が結果を公表することを誓約した(99)。
17. 有名な例としては、アイオワ州立大学のハン・ドンピョ元助教授が、AIDS研究ででっちあげをはたらいていたことが発覚し、4年を超える懲役判決を受けた。下記を参照。Tony Leys, "Ex-Scientist Sentenced to Prison for Academic Fraud," *USA Today*, July 1, 2015, http://www.usatoday.com/story/news/nation/2015/07/01/ex-scientist-sentenced-prison-academic-fraud/29596271/. ほかに、韓国の研究者ファン・ウソクが幹細胞研究で捏造を行い、有罪となったケースもある。下記参照。Choe Sang-Hun, "Disgraced Cloning Expert Convicted in South Korea", *New York Times*, Oct. 26, 2009, https://www.nytimes.com/2009/10/27/world/asia/27clone.html.
18. とはいえ、こういうことは起こりうる。テレーザ・イマニシ＝カリは政府の調査対象となり、実験データを改ざんしたとされたが、のちに調査方法に誤りがあり、無罪となった。"The Fraud Case That Evaporated", *New York Times* (Opinion), June 25,

1996, http://www.nytimes.com/1996/06/25/opinion/the-fraud-case-that-evaporated.html.

19. 下記参照。Carolyn Y. Johnson, "Ex-Harvard Scientist Fabricated, Manipulated Data, Report Says", *Boston Globe*, Sept. 5, 2012, https://www.bostonglobe.com/news/science/2012/09/05/harvard-professor-who-resigned-fabricated-manipulated-datasays/6gDVkzPNxv1ZDkh4wVnKhO/story.html.
20. Goodstein, *On Fact and Fraud*, 65.
21. Goodstein, *On Fact and Fraud*, 60–61.
22. ここでもまた、欺瞞と自己欺瞞の関係性に関するトリヴァースの研究を検討してみよう。
23. Robert Park, *Voodoo Science: The Road from Foolishness to Fraud* (Oxford: Oxford University Press, 2000), 10.（ロバート・L・パーク著、栗木さつき訳、『わたしたちはなぜ科学にだまされるのか：インチキ！ブードゥー・サイエンス』、主婦の友社、2001年）
24. Goodstein, *On Fact and Fraud*, 129.
25. Goodstein, *On Fact and Fraud*, 70.
26. 不正と疑似科学に似ている部分はあるのだろうか。疑似科学の信奉者で批判すべきは自己欺瞞なのか。5章（注53）の本文も参照のこと。そこでは、科学者の使う手口と疑似科学の信奉者の使う手口の違いは、程度の差の問題でしかないと主張している。
27. もちろん、これはデータが適切に保管されていない理由にも依存する部分はある。元データの削除はきわめて悪質な行為だが、研究のおかしな部分への調査を隠ぺいするために削除したとすれば、それは重大な不正になりうる。
28. Goodstein, *On Fact and Fraud*, xiii–xiv.
29. ただし、このように「意図」に関する問いにこだわることは逆効果になりかねず、優れた科学とよくない科学の違いをさらにあいまいにするという意見もあるだろう。しかし不正については我々はすでに同様のことを行っているのではないだろうか。行動から意図を推測すべきケースもあるが、それは論文撤回のような代用指標にばかり目を向けていい理由にはならない。

30. Seth Mnookin, *The Panic Virus: The True Story Behind the Vaccine–Autism Controversy* (New York: Simon and Schuster, 2011), 109.
31. Michael Specter, *Denialism* (New York: Penguin, 2009), 71.
32. Mnookin, *Panic Virus*, 236.
33. Mnookin, *Panic Virus*, 305.
34. Mnookin, *Panic Virus*, 19.
35. 話を広めた者もいた。Jennifer Steinhauser, "Rising Public Health Risk Seen as More Parents Reject Vaccines", *New York Times*, March 21, 2008.
36. Brian Deer, "How the Case against the MMR Vaccine Was Fixed", *British Medical Journal* 342 (2011): c5347.
37. Deer, "How the Case against the MMR Vaccine Was Fixed", c5347.
38. F. Godlee et al., "Wakefield Article Linking MMR Vaccine and Autism Was Fraudulent", *British Medical Journal* 342 (2011): c7452.
39. Godlee et al., "Wakefield Article", 2.
40. D. K. Flaherty, "The Vaccine–Autism Connection: A Public Health Crisis Caused by Unethical Medical Practices and Fraudulent Science", *Annals of Pharmacotherapy* 45, no. 10 (2011): 1302–1304.
41. Mark Berman, "More Than 100 Confirmed Cases of Measles in the U.S., CDC Says", *Washington Post*, Feb. 2, 2015.
42. 共著者は全員、ウェイクフィールドの深刻な利益相反とデータの操作について知らなかったと主張したが、うち二人はのちにイギリス医学総会議による調査を受け、そのうちの一人の不適切な研究行為が認定された。
43. 下記のような著名人がウェイクフィールドの信頼性の乏しい仮説を喧伝《けんでん》することで、事態はさらに悪化している。Robert F. Kennedy, Jr., Thimerosal: *Let the Science Speak: The Evidence Supporting the Immediate Removal of Mercury—a Known Neurotoxin*

— *from Vaccines* (New York: Skyhorse Publishing, 2015). また俳優で映画監督のロバート・デ・ニーロは、映画『MMRワクチン告発』を2016年のトライベッカ国際映画祭で上映する判断を下した(のちに取り下げ)。彼はのちに取り下げの判断を後悔していると述べた。

44. Michael D. Lemonick, "When Scientists Screw Up", *Science*, Oct. 15, 2002.

第8章　裏通りの科学 —— 否定主義と疑似科学というペテン

1. 特定の考え方に対しては「否定論者」(denialist)よりも「否定派」(denier)という言葉を使いたい(「ワクチン否定派」(vaccine denier)など)と考える人もいるだろうが、現象そのものは「否定主義」(denialism)と呼ばれている。それを考えれば、こうしたことをする人間は「否定論者」(denialist)と呼んだほうがはっきりするだろう。少なくとも下記書籍以降、この用法は受け入れられつつある。Michael Specter, *Denialism: How Irrational Thinking Hinders Scientific Progress, Harms the Planet, and Threatens Our Lives* (New York: Penguin, 2009).
2. 実例はこの章のあとの部分で紹介する。
3. そして、これは大きな悪影響を及ぼしうる。気候変動ほど一般的に議論されているわけではないが、AIDS否定はとりわけ有害な実例といえる。南アフリカのタボ・ムベキ政権は、2000年から2004年にかけて西欧の抗レトロウイルス薬使用を拒否し(彼らはカリフォルニア大学バークレー校の異端の科学者、ピーター・デューズバーグからの意見を参考にした)、ハーバード大学のチームの調査によれば、同国で避けられたはずの死者を30万人出したという。下記参照。Sarah Boseley, "Mbeki AIDS Denial 'Caused 300,000 Deaths' ", *Guardian*, Nov. 26, 2008, https://www.theguardian.com/world/2008/nov/26/aids-south-africa.
4. 下記参照。"Public Praises Science; Scientists Fault Public, Media", Pew Research Center, *U.S. Politics & Policy*, July 9, 2009, http://www.people-press.org/2009/07/09/public-praises-

sciencescientists-fault-public-media/; Cary Funk and Brian Kennedy, "Public Confidence in Scientists Has Remained Stable for Decades", Pew Research Center, April 6, 2017, https://www.pewresearch.org/fact-tank/2020/08/27/public-confidence-in-scientists-has-remained-stable-for-decades/; The National Science Foundation, "Science and Engineering Indicators 2014", https://www.nsf.gov/statistics/seind14/.

5. 1950年代以降の社会的同調に関するソロモン・アッシュの実験的研究を参照 ("Opinions and Social Pressure", *Scientific American* 193, no. 5 [Nov. 1955]: 31–35)。そこでは、ほかの人と見解が一致することで自身の信念が強固になることだけでなく、同僚との見解の不一致がもとで被験者が自らの信念を明らかに間違ったものに**改める**ことがあることが示されている。
6. Lee McIntyre, *Respecting Truth: Willful Ignorance in the Internet Age* (New York: Routledge, 2015).
7. Noretta Koertge, "Belief Buddies versus Critical Communities", in *Philosophy of Pseudoscience*, ed. M. Pigliucci and M. Boudry (Chicago: University of Chicago Press, 2013), 169.
8. Carl Sagan, *The Demon-Haunted World*: Science as a Candle in the Dark (New York: Ballantine Books, 1996).(カール・セーガン著、青木薫訳、『悪霊にさいなまれる世界 「知の闇を照らす灯」としての科学』、早川書房、2009年)
9. *Sagan, Demon-Haunted World*, 304. See also his discussion on 31 and 305–306.(カール・セーガン著『悪霊にさいなまれる世界』)
10. Sagan, *Demon-Haunted World*, 305.(カール・セーガン著『悪霊にさいなまれる世界』)
11. Sagan, *Demon-Haunted World*, 305.(カール・セーガン著『悪霊にさいなまれる世界』)
12. Sagan, *Demon-Haunted World*, 13, 100.(カール・セーガン著『悪霊にさいなまれる世界』)
13. セーガンは著書で疑似科学の例を70個以上挙げている。

Demon Haunted World, 221–222.（カール・セーガン著『悪霊にさいなまれる世界』）

14. Sagan, *Demon-Haunted World*（カール・セーガン著『悪霊にさいなまれる世界』）, 187.「心を開いておくことは美徳だが、開きすぎて脳がこぼれ落ちないようにする必要はある」
15. 彼のために言っておくと、セーガンは調査に値すると考えるESP研究の主張を三つ取りあげている。Sagan, *Demon-Haunted World*（カール・セーガン著『悪霊にさいなまれる世界』）, 302. そのうちの一つ、思考だけで乱数生成器に影響を与えられるという主張はこの章の最後でも取りあげる。とはいえ、このことをもってセーガンがだまされやすい人間だと結論づけるべきではない。彼は「尋常でない主張には尋常でない根拠が必要である」というラプラスの洞察も支持しているからである。
16. 下記参照。http://www.csicop.org/about/csicop.
17. 科学者は懐疑的だが否定主義者はそうではないという意味については、この章のあとの部分で掘り下げる。否定主義者については「選択的」[に懐疑的] といったほうがよいかもしれないが、このあと見ていくとおり、否定主義者の選択の基準（好みのイデオロギーに合致するようにデータを意図的に選別すること）は科学的に不当なものだ。
18. Sagan, *Demon-Haunted World*, 304.（カール・セーガン著『悪霊にさいなまれる世界』）
19. ここで私は明らかに、セーガンが実際に述べた範囲を超え出ている。セーガンは否定主義に言及していないからだ。それでもこの表は、否定主義と疑似科学の類似点と相違点を検討する道具として役に立つ。
20. ここでは、ワクチンは自閉症を引き起こすという虚偽の主張をしたアンドリュー・ウェイクフィールド自身と、ウェイクフィールドの不正が明らかになったあとも彼の主張を信じる者たちの否定主義との違いに注目してほしい。
21. もちろん、彼らにも見解はあるが、科学的な**見解**ではなく、どれもイデオロギー的だ。ゆえに問題は、彼らが自分たちの見解の基準としてほかにどういうものを考えているかというところにある。

22. これは妙な印象を与えるかもしれない。自分たちの見解がイデオロギー的なのに、彼らはなぜ根拠が必要だと考えるのか。それは、自説がイデオロギー的だと認めたくないからだろう。すると彼らはダブルスタンダードに陥っていることになる。根拠の示し合いが始まったとき、彼らはどうやって自分たちの見方が科学的見解よりも論拠があると主張するつもりなのか。そんなことができるとは妄想にしか思えない。否定主義者が「我々の根拠が間違っていることを証明しろ」と言い張りつつ、一方で我々の根拠をあっさり退けたときは、黙って歩み去るのが最善に思える。
23. 科学的懐疑主義と、ロバート・マートンが論考で「系統的懐疑主義」と呼んだものと比べると有益かもしれない。下記参照。Robert Merton, “The Normative Structure of Science” (1942), reprinted as chapter 13 in *The Sociology of Science*, ed. Robert Merton (Chicago: University of Chicago Press, 1973).
24. とはいえ、現在は「実験哲学」という運動が起こり始めている。
25. こうした主張はひも理論の支持者にはおなじみに聞こえて気味悪く思えるかもしれない。しかし彼らは理論をテストする機会があれば絶対に歓迎するだろう。そうした機会が現在ないだけなのだ。
26. この件については下記拙稿で詳しく触れている。“The Price of Denialism”, *New York Times*, Nov. 11, 2015, https://opinionator.blogs.nytimes.com/2015/11/07/the-rules-of-denialism/.
27. ブレンダン・ナイアンとジェイソン・リーフラーは挑発的な研究を行い、偏った見解をもつ人間に、それが間違いだという根拠を示すと「バックファイア効果」が生じると示した。下記参照。Brendan Nyhan and Jason Reifler, “When Corrections Fail: The Persistence of Political Misperceptions, *Political Behavior* 22, no. 2 (2010): 303–330, https://www.dartmouth. edu/~nyhan/nyhan-reifler.pdf.【リンク切れ】この

結果への道を開いた先行研究としては下記がある。C. Lord, L. Ross, and M. Lepper, "Biased Assimilation and Attitude Polarization: The Effects of Prior Theories on Subsequently Considered Evidence", *Journal of Personality and Social Psychology* 37, no. 11 (Nov. 1979): 2098–2109, http://dx.doi.org/10.1037/0022-3514.37.11.2098.

28. セーガンがこの表自体を提示しなかったというのは確かにそのとおりだが、この表は彼の見方の自然な拡張に思える。また私はセーガンの表について、疑似科学の信奉者を新しい発想に対して心を開いているとする点も間違っていると主張する。詳しくはこの章のあとの内容を参照のこと。

29. たとえばムベキ政権の保健相は、AIDSはニンニク入りのレモンジュースで治せると主張した。下記参照。Celia W. Dugger, "Study Cites Toll of AIDS Policy in South Africa", *New York Times*, Nov. 25, 2008, https://www.nytimes.com/2008/11/26/world/africa/26aids.html.

30. Massimo Pigliucci, *Nonsense on Stilts: How to Tell Science from Bunk* (Chicago: University of Chicago Press, 2010), 137.

31. 2004年の『サイエンス』誌に掲載された文献レビューで、科学史家のナオミ・オレスケスは、1993年から2003年にかけて地球温暖化について出版された928本の査読つき論文のなかで、そのうち温暖化に人為的要因が関わっていることを否定したものは**一つもなかった**ことを明らかにした。2012年のレビューでは、1991年から2012年までの1万3950本の気候変動に関する査読つき論文のうち、地球温暖化を否定しているのはわずか0.17%だった。一部の科学的根拠に関する議論については、詳しくは下記を参照。http://climate.nasa.gov/evidence/ and http://www.ucsusa.org/our-work/global-warming/science-and-impacts/global-warming-science#. V-beXvkrK1s.【二つ目リンク切れ。下記から参照可。https://www.ucsusa.org/climate/science】

32. Naomi Oreskes and Erik Conway, *Merchants of Doubt* (New York: Bloomsbury, 2010).（ナオミ・オレスケス、エリック・M・コ

ンウェイ著、福岡洋一訳、『世界を騙《だま》しつづける科学者たち』、楽工社、2011年）

33. McIntyre, *Respecting Truth*, 72–80.

34. たとえば、ジェームズ・インハーフ上院議員、リック・サントラム上院議員、ドナルド・トランプ元大統領など。

35. Rebecca Kaplan and Ellen Uchimiya, "Where the 2016 Republican Candidates Stand on Climate Change", CBSNews.com, Sept. 1, 2015, http://www.cbsnews.com/news/where-the-2016-republican-candidates-stand-on-climate-change/.

36. Thomas R. Karl et al., "Poissible Artifacts of Data Biases in the Recent Global Surface Warming Hiatus", *Science*, June 26, 2015, http://science.sciencemag.org/content/348/6242/1469.full.

37. "Scientific Evidence Doesn't Support Global Warming, Sen. Ted Cruz Says", NPR, Dec. 9, 2015, http://www.npr.org/2015/12/09/459026242/scientific-evidence-doesn-t-support-global-warming-sen-ted-cruz-says

38. Justin Gillis, "Global Warming 'Hiatus' Challenged by NOAA Research", *New York Times*, June 4, 2015, http://www.nytimes.com/2015/06/05/science/noaa-research-presents-evidence-against-a-global-warming-hiatus.html.

39. Michele Berger, "Climate Change Not on Hiatus, New Research Shows", Weather.com, June 4, 2015, https://weather.com/science/environment/news/no-climate-change-hiatus-noaa-says.【リンク切れ】

40. 修正前のグラフは下記一つ目、修正後は二つ目のグラフを参照。http://scienceblogs.com/significantfigures/files/2013/04/updated-global-temperature.png.【リンク切れ】http://cdn.arstechnica.net/wp-content/uploads/2015/06/noaa_karl_etal-640x486.jpg.

41. AP通信は最近、気候変動の否定論者を「否定派」や「懐疑派」と呼ぶことをやめ、「疑問派」と呼ぶようにするという、誰も喜ばない方針変更を行った。彼らは、一方では「否定派」は「ホロコースト否定派」との関連が強すぎると批判し、もう一方で「懐疑的」という用語は、科学的懐疑主義と結びつけるべきだと話している。当然ながらこの妥協案は気候変動の真実も「疑う余地がある」という印象を生む。これでは「懐疑的」という語を使うよりも事態は改善していないだろう。Puneet Kollipara, "At Associated Press, No More Climate Skeptics or Deniers", Sciencemag.org, Sep. 23, 2015, http://www.sciencemag.org/news/2015/09/associated-press-no-more-climate- skeptics-or-deniers.

42. そう、地球平面論者はいまだに存在し、派手なウェブサイトももっている。こう思う人もいるに違いない。彼らはインターネットのトラフィックにすべて衛星が関わっていることを信じているのだろうか。衛星が何のまわりをまわっているかも知らないのに。http://www.theflatearthsociety.org/home/index.php.
43. McIntyre, *Respecting Truth*, 73. おもしろい後日談として、気候変動否定派の論文のほぼ**すべて**で、方法論に欠陥があった。R. E. Benestad, D. Nuccitelli, S. Lewandowsky, et al., "Learning from Mistakes in Climate Research", *Theoretical and Applied Climatology* 126, nos. 3–4 (2016): 699, https://doi.org/10.1007/s00704-015-1597-5.
44. 下記に引用されているピュー研究所の2009年の世論調査から抜粋した。https://ncse.com/blog/2013/08/how-many-creationists-science-0014996.
45. これについては、トーマス・クーンが下記でよく説明している。Thomas Kuhn, *The Structure of Scientific Revolutions* (Chicago: University of Chicago Press, 1962).（トーマス・クーン著、青木薫訳、『科学革命の構造』(新版)、みすず書房、2023年）
46. Koertge, "Belief Buddies versus Critical Communities".
47. Philip Bump, "Ted Cruz Compares Climate Change Activists to 'Flat-Earthers': Where to Begin?" *Washington Post*, March 25, 2015, https://www.washingtonpost.com/news/the-fix/wp/2015/03/25/ted-cruz-compares-climate-change-activists-to-flat-earthers-where-to-begin/. ただし、厳密に言うとガリ

レオが否定したかったのは天動説で、そして天動説論者のすべてが地球が平らだと信じていたわけではない。

48. John Soennichsen, *Bretz's Flood: The Remarkable Story of a Rebel Geologist and the World's Greatest Flood* (Seattle: Sasquatch Books, 2008), 126.
49. Soennichsen, *Bretz's Flood*, 131.
50. Soennichsen, *Bretz's Flood*, 133.
51. Soennichsen, *Bretz's Flood*, 143–144.
52. また間違いなく、多くの人がブレッツと同じ時代のドイツの地質学者アルフレート・ヴェーゲナーを思い起こすことだろう。ヴェーゲナーの提唱した大陸移動説は大いに嘲笑、否定され、本人の死後しばらくたってようやく認められた。Soennichsen, Bretz's Flood, 165–168.
53. ブレッツの主要な批判者は、ほとんどがスキャブランドを一度も訪れたことがなかった。思い出すのは、ガリレオの理論の批判者たちが天体望遠鏡を覗《のぞ》くことを拒否した話である。Soennichsen, *Bretz's Flood*, 201.
54. Soennichsen, *Bretz's Flood*, 160.
55. Soennichsen, *Bretz's Flood*, 191, 207.
56. http://magazine.uchicago.edu/0912/features/legacy.shtml.
57. Soennichsen, *Bretz's Flood*, 144.
58. Soennichsen, *Bretz's Flood*, 226. これが科学の仕組みだ。下記参照。Kuhn, *Structure of Scientific Revolutions*.（トーマス・クーン著、『科学革命の構造』）
59. Soennichsen, *Bretz's Flood*, 228.
60. Soennichsen, *Bretz's Flood*, 231.
61. たとえば下記。http://www.godsaidmansaid.com/printtopic.asp?ItemId=1354.
62. これはブレッツが斉一《せいいつ》論全般をダメにしたということではない。ほとんどの地質学的特徴は、実際に長い時間をかけた段階的な変化によって説明される。彼が示したのは、これには例外があり、**あらゆる**地質学的現象、特にスキャブランド地域の特徴の説明にはならないということだった。

63. これが、ピリウーチの「科学とは科学者のやることである」という主張は間違いだという私の以前の主張の要点である。科学者も、ブレッツを攻撃した者たちのように振る舞うことがあるからだ。

64. たとえば、スティーブン・ジェイ・グールドが提唱している断続平衡説は、科学的に物議を醸してはいるが、それでもこの理論は、自然現象の突然の変化を神学以外で説明できる可能性を示している。http://www.pbs.org/wgbh/evolution/library/03/5/l_035_01.html.

65. もう一つの例として、グールドが科学的人種主義研究で犯したミスが挙げられるかもしれない。ロバート・トリヴァースは、グールドが政治的な意図から不正に近いことを行っていると感じており、グールドを激しく批判している。Robert Trivers, "Fraud in the Imputation of Fraud: The Mis-Measure of Stephen Jay Gould," *Psychology Today*, Oct. 4, 2012, https://www.psychologytoday.com/blog/the-folly-fools/201210/fraud-in-the-imputation-fraud.

66. ほかにも、内的一貫性や説明力、応用範囲の広さ、豊饒性などの検討すべき要素が科学理論の選択に影響してくることがあるのは確かだが、理想を言えばそれらはすべて、根拠に合致する理論が複数あるなかから、どれか一つ選ぶことを迫られた状況で考慮すべき事柄だ。つまり、根拠に合致していることこそが、疑似科学には満たせない必要条件になる。理論選択ではときに「社会的要因」が重要になる点については下記に詳しいが、それでもクーンは、根拠に合致しない理論はほかのどれだけ考慮すべき部分があろうと救うべきではないと信じている。Kuhn, *Structure of Scientific Revolutions.*（トーマス・クーン著、『科学革命の構造』）

67. 正確な数字を割り出すのは難しいが、ここでの見積もりは、アメリカの著名な哲学者にして懐疑主義者のポール・カーツが1985年に行った占星術業界の研究を参考にしている。Brian Lehrer, "Born Under a Dollar Sign Astrology is Big Business, Even If It Is All Taurus," *Orlando Sentinel*, , Nov. 10, 1985, http://

articles.orlandosentinel.com/1985-11-10/news/0340290056_1_astrology-columns-un-sign-astrology-scientific-fact.

68. 下記参照。"34 Billion Spent Yearly on Alternative Medicine", NBCNews.com, July 30, 2009, http://www.nbcnews.com/id/32219873/ns/health-alternative_medicine/t/billion-spent-yearly-alternative-medicine/#.V-bqYPkrK1t.
69. 疑似科学を「うそ」と呼ぶか「不正」と呼ぶかはささいな問題かもしれないが、私としては科学的態度を尊重する人間がそれに背くのは不正、尊重するふりだけして科学的研究を行っていると主張するのはうそだと考えたい。
70. ここでのお気に入りの例はカール・セーガンによるもので、フェルマーと交信していると主張する霊媒に対して、なぜ彼の定理に欠けている詳細な証明を提示するよう求めないのかというものだ。
71. 現在も行われている取り組みについて関心のある方は、SCICOPが発表している下記を参照されたい。*The Skeptical Inquirer;* http://www.csicop.org/si. ここでのセーガンの研究は見事だ。詳しくは下記の章を参照。"The Fine Art of Baloney Detection," in *Demon-Haunted World*, 203–218.（カール・セーガン著『悪霊にさいなまれる世界』）
72. Michael Ruse, *But Is It Science? The Philosophical Question in the Creation/Evolution Controversy* (Amherst, NY: Prometheus Books, 1996); Pigliucci, *Nonsense on Stilts*, 160–186; McIntyre, *Dark Ages: The Case for a Science of Human Behavior* (Cambridge, MA: MIT Press, 2006), 85–92; McIntyre, Respecting Truth, 64–71.
73. 裁判で「実質上勝利した」と一般にいわれるこの出来事（*Inherit the Wind*（『風の遺産』）のタイトルで演劇や映画にもなった）だが、実際にはテネシー州の反進化論法は1967年に廃止されるまで法律文書に残り続けた。
74. Ruse, *But Is It Science?* 320.
75. McIntyre, *Respecting Truth*, 67–68.
76. https://www.nytimes.com/2001/04/08/us/darwin-vs-design-evolutionists-new-battle.html. 彼らが自分たちの中心的なテキ

ストの一つを、以前の創造論時代のテキストの「創造論者」という語句を「デザイン支持者」に変えただけのものにとどめておかなければ(1カ所だけ間違えて「Cデザイン支持論者」になっていたが)、インテリジェント・デザイン論者はもっと助かっていたかもしれない。

77. 下記参照。https://ncse.com/library-resource/discovery-institutes-model-academic-freedom-statute.【リンク切れ】
78. McIntyre, *Respecting Truth*, 69.
79. 実際、下記のきわめて見事な論文で、反進化論法の検討の一環として、ニコラス・マツケは系統解析という進化論の主要な手法の一つを使ってこれらの法案の類縁関係を分析した。Nicholas Matzke, "The Evolution of Antievolution Policies after *Kitzmiller v. Dover*", *Science* 351, no. 6268 (Jan. 1, 2016): 28–30. http://science.sciencemag.org/content/early/2015/12/16/science.aad4057.
80. Laura Moser, "Another Year, Another Anti-Evolution Bill in Oklahoma", *Slate*, January 25, 2016. http://www.slate.com/blogs/schooled/2016/01/25/oklahoma_evolution_controversy_two_new_bills_present_alternatives_to_evolution.html
81. John Timmer, "This Year's First Batch of Anti-Science Education Bills Surface in Oklahoma", *Ars Technica*, Jan. 24, 2016, http://arstechnica.com/science/2016/01/this-years-first-batch-of-anti-science-education-bills-surface-in-oklahoma/.
82. https://ncse.com/creationism/general/chronology-academic-freedom-bills.
83. Lee McIntyre, "The Attack on Truth", *Chronicle of Higher Education*, June 8, 2015, http://www.chronicle.com/article/The-Attack-on-Truth/230631.
84. http://www. evolutionnews. org/2015/06/willful_ignoran096781.html; http://www.evolutionnews.org/2015/06/say_what_you_wa096811.html.
85. 「キッツミラー裁判のあと、ID論の組織的母体であるディスカバリー研究所でさえ、公立校でID論を教えるよう求めたことは一度もないと主張し（これは間違い）、生徒に反進化論を薦めるよう教師に促すことを目的とした『教育の自由法（AFAs）』を精力的に推進するようになった」" Matzke, "Evolution of Antievolution Policies", 1.

86. 古典的出典としては、下記が挙げられる。Michael Ruse, *But Is It Science?* 以下も参照のこと。Massimo Pigliucci, *Denying Evolution: Creationism, Scientism, and the Nature of Science* (Sunderland, MA: Sinauer Associates, 2002); Donald Prothero, *Evolution: What the Fossils Say and Why It Matters* (New York: Columbia University Press, 2007); Sahotra Sarkar, *Doubting Darwin? Creationist Designs on Evolution* (New York: Wiley-Blackwell, 2007).
87. キッツミラー裁判の判決文は読んでいておもしろく、下記から参照できる。https://ncse.com/files/pub/legal/kitzmiller/highlights/2005-12-20_Kitzmiller_decision.pdf. 1981年のマクリーン対アーカンソー州裁判でのオーヴァートン判事の判決をなぞるかのように、ジョーンズ判事は根拠を通じて間違いが証明される可能性のないものは科学理論ではないと判断した。マクリーン裁判の判決文の全文は下記に掲載されている。Ruse, *But Is It Science?*
88. 下記参照。Ruse, *But Is It Science?* ; Pigliucci, *Denying Evolution*; Prothero, *Evolution;* Sarkar, *Doubting Darwin?*
89. Bobby Henderson, *The Gospel of the Flying Spaghetti Monster* (New York: Villard Books, 2006).（ボビー・ヘンダーソン著、片岡夏実訳、『反★進化論講座：空飛ぶスパゲッティ・モンスターの福音書』、築地書館、2006年）
90. ID論者は、すでに間違いであることがわかっているフロギストン説と比較されるのは不公平だと言うかもしれないが、問題は彼らの理論が反証不可能で、ゆえに間違いだとわかる可能性がないことだ。
91. http://skepdic.com/pear.html を参照。
92. Pigliucci, *Nonsense on Stilts*, 78.
93. Pigliucci, *Nonsense on Stilts*, 77–80. On p. 78. ピリウーチは、

PEARがやっているのは疑似科学ではなく、単に間違っているだけだと述べる。

94. 実際、乱数生成器が実は無作為でなかった一番の根拠は、この実験結果そのものだと主張する者もいるかもしれない。もちろんこれはこの研究に対しては結論を前提にすることになるので、これに満足してはいけない。
95. Robert Park, *Voodoo Science: The Road from Foolishness to Fraud* (Oxford: Oxford University Press, 2000), 199.（ロバート・L・パーク著、栗木さつき訳、『わたしたちはなぜ科学にだまされるのか：インチキ!ブードゥー・サイエンス』、主婦の友社、2001年）
96. http://www.csicop.org/si/show/pear_lab_closes_ending_decades_of_psychic_research.
97. Benedict Carey, "A Princeton Lab on ESP Plans to Close Its Doors", *New York Times*, Feb. 10, 2007.
98. http://skepdic.com/pear.html.
99. Carey, "A Princeton Lab".

第9章　社会科学の前進のために

1. このことの少なくとも部分的な要因になっているのが、**再帰予測**の問題だ。これは、被験者が自身の振る舞いに対する予測を考慮に入れると、それが行動自体に影響を及ぼす現象を指す。これによって個人として、また集団としての振る舞いが予測不能になるとは限らないが、反事実的実験を行い、そもそも被験者と情報を共有していなければどうなっていたかを確認することは不可能になる。
2. Lee McIntyre, *Laws and Explanation in the Social Sciences: Defending a Science of Human Behavior* (Boulder: Westview Press, 1996); Lee McIntyre, *Dark Ages: The Case for a Science of Human Behavior* (Cambridge, MA: MIT Press, 2006)
3. もちろん、態度は方法に影響する（下記でも認識している。*Dark Ages*, 20）が、ここでは態度に関わるダイナミクスの重要性のほうを強調したい。

4. McIntyre, *Dark Ages*, 93.
5. Popper, "Prediction and Prophecy in the Social Sciences", in *Conjectures and Refutations: The Growth of Scientific Knowledge* (New York: Harper Torchbooks, 1965), 336–346.（カール・ポパー著、藤本隆志、石垣壽郎、森博訳、『推測と反駁』（新装版）、法政大学出版局、2009年）
6. McIntyre, *Dark Ages*, 123, note 4.
7. McIntyre, *Respecting Truth: Willful Ignorance in the Internet Age* (New York: Routledge, 2015), 37.
8. 下記参照。Steven Yoder, "Life on the List", *American Prospect*, April 4, 2011, http://prospect.org/article/life-list. このケースでは規範に関わる判断も絡んでいるかもしれない。性犯罪者は実際の刑罰以上の制裁を受けるべきだとか、近隣の人は性犯罪歴のある人間の住所を知る権利があると考える人もいるかもしれない。しかしその場合、累犯率は［議論とは］無関係になる。
9. McIntyre, *Dark Ages*, 63–68.
10. Robert Trivers, "Fraud, Disclosure, and Degrees of Freedom in Science", *Psychology Today* (blog entry: May 10, 2012), https://www.psychologytoday.com/blog/the-folly-fools/201205/fraud-disclosure-and-degrees-freedom-in-science.
11. Jay Gabler and Jason Kaufman, "Chess, Cheerleading, Chopin: What Gets You Into College?" *Contexts* 5, no. 2 (Spring 2006): 45–49. この件を掘り下げると、根底には別の先行研究があることがわかる。その研究では確かに社会経済的地位が統制されているが、それでも両親の美術館訪問と大学の合格とのあいだに**直接的な因果関係**があるという発想を追求するのは問題含みの印象だ。たとえば、著者たちは面接中にホイットニー美術館でやっている最近の美術展の名前を出すことで、受験生がより「大学向き」に見えるようになるのではないかと推測している。しかし、この仮説は結局テストされなかった。Jason Kaufman and Jay Gabler, "Cultural Capital and the Extracurricular Activities of Girls and Boys in the College

Attainment Process", *Poetics* 32 (2004): 145–168.

12. 下記の著者による序文を参照。Emile Durkheim, *The Rules of Sociological Method*, author's preface (Paris, 1895).（エミール・デュルケーム著、菊谷和宏訳、『社会学的方法の規準』、講談社、2018年）
13. センメルヴェイス以前の医学を思い出してもらえばわかるように、データもないままに直感について議論するのは、科学研究では危険な行為だ。根拠が手に入るときはいつでも、経験的根拠を探し、誠実さを保つ必要がある。
14. ある古典的研究では、写真を並べて同時に示す面通しよりも優れた、費用対効果も高い代案が示されているが、FBIを含めた多くの警察は、そのやり方を採用することを徹底して拒んでいる。R. C. Lindsay and G. L. Wells, "Improving Eyewitness Identification from Lineups: Simultaneous versus Sequential Lineup Presentation", *Journal of Applied Psychology* 70 (1985): 556–564.
15. Susan Fiske and Cydney Dupree, "Gaining Trust as Well as Respect in Communicating to Motivated Audiences about Science Topics", *Proceedings of the National Academy of Science* 111, suppl. 4 (Sept. 16, 2014): 13593–13597, http://www.pnas.org/content/111/Supplement_4/13593.full.
16. Fiske and Dupree, "Gaining Trust".
17. M. Brewer and R. Brown, "Intergroup Relations", in *Handbook of Social Psychology*, ed. D. Gilbert, S. Fiske, and G. Lindzey (New York: Oxford University Press, 1998), 554–595.
18. 確かに二人は、「味方」かどうかと「あたたかい」人間と判断されるかどうかをつなげる議論はしている。しかし必要なのは、あたたかみと信頼性とのあいだに双方向的な関係があるという根拠を示すことだろう。
19. Fiske and Dupree, "Gaining Trust".
20. こうしたことは、社会科学の研究では思った以上によく起こる。根拠から誤った結論を導けば、最高にうまく設定された実験でさえ失敗しかねない。多くの社会科学実験では**何か**が示されているが、それが研究者の主張する内容とは限らない。

21. Fiske and Dupree, "Gaining Trust".
22. Fiske and Dupree, "Gaining Trust".
23. このような例は、間違いなくもっと大量にある。では私は、特に悪質なものだけを選別して紹介した人間として、批判を受けるべきなのだろうか。そうは思わない。なぜなら、この研究を行ったチームは最高峰の研究大学（プリンストン大学）の人間で、論文は権威ある学術誌に掲載されたからだ。選択バイアスについては、わたしがこの研究を見つけたのは、気候変動などの話題についての科学者のコミュニケーション能力改善に関する情報を探していたときである。
24. 経済学者らが人間の合理性に対して抱いている古典的な想定、また経験的根拠を前にした際にそれらが維持できないことについては、下記参照。Daniel Kahneman, *Thinking Fast and Slow* (New York: Farrar, Straus and Giroux, 2011).（ダニエル・カーネマン著、村井章子訳、『ファスト＆スロー あなたの意思はどのように決まるか？』、早川書房、2014年）
25. これに対してかなり以前からある異論としては、ハーバート・サイモンの限定合理性とサティスファイシングに関する研究がある。下記参照。Herbert A. Simon, "Theories of Bounded Rationality", in *Decision and Organization*, ed. C. B. McGuire and Roy Radner (Amsterdam: North-Holland, 1972).
26. 注意すべきは、最高の形で行われた科学研究でも推測はときに必要だが、ここでは対照状況下での緻密なリサーチクエスチョンが中心で推測は脇役であり、このリサーチクエスチョンによってさらなる科学的研究が可能になっている。
27. Sheena Iyengar and Mark Lepper, "Rethinking the Value of Choice: A Cultural Perspective on Intrinsic Motivation", *Journal of Personality and Social Psychology* 76, no. 3 (1999): 349–366.
28. McIntyre, *Respecting Truth*, 29–36.
29. Fiske and Dupree, "Gaining Trust".

第10章　科学の価値

1. そして、必要**であると同時に**十分条件であるということとも明らかな違いがある。4章参照。
2. ラウダンを思い出してほしい。彼の1983年の論考以降、科学者は30年にわたってこのプロジェクトをほぼ放棄していたのである。
3. そして、実際に幸運だった場合は、さらなる調査が必要になる。常温核融合の支持者の予測がもう少しうまく当たっていたらどうなっていたかを想像するだけでいい。

著者　リー・マッキンタイア（Lee McIntyre）

ボストン大学哲学・科学史センターリサーチフェロー。著書の『ポストトゥルース』（人文書院）は世界6ヵ国で翻訳され，ベストセラーとなった。

監訳者　網谷祐一（あみたに・ゆういち）

会津大学コンピュータ理工学部教授。京都大学大学院文学研究科博士課程単位取得退学後、ブリティッシュ・コロンビア大学（カナダ）にて哲学博士（Ph.D.）取得。米ピッツバーグ大学（ポスト・ドクトラル・フェロー）、京都大学文学研究科（研究員）、東京農業大学生物産業学部准教授、会津大学コンピュータ理工学部上級准教授などを経て現職。2015年度科学基礎論学会奨励賞受賞。主な著作に『理性の起源——賢すぎる、愚かすぎる、それが人間だ』（河出書房新社）、『種を語ること　定義すること』（勁草書房）、『*Species Problems and Beyond*』（共著、CRC Press）ほか、論文多数。

訳者　高崎拓哉（たかさき・たくや）

翻訳者。書籍とスポーツの翻訳を手がける。訳書に『ハイブリッド・イノベーション』（サウザンブックス）、『UXデザイン100の原則』『脳のしくみとユーザー体験』（BNN）、『新型コロナはどこから来たのか』（ハーパーコリンズ・ジャパン）、『成功する人の仕事のやり方』（ディスカヴァー・トゥエンティワン）、『虎とバット』（ダイヤモンド社）など。

「科学的に正しい」とは何か

二〇二四年五月二十日発行　二〇二四年八月一日 第二刷

著者　リー・マッキンタイア
監訳者　網谷祐一
訳者　高崎拓哉
翻訳協力　株式会社 トランネット
https://www.trannet.co.jp
編集協力　染矢真帆（アイフィス）
編集　道地恵介
表紙デザイン　株式会社 ライラック
発行者　松田洋太郎
発行所　株式会社 ニュートンプレス
〒一一二-〇〇一二
東京都文京区大塚三-十一-六
https://www.newtonpress.co.jp

ISBN　978-4-315-52808-4
カバー、表紙画像：Art of Success/stock.adobe.com